Inhalt

ADRIAN LANGENSCHEID

TRUE CRIME KANADA

WAHRE VERBRECHEN – ECHTE KRIMINALFÄLLE

Über dieses Buch:

Eiskalte Serienmörder, verhängnisvolle Familiendramen, tragische Entführungen, niederträchtige Folter und skrupelloser Missbrauch: dreizehn schockierende True Crime-Kurzgeschichten zu wahren Kriminalfällen aus Kanada.

Gefesselt, fassungslos, verblüfft und zu Tränen gerührt werden Sie alles in Frage stellen, was Sie über die menschliche Natur zu wissen glauben. Das Leben schreibt entsetzliche Geschichten und dieses Buch fasst sie zusammen. Tauchen Sie ein in die schockierende Welt der wahren Kriminalfälle und der echten Verbrechen!

Über die Autoren:

Adrian Langenscheid ist Autor der erfolgreichen Buchserie True Crime International. Seine Bücher haben über die Grenzen Deutschlands hinaus Bestsellerstatus erlangt. Gemeinsam mit den Podcasts „Mordgeflüster", „Überdosis Crime" und „Eyes in the Dark" knüpft der True Crime-Experten mit dem neunten Band der Reihe an die beachtlichen Erfolge der Vorgänger an.

FSC
www.fsc.org
MIX
Papier aus verantwortungsvollen Quellen
Paper from responsible sources
FSC® C105338

Impressum

Autoren: Adrian Langenscheid, Sarah Fischer, Laura Regenauer, Lisa Bielec, Marie van den Boom, Saskia Rademacher, Chenoa Dittberner

ISBN: 978-3-75462-210-0 Softcover Tolino

Lektorat: Stefanie Löschmann, Hannah Thier, BA, MSc., Daniela Bertram

1. Auflage Januar 2022

Covergestaltung: Pixa Heros, Stuttgart

Einige Dialoge und Äußerungen, der in diesem Buch auftretenden Personen sind nicht wortgetreu zitiert, sondern dem Sinn und Inhalt nach wiedergegeben.

Impressum

Herstellung und Druck über tolino media GmbH & Co. KG,
Albrechtstr. 14, 80636 München. Printed in Germany.
Fragen zu Produktsicherheit an: gpsr@tolino.media.

ADRIAN LANGENSCHEID

TRUE CRIME KANADA

WAHRE VERBRECHEN – ECHTE KRIMINALFÄLLE

Überraschung für Robert und Laura bereit: sie erwarten ihr erstes Kind; ein Mädchen, das den Namen Tracy bekommen soll.

Als am Abend des 22. November 1980 die Wehen bei Laura einsetzen, kann das Ehepaar nicht wissen, dass sich ihr Leben in dieser Nacht – auf unerwartete Weise – für immer verändern wird.

Robert fährt seine Frau in ein kleines Krankenhaus im etwa 60 Kilometer entfernten Städtchen North Battleford am North Saskatchewan River. Erst dort bemerkt seine Frau, dass sie die ganze Zeit über unnatürlich stark im Intimbereich geblutet hatte – ein Zeichen für eine mögliche Komplikation. Zu allem Überfluss ist in ihrem Zimmer auch noch das Herzfrequenz-Gerät kaputt, weshalb die Ärzte zunächst nicht wissen, dass der Herzschlag des Babys verlangsamt ist.

Als endlich ein funktionierendes Gerät aufgetrieben werden kann und man die niedrige Herzfrequenz des Mädchens bemerkt, ordnen die Ärzte an, Tracy umgehend per Geburtszange auf die Welt zu holen. Nachdem die Geburt auf diese Weise erfolgreich durchgeführt werden kann, macht sich erneut Panik im Kreißsaal breit. Normalerweise haben Neugeborene ihre Beine angewinkelt, doch Tracys zarte Beinchen sind ausgestreckt und sie atmet nicht.

Das medizinische Personal schafft es, das Kind mittels einer Herzlungenmassage wiederzubeleben und seinen Zustand zu stabilisieren. Bevor man Tracy weiteren Behandlungen unterzieht, gewährt man Robert und Laura einen ersten, flüchtigen Blick auf ihre Tochter.

Wehmütig betrachten die frischgebackenen Eltern den kleinen, mit Käseschmiere bedeckten Körper. Eine Krankenschwester hält das Kind in ihren Händen, auf dessen Kopf feine, tiefbraune Haarstoppeln sprießen. Robert und Laura werden von einer Mischung aus Glücksgefühlen und schrecklicher Trauer übermannt. Wird Tracy es schaffen, wieder ganz gesund zu werden?

Am nächsten Morgen wird dem Ehepaar mitgeteilt, dass das Kind mehrere Krampfanfälle erlitten habe und daher in ein anderes Krankenhaus verlegt werden müsse. Die Kapazitäten der kleinen Klinik in North Battleford reichen nicht aus, um Tracy über einen längeren Zeitraum hinweg zu behandeln. Das Mädchen wird daraufhin ins wiederrum etwa 135 Kilometer entfernte Royal University Hospital in Saskatoon gebracht. Dort versetzt man sie in ein künstliches Koma, um die entstandenen Schwellungen im Gehirn zurückgehen zu lassen und die Gefahr weiterer Anfälle zu minimieren. Erst fünf Tage nach der Geburt wird es Laura gestattet, ihr erstes Kind für wenige Minuten in den Armen zu halten.

Weitere drei Tage später wird Tracy aus dem Koma geholt. Die Anfälle scheinen nachgelassen zu haben, das Kind darf nachhause.

Im März 1981, vier Monate später, bemerkt Robert, dass die Hand seiner Tochter zu zucken beginnt. Etwas, das ihm bereits im Krankenhaus aufgefallen war. Kehren die Anfälle möglicherweise zurück?

Vorsichtshalber bringen Robert und Laura Tracy sofort zurück ins Krankenhaus. Dort verweilt das Kind für drei Monate, in denen die Ärzte weitere Untersuchungen vornehmen. Man will herausfinden, was genau die Anfälle bei Tracy verursacht und wie man sie behandeln kann.

Einen kleinen Lichtblick gibt schließlich eine Mixtur aus verschiedenen Medikamenten, die die Ärzte dem Kind verabreichen, um die Anfälle auf fünf bis sechs pro Tag zu beschränken. Doch Freud und Leid liegen auch in diesem Fall nah beieinander, denn die Ärzte haben inzwischen herausgefunden, was Tracys Anfälle verursacht: Durch den Sauerstoffmangel während der Geburt hat das Kind irreparable Hirnschäden davongetragen. Diese Hirnschäden führten schließlich zu einer Zerebralparese; eine Bezeichnung für die auf den Gehirnschaden zurückzuführenden Symptome, wie Bewegungsstörungen oder Muskelsteife.

Die Diagnose ist der Beginn eines belastenden und schmerzvollen Daseins für Tracy, denn allmählich zeigt sich das volle Ausmaß ihrer Krankheit. Die Symptome einer Zerebralparese treten in unterschiedlicher Form auf und reichen, je nach Mensch, von einer einfachen Bewegungsstörung bis hin zu einer stark ausgeprägten Spastik. Tracy hingegen weist, den Ärzten zufolge, „die schlimmste Form einer Zerebralparese" auf, die sie „jemals gesehen haben". Das Mädchen hat wenig bis keine willentliche Kontrolle über die Bewegungen ihrer Muskeln, was dazu führt, dass sie weder gehen noch sprechen kann; einzig mit den Augen oder einem Lachen schafft sie es, mit ihren Mitmenschen zu kommunizieren. Da ihre Gliedmaßen verkümmert sind und sich ihre Knochen allmählich verschieben, hat Tracy ständig Schmerzen.

Aufgrund einer Schädigung ihrer Atemfunktion sowie der Verdauung hat sie häufig Atemnot und Schwierigkeiten beim Essen; die aufgenommene Nahrung erbricht sie oftmals sofort wieder. Darüber hinaus ist sie auf Windeln angewiesen und sitzt von morgens bis abends im Rollstuhl. Den Ärzten zufolge habe das Mädchen eine Lebenserwartung von maximal zehn Jahren und könne sich glücklich schätzen, wenn sie dieses Alter überhaupt erreicht.

Als Tracy drei Jahre alt ist, erblickt ihr Bruder Bryan das Licht der Welt. Trotz Roberts und Lauras Sorgen, auch bei dieser Geburt könnte es zu Komplikationen kommen, ist der Junge gesund. Ein Jahr nach seiner Geburt hat Tracy ihre erste Operation, die die Muskelverspannungen in ihrem linken Bein lösen soll. Doch fatalerweise hat die Operation den genau gegenteiligen Effekt zufolge und führt zu unwillkürlichen Bewegungen in Tracys rechtem Bein und somit zu weiteren Schmerzen.

Für Robert und Laura ist es eine große Herausforderung, einerseits den Hofbetrieb aufrecht zu erhalten und sich andererseits um ihre beiden Kinder, insbesondere die schwerkranke Tracy, zu kümmern. Trotz der schwierigen Situation und vieler vergossener Tränen, verliert das Ehepaar jedoch niemals seine Hoffnung; gibt sich gegenseitig immer wieder Kraft und lernt, die besonderen Umstände zu akzeptieren.

Im Jahr 1985 erblickt die kleine Lynsie als drittes Kind der kleinen Familie Latimer das Licht der Welt. Tracy ist inzwischen fünf Jahre alt, zumindest körperlich. Geistig ist das Kind noch immer auf dem Stand eines Säuglings.

Trotz ihrer Behinderung findet Tracy Begeisterung an all dem, was andere Kinder in ihrem Alter auch tun. Sie hört gerne Musik, geht gerne schwimmen, schaut sich die Pferde im Zirkus an oder schaut Fernsehen. Sie hat eine sehr enge Bindung zu ihrer Familie und liebt es, wenn ihre Eltern sie sanft in den Armen wiegen und Zeit mit ihr verbringen. Robert und Laura tun alles in ihrer Macht Stehende, um ihrer Tochter ein, den Umständen entsprechend, sorgenfreies Leben zu ermöglichen. Sie schicken Tracy sogar auf eine reguläre Schule und lassen sie auch mit dem Schulbus fahren, was das Kind zusätzlich ermuntert.

Als sie das siebente Lebensalter erreicht, muss Tracy immer häufiger brechen; ihr Magen kann kaum eine Mahlzeit, geschweige denn ihre Medikamente, behalten. Sie weist zunehmend Nährstoffmängel auf und magert rasant ab, was in ihrer Situation lebensgefährlich ist.

Die Ärzte ordnen an, dem Kind eine Ernährungssonde einzusetzen, um den Magen mit den nötigen Mengen an Nahrung, Flüssigkeit sowie ihrer Medizin zu versorgen. Robert und Laura jedoch blicken dem Unterfangen skeptisch entgegen, da es ihrer Meinung nach der erste Schritt sei, um Tracy künstlich am Leben zu erhalten. Sie wollen nicht, dass ihre Tochter von Maschinen oder anderen Fremdkörpern abhängig ist.

Roberts und Lauras Sorge rettet Tracy das Leben, denn die Ärzte finden heraus, dass die Ursache für ihr heftiges Erbrechen die extrem hohe, mittlerweile für sie toxisch gewordene, Dosis der Medikamente gegen ihre Krampfanfälle ist. Dies offenbart sich, als die Menge der Medikamente reduziert wird und die Probleme daraufhin nachzulassen scheinen. Hätte man Tracy ihre Medizin gewaltsam eingeflößt, wäre ihr Magen daran zugrunde gegangen.

Obgleich diese Hürde überwunden ist, schlägt das Schicksal weiterhin grausam zu und lässt Tracy nicht einen Moment ruhen. Aufgrund der Ausprägung ihrer Zerebralparese entwickeln sich weitere Krankheiten, wie etwa eine Luxation – Verrenkung – der Hüftgelenke, oder eine Skoliose, eine dreidimensionale Verformung der Wirbelkörper, welche zu einer abnormen Krümmung von Tracys Rücken führt. Als sie acht Jahre alt ist, hat sich ihr Rückgrat durch die Skoliose bereits um fünfzig Grad verschoben. So kommt es, dass auf den lebenswichtigen Organen ein permanenter Druck lastet; Lunge sowie Magen sind verengt. Dadurch bekommt sie immer schwerer Luft, leidet an chronischer Bronchitis, muss sich noch häufiger erbrechen und hat Probleme beim Schlucken. Darüber hinaus hat sie immer wieder Krampfanfälle.

Im Jahr 1990, Tracy steht kurz vor ihrem zehnten Lebensjahr, also ihrer prophezeiten maximalen Lebenserwartung, wird sie erneut operiert. Diesmal, um ihre Sehnen zu verlängern und damit ihre Muskeln zu entlasten. Die Operation verläuft gut und Tracy scheint sich langsam, aber sicher auf den Weg der Besserung zu begeben.

Zwei Jahre später jedoch wird Tracys Hüftluxation immer schlimmer; ihre Wirbelsäule hat sich inzwischen um siebzig Grad verschoben. Zudem drückt ihr Brustkorb auf das Becken, was Tracy unerträgliche Schmerzen bereitet und die Wahrscheinlichkeit ihres frühzeitigen Ablebens dramatisch erhöht. Aus diesem Grund ordnen die Ärzte eine weitere Operation an, bei welcher L-förmige Stangen aus rostfreiem Stahl in ihre Hüfte implantiert werden; Drähte halten sie an ihrer Position.

Der erfolgreiche Eingriff führt dazu, dass Tracys Knochen nicht mehr auf die lebenswichtigen Organe drücken und sie somit besser Luft bekommt und sich nicht mehr so häufig erbrechen muss. Darüber hinaus kann das Kind von nun an auch eine angenehmere Sitzposition einnehmen. Die Operation bringt jedoch erneut auch einen Rückschlag mit sich – diesmal für Robert und Laura. Tracy sei durch die Stangen in ihrem Rücken steif wie ein Brett geworden, beschweren sie sich. Daher könne man sie nicht mehr auf dieselbe sanfte Art in den Armen wiegen, so wie Tracy es immer gemocht hat. Auch ihre Schlafposition sei infolgedessen unbequemer geworden. Laura erklärt, ihre Tochter sei nicht mehr das glückliche und lebensfrohe junge Mädchen, das sie vor ihrer neuerlichen Operation war.

Im Februar 1993 ist das Mädchen inzwischen zwölf Jahre alt, hat noch immer die kognitiven Fähigkeiten eines Neugeborenen und ihre Hüfte ist erneut ausgerenkt. Die Ärzte wollen eine OP allerdings nicht sofort durchführen, da Tracy ihrer Meinung nach noch ein wenig mehr Genesungszeit von ihrer letzten Operation benötige.

Als Laura zum vierten Mal schwanger wird, wächst mit ihrem Bauch auch die Angst, Tracy nicht länger versorgen und dem damit verbundenen psychischen Druck nicht länger standhalten zu können. Nach langer und reiflicher Überlegung kommen Robert und Laura zu dem gemeinsamen Schluss, dass es das Beste ist, Tracy am Ende der Schwangerschaft in ein Heim in North Battleford zu geben.

Bereits zwei Monate nach der Geburt des kleinen Lee holen die Latimers ihre Tochter auch schon wieder zu sich nach Hause. Zwar hat Tracy sich in dem Heim wacker geschlagen, jedoch zwischenzeitlich eine Menge Gewicht verloren, da die Betreuer nicht mit der Methode, das Kind richtig zu füttern, vertraut waren.

Kaum haben sie das Mädchen wieder bei sich, bringt Laura ihre Tochter zu Dr. Dzus, einer orthopädischen Chirurgin, um die nächsten Behandlungsschritte um Tracy zu besprechen. Die Familie ist verzweifelt und ausgelaugt; das Farmleben sowie die Versorgung von vier Kindern, von welchem eines ein Pflegefall ist, zehren an ihren Nerven.

Als die Ärztin den Behandlungsraum betritt, wird ihr augenblicklich bewusst, wie groß Tracys Schmerzen tatsächlich sein müssen. „Ihre Mutter hielt ihr rechtes Bein in einer gebeugten Position in der Luft und jedes Mal, wenn man versucht hat, das Bein zu bewegen, drückte Tracy Schmerzen aus und schrie auf", erinnert sich Dzus.

Tracys rechter Hüftknochen ist in den vergangenen Jahren stark in Mitleidenschaft gezogen worden, was dem Mädchen große Qualen bereitet. Eine Rekonstruktion der Hüfte ist jedoch aufgrund der massiven Beschädigung des Kugelgelenks nicht realisierbar. Man könne versuchen, ihren Oberschenkelknochen zu entfernen, grübelt Dzus. Das Bein bliebe dann bloß durch Muskeln und Sehnen mit Tracys Körper verbunden. Die Erholungszeit dieser Operation betrage rund ein Jahr und würde Schmerzen in ihren Gelenken verursachen. Leiden, die nur durch weitere Operationen gelindert werden können – ein nie enden wollender Kreislauf.

Der postoperative Schmerz wäre so heftig, dass die einzige, kurzfristige Lösung in einer Epiduralanästhesie, also einer medikamentösen Betäubung der Rückenmarksnerven, läge. Das Problem hierbei: die Schmerzmittel, in Kombination mit den Medikamenten gegen ihre Krampfanfälle, würden bei Tracy erneute Anfälle, eine Magenblutung, Verstopfung, Aspiration sowie eine Aspirationspneumonie, also das Ansaugen von beispielsweise Speichel und eine dadurch entstehende Lungenentzündung, hervorrufen.

Wieder zuhause teilt Laura ihrem Mann unter Tränen mit, dass der Termin für die alles entscheidende Operation in drei Wochen, am 4. November 1993, angesetzt ist.

Das Licht ist ausgeschaltet und die Vorhänge zugezogen, als Laura gegen 13:30 Uhr am 24. Oktober 1993 das Zimmer ihrer Tochter betritt. Sie war soeben mit dem Rest der Familie aus dem Gottesdienst zurückgekehrt und hatte nach ihrer Ankunft sofort das Mittagessen vorbereitet. Doch ein Platz am Esstisch bleibt leer: Tracys. Das Mädchen war mit ihrem Vater Robert zuhause geblieben und mache ihm zufolge ein Nickerchen. Laura macht sich daraufhin auf den Weg, ihre Tochter zu wecken.

Als sich die fürsorgliche Mutter dem Bett nähert, bemerkt sie sofort, dass etwas nicht stimmt. Die Haut in Tracys rundem Gesicht ist seltsam blass. Panisch ruft Laura nach ihrem Mann; er solle sofort einen Krankenwagen rufen. Sie packt Tracy unter den Armen und zieht ihren Oberkörper nach oben, dabei baumeln die Beine schlaff in der Luft. In diesem Moment realisiert Laura: ihre Tochter ist tot.

Trotz der Bestürzung und dem Seelenschmerz verspürt Laura in ihrem Inneren auch eine Art des Friedens. Frieden für ihre Tochter, die nun nicht mehr leiden muss.

Um 14 Uhr desselben Tages geht bei der Royal Canadian Mounted Police (RCMP) ein Notruf ein. Am Telefon meldet sich Robert Latimer. Der kräftige Farmer erklärt, seine Tochter Tracy sei überraschend im Schlaf gestorben.

Kurze Zeit später erscheinen mehrere Polizisten in Begleitung eines Gerichtsmediziners auf der Schwelle des Bauernhofs. Während letzterer Tracys Leichnam untersucht, berichtet Robert den Beamten in aller Ausführlichkeit, was vorgefallen sein soll. Er habe Tracy gegen 12:30 Uhr in ihr Bett gelegt, da sie wieder einmal ungeheure Schmerzen hatte. Als Laura die gemeinsame Tochter zum Mittagessen wecken wollte, bemerkte sie, dass Tracy im Schlaf gestorben war.

Da er die genaue Todesursache nicht auf den ersten Blick bestimmen kann, ordnet der Gerichtsmediziner an, Tracy zu obduzieren. Aus irgendeinem Grund scheint Robert jedoch etwas dagegen zu haben. Ihm wäre es lieber, man würde Tracy einäschern und so schnell wie möglich unter die Erde bringen, verkündet er.

Als dieser Satz Roberts Lippen verlässt, schaut seine Frau ihn verwundert an. Sie wechseln einige Blicke und verschwinden dann gemeinsam ins

Schlafzimmer. Was genau sie bereden, ist nicht bekannt, doch als die beiden wenige Minuten später wiederkommen, ist Laura ebenfalls davon überzeugt, dass man Tracy einäschern sollte. Die Polizisten sind skeptisch: Starb Tracy wirklich im Schlaf? Oder verheimlicht Robert irgendetwas? Handelt es sich bei dem Tod des Mädchens möglicherweise um einen Gnadenmord, also einer bewussten Tötung, um ihrem Leiden ein Ende zu setzen?

Entgegen Roberts und Lauras Protest wird die Obduktion einen Tag später in Saskatoon von Dr. Ranjit Waghray durchgeführt. Obgleich der Pathologe zunächst keine ungewöhnliche Todesursache feststellen kann, entdeckt er eine hohe Konzentration Kohlenmonoxid in Tracys Blut. Ein Hinweis auf eine mögliche Vergiftung? Waghray veranlasst einen Bluttest.

Tracys Leichnam wird am 27. Oktober 1993 im engsten Kreise der Familie beigesetzt. Wenige Tage später erhält Dr. Waghray die Ergebnisse des Bluttests, der keine Zweifel offenlässt: Tracys Blut enthält einen Kohlenmonoxid-Wert in Höhe von 80 Prozent – ein Wert, der darauf schließen lässt, dass das Mädchen dem Gas absichtlich ausgesetzt wurde. Doch von wem? Ihrem Vater? Robert war an jenem 24. Oktober 1993 als einziger mit seiner Tochter zuhause geblieben, während der Rest der Familie in der Kirche war. Hatte er deshalb so nervös reagiert, als der Gerichtsmediziner eine Obduktion anordnete? Wollte er verhindern, dass man Spuren eines Mordes bei einer möglichen Untersuchung findet?

Am Morgen des 4. November 1993, der Tag, an dem Tracys Operation hätte stattfinden sollen, stehen Sergeant Bob Conlon sowie Corporal Ken Lyons an der Türschwelle der Latimer Farm. Als Robert die Tür öffnet, teilen ihm die beiden mit, dass er Hauptverdächtiger im Mordfall seiner Tochter sei. Sie bitten ihn, sich anzuziehen und mitzukommen; auf der Polizeiwache in North Battleford würde man ihm diesbezüglich einige Fragen stellen. Während Robert sich anzieht und die Beamten nach draußen begleitet, bleibt seine Frau Laura sichtlich verwirrt und allein mit den Kindern in Wilkie zurück.

Corporal Lyons weiß, mit wem er es zu tun hat und redet nicht lange um den heißen Brei herum. Kaum sitzt Robert vor ihm in der kleinen Verhörzelle, konfrontiert er ihn direkt mit den Anschuldigungen.

„Nach allem, was wir über Sie und Ihre Familie wissen, zweifle ich nicht daran, dass Sie Ihre Tochter umgebracht haben", sagt Lyons mit ruhiger Stimme. „Ich weiß, dass Sie Tracy geliebt haben und ich weiß auch, dass Sie das eigentlich nicht tun wollten."

Roberts Augen füllen sich mit Tränen und sein Kopf neigt sich fast unmerklich nach vorne.

„Aber Sie mussten es tun", fährt Lyons fort. „Für sie. Habe ich recht?"

Robert antwortet nicht.

„Wir wissen, dass Sie ein hart arbeitender und liebender Vater sind", sagt Lyons. „Und wir wissen auch, dass Sie es aus Liebe zu Ihrer Tochter getan haben."

Wieder äußert sich Robert nicht zu den Vorwürfen. Erst, als Corporal Lyons ihm die Frage immer und immer wieder stellt, bricht der Farmer sein Schweigen.

„Ich wollte sie von ihren Qualen erlösen", sagt er mit brüchiger Stimme. Tränen laufen nun in Rinnsalen über sein Gesicht.

„In Anbetracht dessen, dass Sie keinen Anwalt haben", sagt Lyons nach einer Weile, „weise ich Sie darauf hin, dass Ihnen dieses Geständnis eine Anklage wegen Mordes einbringen könnte."

Robert nickt. „Ich weiß", sagt er.

Lyons atmet tief durch. „Dann schildern Sie uns bitte, was an jenem 24. Oktober geschehen ist", sagt er, holt, mangels eines Aufnahmegerätes, Zettel und Stift hervor und lauscht der Geschichte des Familienvaters.

Nachdem Laura am 12. Oktober 1993 mit Tracy bei Doktor Dzus war und er, Robert, über den Plan, Tracy noch einmal zu operieren, in Kenntnis gesetzt wurde, fasste er den Entschluss, dass es an der Zeit war, ihren Qualen endlich ein Ende zu setzen.

Die folgenden zwei Wochen habe er vor allem mit der Frage nach dem „Wie?" verbracht. Sollte er Tracy mit einer Überdosis Valium vergiften? Ihr in den Kopf schießen? Nein. Letztlich hatte er sich für den Tod durch eine Kohlenmonoxid-Vergiftung entschieden.

Warum er genau den 24. Oktober 1993 gewählt hat, weiß Robert nicht. Nachdem Laura und die Kinder gegen elf Uhr zum Gottesdienst aufgebrochen waren, hatte er die Gelegenheit einfach beim Schopfe gepackt.

Kaum war seine Familie außer Haus, ging Robert zum Blechschuppen und nahm einen spiralförmigen Saugschlauch für Wassertanks heraus. Diesen legte er auf die Ladefläche seines Pickups und fuhr daraufhin zu seiner Werkstatt auf dem Bauernhofgelände, wo er alte Lumpen, zwei große Kisten sowie eine Bügelsäge besorgte. Auch diese Utensilien warf er auf die Ladefläche des Wagens und fuhr zu seiner Garage, wo er den Wagen abstellte.

Anschließend ging Robert zum Wohnhaus, um seine Tochter zu holen. Er brachte Tracy zur Garage, hob sie aus ihrem Rollstuhl und setzte sie auf den Beifahrersitz des Pickups. Die Lumpen stopfte Robert zwischen Tracys Rücken und dem Polster, um ihr einen aufrechten Sitz zu ermöglichen. Dann bedeckte er ihren Körper mit zwei alten Mänteln sowie einem Schlafsack; das Gesicht ließ er frei.

Robert stieg aus und nahm die Bügelsäge, mit welcher er den Saugschlauch durchschnitt. Plastikspäne rieselten dabei auf den Garagenboden. Das eine Ende des gekürzten Schlauches steckte er tief in den Auspuff hinein, das andere Ende legte er durch die verschiebbare Heckscheibe in den Innenraum. Um 11:30 Uhr schaltete er den Motor an, setzte sich auf einen alten Traktorreifen auf der Ladefläche des Pickups und schaute seiner Tochter beim Sterben zu. Sollte Tracy unerträgliche Schmerzen erleiden, würde er die Sache sofort abbrechen.

Eine halbe Stunde später, gegen 12 Uhr mittags, war es vollbracht. Tracy war tot.

Robert sprang mit wackeligen Knien von der Ladefläche, öffnete die Fahrertür und schaltete den Motor aus. Dann holte er den Schlauch aus dem Auspuff und warf ihn wieder auf die Ladefläche.

Er nahm den leblosen Körper seiner Tochter, setzte ihn in den Rollstuhl und brachte Tracy in ihr Zimmer. Dort legte er sie in ihr Bett, um den Anschein zu erwecken, sie sei im Schlaf gestorben; die Beweismittel für seinen Mord verbrannte Robert.

Corporal Lyons möchte wissen, ob Laura über die Pläne, Tracy zu töten, informiert gewesen sei, woraufhin Robert ihm erklärt, er habe seine Frau am Abend des 12. Oktober 1993, also direkt nach dem Arztbesuch, in seine Absichten eingeweiht. Er betont aber auch, dass seine Frau nie in die Planung der Tat involviert gewesen sei und bloß ihre „allgemeinen" Gedanken dazu mit ihm geteilt habe. So habe sie beispielsweise überlegt, Dr. Jack Kevorkian, einen Pathologen, der Menschen bei ihrer Selbsttötung unterstützt, zu konsultieren. Diese Gedanken seien jedoch rein theoretischer Natur gewesen, falls man eine Tötung Tracys als letzte Instanz in Betracht ziehen würde.

Wenn Laura über die Pläne ihres Mannes informiert gewesen sein soll, warum verhinderte sie die Tat nicht? Sie ließ Robert an jenem 24. Oktober 1993 allein mit Tracy zurück, wohlwissend, dass er die Absicht hatte, sie zu ermorden. Traute sie ihm die tatsächliche Ausführung der Tat nicht zu? Oder hielt sie ihren Mann bewusst nicht von seinen Plänen ab? Ist Laura also doch indirekt in den Mord involviert?

Robert verbringt insgesamt vier Tage im Gefängnis, ehe er auf Kaution freigelassen wird. Die Freiheit wird ihm jedoch unter einigen Einschränkungen geschenkt; so darf er die Provinz Saskatchewan nur mit Erlaubnis verlassen, muss sich jeden Freitag bei der Polizei melden und darf keinen einzigen Tropfen Alkohol zu sich nehmen.

In der Zwischenzeit haben auch nationale sowie internationale Medien Wind von der Tat des Familienvaters bekommen. Dies lenkt eine ungewollte Aufmerksamkeit auf die Latimers; es werden hitzige Diskussionen über die moralischen Beweggründe Roberts geführt. Ist er für die einen ein selbstloser Held, der einzig aus Liebe zu seiner Tochter handelte, so sagen andere er sei ein kaltblütiger Mörder, der das Leben eines Kindes auslöschte, das sich nicht einmal zu wehren wusste.

Der Fall wird in kürzester Zeit zu einem der am kontroversesten diskutierten Mordfälle in der kanadischen Kriminalgeschichte. Vor allem die Frage, ob Robert seiner Tochter den Gnadenschuss gab, steht dabei an vorderster Front.

Rein rechtlich betrachtet scheint die Sache jedoch schnell geklärt. Sterbehilfe ist in den 90er-Jahren in Kanada grundsätzlich nicht legal; zudem dürfte sie, wenn überhaupt, nur von Ärzten ausgeführt werden. In Tracys Fall spielt dies jedoch ohnehin keine tragende Rolle, denn der Sterbende muss seinem Tod einvernehmlich zustimmen. Tracy war mit ihren zwölf Lebensjahren sowie ihren kognitiven Fähigkeiten eines Neugeborenen weder dazu in der Lage, ihrem Ableben zuzustimmen, noch, einen konkreten Sterbewunsch zu äußern. Handelte Robert also einzig im eigenen Interesse?

Am 7. November 1994 steht der 41-jährige Robert Latimer wegen Mord ersten Grades, also dem vorsätzlichen Töten, vor Gericht. Die Richter und Schöffen stehen vor einer gewaltigen Aufgabe: sie müssen, trotz der moralischen und ethischen Debatte, ein gerechtes Urteil fällen und dürfen sich nicht von ihren eigenen Gefühlen übermannen lassen.

Laura, die ursprünglich als letzte Zeugin der Anklage auftreten sollte, wechselt kurz vor Prozessbeginn die Seiten und tritt nun als letzte Zeugin der Verteidigung auf. So heißt es in ihrer Aussage:

„Tracys Geburt war um einiges trauriger als ihr Tod. Wir haben unsere Tochter verloren, als sie geboren wurde.“

Laura berichtet auch über das Verhältnis zwischen Robert und Tracy: „Er war ein wunderbarer und liebender Vater. Er war immer für Tracy da, hat sie sehr geliebt und sie hat ihn geliebt."

Der Kronstaatsanwalt hingegen behauptet das genau Gegenteil von Robert. Er habe seine Tochter einzig und allein getötet, um ihm und seiner Frau die Last aus der Welt zu schaffen. Für diese Behauptung bekommt er eine Verwarnung vom Richter.

Nach etwa vier Stunden Beratungszeit der Geschworenen wird Robert Latimer nicht wegen Mordes ersten, sondern wegen Mordes zweiten Grades, also Totschlag, schuldig gesprochen. Zuvor hatte der Richter den Geschworenen mitgeteilt, dass sie, wenn sie Robert für schuldig befinden, die Wahl hätten, ihn für Mordes ersten oder zweiten Grades zu verurteilen. Viele sehen in der Aussage des Richters eine Art Aufforderung, den Angeklagten schuldig zu sprechen; die Schöffen hätten demnach keine andere Wahl gehabt.

Da Robert die Tat jedoch einräumte, blieb den Geschworenen tatsächlich nichts anderes übrig, als ihn schuldig zu sprechen. Hätten sie es nicht getan, hätten sie das Gesetz missachtet. In Ausnahmefällen jedoch hat die Jury auch das Recht, Beweismittel sowie das Gesetz außer Acht zu lassen, wenn sie dies als unfair, ungerecht oder in irgendeiner Weise unmoralisch erachten – die sogenannte „Annullierung der Jury". Da es der Verteidigung untersagt ist, die Schöffen auf dieses Recht hinzuweisen, und die Staatsanwaltschaft in Roberts Fall keinen Grund dazu hatte, wurde auf eine Annullierung verzichtet.

Bevor das Urteil ausgesprochen wird, überlässt man Robert das letzte Wort. Er sagt, er bleibe weiterhin der Überzeugung, dass er richtig gehandelt habe. Wenn es schon keine Straftat sei, Tracy das Bein abzuschneiden, ihr eine Ernährungssonde zu implantieren oder sie weitere zwanzig Jahre lang mit diesen Schmerzen leben zu lassen, solle es auch keine Straftat sein, sie von ihren Qualen zu erlösen.

Das Urteil fällt: Robert Latimer wird zu einer Freiheitsstrafe von zehn Jahren ohne Bewährung verurteilt.

Im Anschluss an die Gerichtsverhandlung kritisiert Laura gegenüber der versammelten Presse das kanadische Rechtssystem, das einen wunderbaren und liebenden Vater einfach so wegsperren könne. Robert könne im Gefängnis unter keinen Umständen das nachempfinden, was Tracy fast dreizehn Jahre lang ertragen musste.

Eine Woche später legt Robert Berufung gegen das Urteil ein, welche vom Court of Appeal, dem kanadischen Berufungsgericht, am 18. Juli 1995 mit 2:1 Stimmen abgelehnt wird. Das Urteil bleibt somit vorerst bestehen, bis es drei Monate später eine überraschende Wendung gibt:

Es wird enthüllt, dass der Kronstaatsanwalt offenbar vor der ersten Verhandlung mögliche Geschworene zu den Themen Religion, Abtreibung sowie Gnadenmord befragt hat. Da der Oberste Gerichtshof dies als Einmischung in die Jury wertet, ordnet er im Februar 1997 ein weiteres Verfahren gegen Robert Latimer an. Prozessauftakt ist der 27. Oktober 1997, drei Tage nach Tracys viertem Todestag. Roberts Geständnis behält seine Gültigkeit; er ist nun wegen Mordes zweiten Grades angeklagt.

Die zweite Verhandlung verläuft nahezu identisch wie die erste. Laura, die erneut im Zeugenstand Platz nimmt, erklärt der Verteidigung, dass sie zunächst „wütend und schockiert“ gewesen sei, als sie hörte, dass ihr Ehemann die Tat einräumte. Sie sei allerdings auch froh gewesen, Tracys leblosen Körper zu finden. Laura trauere nicht um den Tod ihrer Tochter, sondern um ihre Geburt.

Das Gericht will von ihr wissen, ob sie geahnt habe, dass Tracy von Robert getötet werden könnte. Laura beantwortet dies mit einem klaren „Nein“; als sie an jenem 24. Oktober 1993 mit dem Rest der Familie zur Kirche ging, habe sie nicht gewusst, dass Robert einen Mord plane. Sie dachte, Tracy sei an einem Anfall im Schlaf gestorben.

Warum Laura zu diesem voreiligen Entschluss kam, wo Tracy sowie ihr Zimmer doch nach Autoabgasen hätten riechen müssen, erklärt Laura damit, dass Robert ein zu „einhundert Prozent ehrlicher Mann“ sei und sie daher keinen Grund hatte, ihm zu misstrauen.

Im weiteren Verlauf des Prozesses werden auch die Tagebucheinträge Lauras ausgewertet. Darin beschreibt sie Tracy als fröhliches Kind, das gerne auch mal Schabernack getrieben habe. Sechs Tage vor ihrem Tod habe sie sogar noch gut gegessen. Vor Gericht behauptet Laura nun jedoch, ihre Tochter sei permanentem Leid ausgesetzt gewesen und habe von morgens bis abends unter schrecklichen Schmerzen gelitten. Mit diesem Vorwurf konfrontiert erklärt Laura, sie habe sich auf jedes noch so kleine Quäntchen Glück ihrer Tochter gestürzt. Die Tagebucheinträge sollen demnach kein allgemeines Bild von Tracys Leben sein, sondern vielmehr ihre wenigen glücklichen Momente darlegen.

Nach einer Woche, in welcher mehrere Zeugen vernommen, Tracys Lebensumstände von allen Seiten beleuchtet und Robert immer und immer wieder als liebender und fürsorglicher Vater beschrieben wurde, befinden die Geschworenen den Farmer wegen Mordes zweiten Grades für schuldig.

Als das Urteil ausgesprochen wird, springt Laura von ihrem Sitz auf und macht ihrer Empörung lauthals Luft. Immer wieder hallt das Wort „Nein“ von den Wänden des Gerichtssaals wider.

Robert dreht sich zu ihr um und versucht sie zu beruhigen. „Schon gut“, sagt er. „Schon gut.“

Das Mindeststrafmaß für Mordes zweiten Grades sieht einen Gefängnisaufenthalt von mindestens zehn Jahren vor, doch die Geschworenen empfehlen dem Gericht, Robert nach einem Jahr Gefängnis auf Bewährung freizulassen.

Der Richter nimmt diesen Hinweis zur Kenntnis und verurteilt Robert Latimer zu einer Freiheitsstrafe in Höhe von zwei Jahren, von denen er jeweils ein Jahr im Gefängnis und ein Jahr zuhause unter strenger Bewachung verbüßen soll. Dies begründet er damit, dass Robert durch Mitgefühl gegenüber seiner Tochter zu der Tat getrieben worden sei und man somit eine verfassungsmäßige Ausnahme zur Missachtung der vorgeschriebenen zehn Jahren Haft machen würde.

Die Kronstaatsanwaltschaft legt gegen diese Entscheidung Berufung ein, da sie wiederrum die Ansicht vertritt, Robert müsse für seine Tat sehr wohl die vorgeschriebenen zehn Jahre Mindesthaft verbüßen. Das Berufungsgericht Saskatchewans teilt die Auffassung der Kronstaatsanwaltschaft und verurteilt Robert daher zu einer lebenslangen Haftstrafe.

Gegen dieses Urteil legt nun wiederrum Robert Einspruch beim Obersten Gerichtshof ein, da er sich ungerecht behandelt fühlt. Es sei ihm verwehrt worden, seine Beweggründe für den Mord eingehend zu erläutern; er ist immer noch der Meinung, er habe keine andere Wahl gehabt, als das Leben seiner Tochter eigenhändig zu beenden. Dementsprechend sei eine lebenslange Freiheitsstrafe in seinen Augen zu grausam und ungewöhnlich.

Der Oberste Gerichtshof lässt sich auf keine Diskussion ein und entscheidet einstimmig, dass das Urteil bestehen bleibt. Somit wird dieses rechtskräftig und es bleibt bei Roberts lebenslänglicher Haftstrafe, die er am 18. Januar 2001 in der William Head Institution, dreißig Kilometer westlich von Victoria in British Columbia entfernt, antritt. Fast zehn Jahre später, im Dezember 2010, wird seine Gefängnisstrafe zur Bewährung ausgesetzt; Robert darf das Gefängnis verlassen.

Laura unterstützte ihren Mann während der gesamten Zeit des Prozesses und wich auch nicht von seiner Seite, als sich dicke Stahlbetonfassaden zwischen sie stellten. Die Latimers sind bis zum heutigen Tag glücklich verheiratet.

Auch Roberts Sicht auf die Dinge hat sich nicht geändert. Er tat, seiner Ansicht nach, das einzig Richtige und würde es wieder tun, wenn die

Umstände es erfordern würden. Auf die Frage, ob er wisse, ob Tracy sterben wollte oder nicht, antwortet der Familienvater:

„Ich gehe davon aus, dass sie nicht noch mehr Schmerzen erleiden wollte. Ich kann mich nur an dem orientieren, was ich für mich selbst gewollt hätte."

»Der Mensch weiß nicht, welchen Platz er einnehmen soll, er hat sich offensichtlich geirrt und ist von seinem wahren Ort herabgesunken, ohne ihn wiederfinden zu können. Ruhelos und ohne Erfolg sucht er ihn überall in seiner unergründlichen Finsternis.«

- Blaise Pascal (1623-1662) französischer Mathematiker, Physiker, Literat und christlicher Philosoph -

KAPITEL 2

Du kannst es nicht stoppen!

Ryan Boyle scrollt hastig die ganze Seite mit den Vorschlägen bei YouTube durch. Irgendwo muss das angekündigte Video doch sein! Der Ex-Soldat, der unter dem Namen „Save Kitty“ im Internet aktiv ist, will prüfen, was wirklich hinter diesem beunruhigenden Clip steckt, auf den in den Foren immer wieder hingewiesen wird. Heiß wird diskutiert, ob es sich um eine wahre Tat oder einen schlechten Scherz handelt. Die verstörenden Hinweise haben den aktiven Tierschützer an diesem Tag, dem 21. Dezember 2010, auf die Videoclip-Plattform gelockt. Was verbirgt sich hinter dem seltsamen Titel „1 Kerl – 2 Kätzchen“? Der Mann starrt auf den Bildschirm und überfliegt angespannt Titel für Titel der Videos, die andere User hochgeladen haben. Halt! Tatsächlich, da ist es!

Zitternd vor Aufregung klickt er auf den Videoclip mit den Kätzchen auf dem Vorschaubild. Irgendwo tief in seinem Verstand gibt es noch immer einen winzigen Funken Hoffnung, dass alles nur ein schlechter Scherz ist, ein Fake, um die Reichweite des Videos zu pushen. Doch schon in den allerersten Sekunden weiß der passionierte Tierschützer: Das hier ist die grausame Realität! Ein Mann, dessen Gesicht nicht zu sehen ist, greift zwei kleinen Babykatzen und steckt sie dann in eine bereitliegende Plastiktüte. Als Nächstes nimmt der Mann den wartenden Staubsauger zur Hand und steckt das Rohr in die Plastiktüte; nachdem diese versiegelt ist, schaltet er den Staubsauger ein. Binnen Sekundenbruchteilen saugt der Mann so die komplette Atemluft aus der Tüte ab und schließlich, nach einem grauenerregenden Todeskampf, ersticken die beiden unschuldigen Katzenkinder.

Es dauert, bis Boyle sich wieder halbwegs gefasst hat, doch dann wird er aktiv und erstellt eine Facebook-Gruppe mit dem Titel „Find the Vacuum Kitten Killer for Great Justice." („Findet den Staubsauger-Kätzchenkiller, um ihn zur Rechenschaft zu ziehen") Sein Ziel ist klar: Der Unbekannte muss gefunden und zur Verantwortung gezogen werden, ehe so etwas noch einmal geschieht! Binnen kürzester Zeit wächst die Gruppe auf rund 4.000 Mitglieder an, die alle dasselbe Ziel wie Boyle haben, den Tierquäler der gerechten Strafe zuzuführen und weitere, ähnliche Taten von potenziellen Trittbrettfahrern zu verhindern. Dazu ist es das vordringlichste Ziel der Gruppenmitglieder, Name und Anschrift des Unbekannten herauszufinden.

Schnell kommt die Vermutung auf, der Tierquäler könne zu den Gruppenmitgliedern gehören– aber unter einem anderen Namen oder sogar mit mehreren Accounts. Gewisse Einträge und Verhaltensweisen deuten stark darauf hin, dass sich der Mann eingeschlichen hat. Will er sich an seiner zweifelhaften Berühmtheit womöglich auch noch weiden? Vor allem als schließlich noch einige Zeit später genau von diesen Usern Bilder aus dem Video mit den beiden Kätzchen gepostet werden – aber vermutlich aus einer anderen Version des Videos. Denn auf den Bildern ist das Gesicht des Täters dieses Mal deutlich zu erkennen. Am 28. Dezember 2010 setzen die Tierschützer eine Belohnung aus. Derjenige, der Hinweise auf den Täter geben kann, die zur Ergreifung des Vacuum Kitten Killer führen, erhält 5.000 Dollar (rund 4250 Euro). Joe Panz, ein Bekannter von Boyle, der zu den Gründungsmitgliedern der Facebook-Gruppe gehört, warnt: „Tierquälerei ist ein Einstiegsverbrechen." Er ist sich sicher: „Wenn jemand durch diese Tür geht, werden sogar noch viel schlimmere Dinge geschehen!"

Die Recherchen der Aktivisten fokussieren sich letztlich auf den Facebook-Account eines jungen Kanadiers namens Luka Magnotta, der im Herbst des Jahres noch ein weiteres, grausames Video auf seiner Facebook-

Seite geteilt hat. Der Titel des Clips lautet: „3 guys 1 hammer“ („3 Männer, 1 Hammer“). Der Inhalt ist teuflisch, aber ist der Mann tatsächlich mit dem Katzenmörder identisch? Zu sehen ist in diesem Video, wie ein Mann von drei Tätern mit einem Hammer brutal attackiert und schließlich sogar damit erschlagen wird. Auch wenn der Accountbesitzer scheinbar nicht selbst an dieser barbarischen Tat beteiligt war (er ist im Video nicht zu sehen), erlaubt die Verbreitung des Clips dennoch einen Einblick in die geistige Haltung des Uploaders. In einem der Kommentare unter dem Clip heißt es: „Luka ist nicht in der Lage dazu zu leben, wenn kein Chaos in seinem Dasein ist. Erst dann fühlt es sich so an, als sei er von Bedeutung.“ Die Tierfreunde fragen sich, ob es sich möglicherweise um einen weiteren Fake-Account von Magnotta handelt. Wer sonst kann so etwas Persönliches über ihn wissen? Des Weiteren erleben sie, wie sich der Mann schließlich sogar mehrfach brüstet, der aktuelle Freund der berüchtigten Karla Homolka zu sein, einer sehr bekannten kanadischen Serienmörderin. Später gibt er jedoch zu, dass er die Beziehung zu der Frau nur erfunden hat. Der 28-Jährige will damit Aufmerksamkeit erhaschen. Er ist so besessen davon, im Mittelpunkt der Aufmerksamkeit zu stehen und eine Berühmtheit zu sein, dass er sich 2008 sogar heftige Dispute mit der größten Internet-Enzyklopädie Wikipedia liefert. Zweimal sehen sich die Kontrahenten sogar vor Gericht wieder, weil Magnotta selbst vor einem teuren Prozess nicht zurückschreckt, um sein vermeintliches Recht zu erstreiten. Der Mann setzt alle Hebel in Bewegung, um sich hier mit einem Eintrag zu seiner Person im Internet zu verewigen – doch das Online-Lexikon hält konsequent dagegen und bekommt auch vor Gericht recht.

Anfang des Jahres 2011 gründet sich eine neue Facebook-Gruppe, das Animal Beta Project oder auch AB Project, es handelt sich um eine Nachfolgegruppe der von Boyle ins Leben gerufenen Vereinigung. Die elf Mitglieder sind fest entschlossen alles Nötige zu tun, um den Tierquäler von weiteren Taten abzuhalten. Sie gehen dieses Mal dafür sogar so weit, jedes Einzelbild des Katzenmord-Clips noch einmal genauestens zu analysieren und mit den Fotos abzugleichen, die ihr Hauptverdächtiger online postet. Die Übereinstimmungen von Einrichtungsgegenständen und Bekleidung sind frappierend! Im nächsten Schritt werden die Bilder noch eingehender unter die Lupe genommen, um die Person in der Realität zu tracken – wieder ein Volltreffer. Der Katzenmörder hat die Fotos samt den genauen Aufnahmedaten gepostet, die die Handykamera aufgezeichnet hat. Damit haben die Tierschützer sogar den Ort lokalisiert, an dem sich der Mann gerade aufhält: Toronto. Umgehend wird die Tierschutzorganisation Ontario Society for the Prevention of Cruelty to Animals kontaktiert. Die Mitglieder geben die erhaltenen Informationen direkt an die örtliche Polizeidienststelle weiter. Die Nachricht, dass die Beamten nun endlich in diesem Fall Ermittlungen aufnehmen, ist wie eine Erlösung für die Tierfreunde. Geschafft!, jubeln sie. -Doch zum Ende des Jahres 2011 stellt der Tierquäler erneut verstörende Videos seiner Taten online.

Dieses Mal wird ein Katzenbaby von einem Mann, der eine Weihnachtsmütze trägt, aber dessen Gesicht nicht zu erkennen ist, an eine Pythonschlange verfüttert. In einem zweiten Clip bindet ein Mann ein junges Kätzchen mit Panzerband an einem Besenstiel fest und ertränkt das vollkommen wehrlose Tier in der Badewanne.

Jetzt berichtet sogar die britische Boulevardzeitung „The Sun“ über den Kätzchen-Mörder. Eines Tages taucht der Verdächtige völlig überraschend in der Londoner Redaktion auf. Der junge Mann behauptet, er habe mit den ganzen Tierquälereien rein gar nichts zu tun. Zwei Tage nach diesem Besuch, der von den Redakteuren als überaus seltsam beschrieben wird, erhält der Redakteur, der mit ihm gesprochen hat, eine E-Mail mit alarmierendem Inhalt. Die Botschaft jagt selbst den hart gesottenen Boulevard-Journalisten eine Gänsehaut über den Rücken: „Das nächste Mal, wenn ihr von mir hört, wird es wegen eines Films sein, den ich produziere – aber dann werden darin einige Menschen vorkommen und nicht nur Kätzchen.“ Und weiter heißt es: „Töten ist nicht wie Zigarette rauchen. Wenn du einmal Blut gekostet hast, kannst du nicht mehr aufhören. Du kannst es nicht stoppen! Und damit davonzukommen, ist einfach genial." Trotz dieser beunruhigenden Ankündigung wird die Sache nicht weiter verfolgt. Obwohl die Journalisten die E-Mail an die Behörden weiterleiten und von der unheimlichen Begegnung mit Luka Magnotta berichten, fühlt sich die Londoner Polizei dafür nicht zuständig, da die Taten nicht in Großbritannien geschehen sind und es zudem kein Auslieferungsersuchen vonseiten Kanadas gibt. Nur die Tierschützer behalten ihren Verdächtigen weiter im Visier. Sie sind sich sicher, dass er nun in Montreal lebt, da die Umgebung auf seinen Fotos gewechselt hat und nun eindeutig die größte Stadt der kanadischen Provinz Quebec abbildet. Was niemand ahnt: Luka Magnotta beschäftigt sich im Internet nun vor allem mit Seiten, auf denen es entweder um Nekrophilie (auf Leichen gerichtete Sexualpräferenz) oder um Beruhigungsmittel geht. Katzenbabys sind für ihn nun nicht länger von Belang.

Besonders der Katzenfreund Ryan Boyle hat weiterhin ein wachsames Auge auf den VKK. Daher ist er einer der Ersten, der die Facebook-Postings am 15. und 16. Mai 2012 entdeckt. Zwei Tage lang wurden immer wieder Hinweise auf ein Video gepostet, das allerdings zu diesem Zeitpunkt noch gar nicht online ist. Aber zumindest wird ein Foto daraus online gestellt, das einen Mann in einem lila Hoodie zeigt – in seiner erhobenen rechten Hand hält er einen Eispickel. Der Titel des Clips verheißt durch seine Anklänge an die vorherigen Gewaltvideos des Täters ebenfalls nichts Gutes. Über dem Vorschaubild des Videos prangt in dicken Lettern: „1 Lunatic 1 Ice Pick" („1 Verrückter, 1 Eispickel"). In einem Post in den Kommentarspalten bei Facebook wird explizit danach gefragt, wo man das Video finden könne? Bei Boyle drängt sich automatisch der Eindruck auf, es hier mit der üblichen Vorgehensweise des Katzenkillers zu tun zu haben. Im Vorfeld etwas ankündigen, um dann mithilfe von weiteren Alias-Accounts das Interesse der User weiter zu pushen.

Die nächsten Tage wird es in der Kommentarsektion ein wenig ruhiger um das Video mit dem merkwürdigen, alarmierenden Titel. Am 24. Mai 2012 jedoch wird es dann schlagartig vollkommen still. Der Mann, der für die Tierschützer noch immer der VKK ist, ist mit einem Mal wie vom Erdboden verschluckt. Als hätte sich ein schwarzes Loch aufgetan und ihn mit Haut und Haaren verschlungen. Keinen einzigen Kommentar oder Post lädt der VKK mehr hoch.

Am selben Tag erscheint der eingeschriebene chinesische Student Jun Lin, der an der Concordia University von Montreal Ingenieur- und Computerwissenschaften studiert, nicht bei seinem Halbtagsjob als Angestellter in einem Supermarkt.

Nur einen Tag später, am Freitag, taucht das angekündigte Video „1 Lunatic 1 Ice Pick" („1 Verrückter, 1 Eispickel") wirklich im Internet auf. Dieses Mal wird es jedoch nicht bei YouTube hochgeladen, sondern ist auf der ominösen Webseite bestgore.com zu finden. Der Seiteninhaber, der Tscheche Mark Marek, hat es sich zum Ziel gesetzt, den Usern die Brutalität in dieser Welt gänzlich ungefiltert zu zeigen. Der Betreiber lässt es zu, dass Videos von dokumentierten Selbstmorden bis hin zu Gräueltaten, die in Kriegsgebieten stattfinden, hochgeladen werden. Und auch bei dem brutalen Video mit dem Eispickel hat er anscheinend keinerlei Bedenken, die Szenen auf seinem Portal zu lassen.

In den ersten Einstellungen ist ein junger Mann zu sehen, der auf einem Bett liegt – mit Handschellen an das Bettgestell gefesselt. In der nächsten Einstellung wirkt der Gefesselte auf dem Bett merkwürdig leblos, als sei er betäubt – oder gar tot? Plötzlich taucht eine weitere Gestalt auf, die den Körper unvermittelt brutal attackiert. Mit einem Schraubenzieher, der zum Eispickel umfunktioniert wurde, sticht der Angreifer auf den Gefesselten wieder und wieder ein. Es wirkt fast so, als solle der Eispickel-Mord aus dem Film „Basic Instinct" nachgestellt werden. Irgendwann lässt der Täter von seinem Opfer ab, jedoch nur, um nach einem Messer und einer Gabel zu greifen.

Dann beginnt er, Stücke aus dem gefesselten Mann herauszuschneiden. Auch der anwesende Hund wird dazu animiert, auf einem Bein der Leiche herumzukauen. Hiernach wird die geschändete Leiche mit einem Sägemesser zerteilt. Zuletzt vollzieht der Mörder schließlich noch Analsex mit dem Torso des Opfers. Beinahe elf qualvoll lange Minuten dauert das Video. Erst dann enden die grausigen Bilder, die mit dem Soundtrack des Kultfilms „American Psycho“ unterlegt sind.

Obwohl der im US-amerikanischen Montana lebende Anwalt für Zivilprozessrecht Roger Renville noch am Wochenende die Polizei von Toronto über das Video informiert, auf das er am Samstagvormittag stößt, schenkt man dort seinem Hinweis keine Beachtung. Dabei betont der Anwalt sogar, dass er glaube, in dem Video werde die Ermordung und anschließende Zerstückelung eines echten Menschen gefilmt. Vonseiten der Toronto-Polizei heißt es lediglich, diese Geschichte des Anwalts mache keinen Sinn. Und der Jurist wird ausgekontert mit der Frage: „Warum sollte sich ein Killer selbst filmen und das dann auch noch ins Internet stellen?“ Dabei belassen es die Ordnungshüter. Sie sichten den fraglichen Clip nicht einmal pro forma. Die Polizei bestreitet allerdings bis heute, diesen Hinweis einfach ignoriert zu haben.

Das ganze Ausmaß des furchtbaren Verbrechens kommt erst in den folgenden Tagen ans Licht. Am Dienstag, den 29. Mai 2012, geht ein merkwürdiges Postpaket in der Zentrale der Konservativen Partei in Ottawa ein; adressiert an den amtierenden Premierminister Stephen Harper. Das Paket fällt in der Poststelle von Hausnummer 130 in der Albert Street direkt durch einen seltsamen, unangenehm süßlichen Geruch auf. Schnell entsteht der Verdacht, bei den braunen Flecken könne es sich um Blut handeln. Doch auf das, was sich in dem mit Canada Post versendeten Paket befindet, ist dennoch niemand vorbereitet. Die herbeigerufene Polizei trifft um 11:20 Uhr ein und stuft das möglicherweise blutbeschmierte Paket direkt als Gefahrgut ein und ruft die entsprechende Abteilung hinzu. Die öffnet das

Paket schließlich vorsichtig, um keine Spuren zu zerstören, und sieht sich einer Entdeckung gegenüber, die sogar für diese Fachleute ein echter Schock ist: Im Paket liegt ein abgetrennter, verwesender menschlicher Fuß.

Ein weiteres Paket ist an die Zentrale der Liberalen adressiert, doch es wird bereits in der Paketsortierstelle der Canada Post aufgrund seines merkwürdigen Aussehens und Geruchs aussortiert und hier geöffnet. In diesem Paket befindet sich eine abgetrennte Hand. Niemand ahnt zu diesem Zeitpunkt, dass die Leichenteile etwas mit dem Video „1 Lunatic 1 Icepick" zu tun haben könnten.

Sofort drängen sich den Ermittlern Fragen auf: Handelt es sich bei diesen mysteriösen Paketsendungen womöglich um die Nachricht eines Geisteskranken oder eines Attentäters? Des Weiteren setzt sich die Polizei umgehend mit sämtlichen Leichenhäusern und Bestattungsunternehmen in Verbindung. Sie wollen in Erfahrung bringen, ob in den letzten Tagen womöglich irgendwo Leichenteile gestohlen worden sind. Doch der wichtigste und zugleich schlimmste Fund steht noch bevor.

An diesem Dienstagmorgen wird im Stadtteil im Montrealer Stadtteil Côte-des-Neiges noch eine weitere, aufsehenerregende Entdeckung gemacht. Der Hausmeister Mike Nadeau ist gegen 10:15 Uhr auf einem morgendlichen Kontrollgang unterwegs. Er ist zuständig für ein Wohnhaus an der Ecke Place Lucy und Décarie, westlich des Décarie Boulevard. Mehrere Anwohner haben sich bei ihm über einen fürchterlichen Gestank beschwert, der von dem großen Müllhaufen hinter dem Haus kommt. Solche Beschwerden sind für den erfahrenen Hausmeister nichts Neues. Vermutlich hat wieder irgendjemand hier wild seinen Abfall entsorgt. Und er hat nun die Mühe damit. Schnell identifiziert der Hausmeister dann beim Müllhaufen die Quelle des wirklich üblen Geruchs: Der Gestank strömt aus einem alten, achtlos weggeworfenen Koffer. Nadeau ist dieser bereits am vergangenen Freitag aufgefallen. Doch an diesem Dienstag ist eine seltsame Verwandlung damit geschehen. Auf dem ganzen Koffer kriechen und winden sich weiße

Maden. Der Hausmeister wird unruhig. Er bittet einen seiner Mitarbeiter hinzu, um den Koffer gemeinsam zu öffnen.

Mikes Bauchgefühl trügt ihn nicht. Als der Deckel wegklappt, ist der Blick frei auf etwas Aufgedunsenes, das entfernt an etwas Menschliches erinnert. Doch das, was eigentlich rosige Haut sein sollte, ist seltsam grünlich und wächsern, regelrecht marmoriert. Und über all dem ein kaum zu ertragender, ekelhaft süßlicher Gestank! „Wir sind hier raus, ruf die Polizei!“, schreit er noch und tritt entsetzt zurück. Denn im Koffer befindet sich ein allmählich verwesender menschlicher Torso – ohne Kopf.

Nun endlich starten die polizeilichen Ermittlungen. Zwar wird zunächst ergebnisoffen ermittelt, doch schnell vermutet man, dass es sich bei den menschlichen Körperteilen in Ottawa und sowie in Montreal um Überreste einer einzigen Person handelt. Bald bekommt der Mann, der in den Videos zu sehen ist, auch einen Namen. Die Polizei von Montreal entdeckt am 29. Mai 2012 sowohl auf den Aufnahmen der Überwachungskamera einer Canada-Post-Verkaufsstelle als auch auf den Aufzeichnungen einer Videokamera, die an dem Gebäude in Côte-des-Neiges montiert ist, dieselbe männliche Person. Die Vermutung liegt nah, dass es sich bei dem Unbekannten um den Gesuchten handelt.

Einen Tag später, am 30. Mai 2012, sichtet die Polizei zum allerersten Mal das Video „1 Lunatic 1 Ice-Pick“. Bei der Analyse des Mord-Videos erhalten die Beamten einen weiteren, entscheidenden Tipp vom Betreiber der Webseite bestgore.com: Marek gibt dem Fernsehsender CBC News den entscheidenden Tipp, Besucher seiner Webseite hätten die Person identifiziert, die für das Video verantwortlich ist. Es handele sich um einen jungen Mann namens Luka Rocco Magnotta - ebenfalls bekannt als Eric Clinton Newman und unter dem Pseudonym Vladimir Romanov. Und plötzlich sind auch die tierquälerischen Kätzchen-Videos erneut von Relevanz, mit denen der Name Magnotta von zahlreichen Internet-Usern immer wieder in Zusammenhang gebracht wurden.

Noch am selben Tag wird schließlich die Wohnung Magnottas von der Polizei durchsucht. Mehrere andere Mieter des Hauses haben sich bereits bei dem Vermieter über den Gestank beschwert, der aus der Wohnung des jungen Mannes in den Hausflur dringt. Der Geruch erinnert an verdorbenes Fleisch. Eric Schorer, der Gebäudemanager, ist anwesend und wird vor dem Betreten der Wohnung durch die Polizisten eingehend befragt. Nach seiner Auskunft lebt Magnotta hier erst seit vier Monaten. Seit einiger Zeit habe den jungen Mann aber niemand mehr gesehen. Magnotta sei ein angenehmer, unkomplizierter Mieter gewesen; er hätte problemlos den erforderlichen Bonitätscheck bestanden. Darüber hinaus gab er ansonsten nie Anlass zu Beschwerden, etwa wegen Lärm. Die Wahrheit über den Mieter mit den blauen Augen und den dunklen Haaren, der als etwa 1,78 Meter groß und rund 65 Kilo schwer beschrieben wird, zeigt sich in dem Moment, als die Polizisten die verlassene Wohnung betreten. Der Gestank, der den Ermittlern entgegenschlägt, ist unbeschreiblich. Er dringt sogar durch die Atemschutzmasken der Polizisten und ruft ein flaues Gefühl in der Magengegend hervor. Dann der Schock: Überall, an den Wänden, auf dem Boden, ist Blut.

Während ein Teil der Ermittlungsgruppe die Wohnung unter die Lupe nimmt, befragen andere Kollegen die Nachbarn. Die Polizisten legen den Mietern zwei Fotos vor: neben einer Aufnahme von Magnotta auch eines des möglichen Opfers, des Studenten Jun Lin. Die beiden konnten zusammen auf Aufnahmen der Überwachungskamera des Hauses identifiziert werden, als sie gerade das Gebäude gemeinsam betreten wollen. Luka Rocco Magnotta erkennen die Befragten sofort, doch bei dem anderen Bild zweifeln sie. Dieser Mann kann auf jeden Fall nicht oft hier gewesen sein, sonst wäre er ihnen bestimmt aufgefallen.

Bei der Untersuchung des Müllhaufens hinter dem Gebäude, in dem sich Magnottas Apartment befindet, werden ein zum Eispickel umfunktionierter Schraubendreher, ein Hammer, ein Messer und Sägen entdeckt – mit

Blutspuren daran. Zwischen dem ganzen Unrat stoßen die Polizisten ebenfalls den Kadaver eines Hundes. Das tote Tier liegt neben blutbefleckten Kleidungsstücken und einem blutigen Duschvorhang.

In Bezug auf die Person Magnotta gibt sich die Polizei von Montreal eher wortkarg und wirkt uninformiert: Es heißt, er sei ansonsten ein unbeschriebenes Blatt und polizeilich nicht bekannt – weder in Montreal noch anderswo. Kalkül oder schlechte Recherche? Denn die Journalisten des Senders CBC News haben offenbar die besseren Quellen oder graben tiefer nach. Sie finden schnell heraus, dass Magnotta nicht nur 2005 in Ontario vier Mal wegen Betrugs verurteilt und sich sogar in Haft befand – 16 Tage in Untersuchungshaft, 9 Monate Freiheitsstrafe auf Bewährung. Hinzu kommen ebenfalls noch 12 Monate auf Bewährung. Ein unbeschriebenes Blatt?

Luka Rocco Magnotta, kommt am 24. Juli 1982 in Scarborough, Ontario als Eric Clinton Kirk Newman zur Welt. Er wird in problematische Familienumstände hineingeboren; beide Eltern sind minderjährig. Sein Vater Donald Newman ist Alkoholiker und leidet an Schizophrenie. Seine Mutter, die gerade einmal 16 Jahre alte Anna Yourkin, ist psychisch ebenfalls instabil und kämpft mit einer Zwangsstörung. Sie trägt oft eine medizinische Gesichtsmaske und Gummihandschuhe. Sie achtet peinlich genau auf Reinlichkeit, weshalb sie selbst ihren drei Kindern ständig die Hände wäscht. Eric ist das jüngste der Yourkins-Kinderund wird die ersten Jahre zu Hause von seiner Mutter Anna unterrichtet. Erst als er alt genug ist für die sechste Klasse, besucht er einige Zeit die örtliche Grundschule. In diesem Familienklima wächst der kleine Eric auf. Er muss sogar miterleben, wie seine Mutter schließlich im Winter seine Kaninchen vor die Tür setzt, damit sie erfrieren. Des Weiteren sperrt sie die Kinder immer wieder im Haus oder im Auto ein. Dies behauptet Magnotta später jedenfalls. Fakt ist: Seine Eltern trennen sich früh: als 1994 Erics Vater in eine psychiatrische Anstalt eingewiesen wird und die Scheidung einreicht, ist der Junge 12 Jahre alt.

Seine überforderte, selbst psychisch kranke Mutter gibt den Jungen zu seiner Großmutter Phyllis und seinem Großvater, bei denen er von nun an leben soll. Phyllis hat sehr rigide Ansichten über die Welt da draußen. Sie ist felsenfest überzeugt davon, dass die Erde ein schmutziger und gefährlicher Ort ist. Eric wird nach zwei Jahren deshalb von Phyllis Yourkin eine Zeit lang wieder aus der Regelschule genommen und zu Hause unterrichtet. Allerdings ist die Welt von Oma Phyllis ebenfalls alles andere als heile. Sie trennt sich von ihrem Mann; es folgt die Scheidung des Paares. Erics Großmutter sucht auf eine merkwürdige Art und Weise Trost bei ihrem Enkel, zumindest berichtet er es später so. Eric erzählt, dass Phyllis mit ihm in einem Bett schlief. Gerüchte besagen, dass die Großmutter gar missbraucht haben soll. Oftmals habe Phyllis ihrem Enkel Kleidungsstücke von sich angezogen, sodass der kleine Junge auf dem ersten Blick wie ein Mädchen aussah. Erwischte die homophobe Phyllis Eric jedoch beim Spielen mit Barbiepuppen, so wurde der aufs Übelste als „Faggot" (Schwuchtel) beschimpft, sein Bruder Conrad und seine Schwester Melissa tun es ihr gleich. Ein Cousin machte sich nicht nur über Erics in der Pubertät aufblühende Akne lustig und verletzte die Seele des Jungen damit; er soll ihn auch noch mehrfach sexuell missbraucht haben, als er 14 Jahre alt war. So sind jedenfalls die Erinnerungen von Eric Clinton Kirk Newman. Schulkameraden und Lehrer, die ihn zwischen 1998 und 2000 kennengelernt haben, beschreiben Newman als extrem eitel. Ständig sei er mit seinem Äußeren beschäftigt gewesen.

1999 ist Eric 17 Jahre alt. In diesem Jahr besucht er erstmals einen Psychiater, nachdem er seiner Großmutter erzählt, er würde Stimmen hören. Der Teenager spricht zudem laut und leidet immer wieder unter Angstzuständen. Nach dem ein Psychiater die Diagnose einerparanoide Schizophrenie stellt, verlässt Eric die Highschool. Der Teenager erhält den Schwerbehindertenstatus zuerkannt und bekommt einen Platz in einer psychiatrischen Wohngruppe. Hier erwähnt er den anderen Mitbewohnern gegenüber mehrfach, dass er sich von der Regierung verfolgt fühle und sein

Telefon verwanzt sei. Erics Tante erklärt später gegenüber einer Zeitung :„Er ist krank im Kopf und größenwahnsinnig."

2002, Eric Newman ist nun 20 Jahre alt, nimmt er seinen ersten Job an. Er beginnt, in einem Nachtklub zu strippen. Kurze Zeit später tritt er ebenfalls als Darsteller in Pornofilmen auf. Auch als männlicher Escort, unter dem Pseudonym „Jimmy", ist der junge Mann aktiv. Zwei Jahre später versucht sich Newman eine neue Geldquelle zu erschließen: Er freundet sich mit einer 21 Jahre alten Frau an, die auf dem geistigen Stand eines etwa 10-jährigen Kindes ist. Er lässt sie eine Kreditkarte beantragen und reizt das Limit bis auf den letzten Cent aus. Knapp 10.000 Dollar (etwa 6750 Euro) kann Newman verschleudern, bis ihm die Bank den Geldhahn zudreht. Die Polizei verfolgt den Kreditkartenbetrug und im Zuge der Ermittlungen kommen schnell weitere Details ans Tageslicht. Der anfängliche Vorwurf, Newman habe die 21-Jährige zudem noch sexuell missbraucht und seine Tat auf Video aufgezeichnet, wird im Zuge des Gerichtsverfahrens jedoch fallengelassen. Nach Ansicht seines eigenen Anwalts Peter Scully eine fatale Entscheidung, die Newmans Leben „unermesslich verändert habe, mit enormen Auswirkungen auf unsere Gesellschaft". Wie recht er damit haben soll, ahnt zu diesem Zeitpunkt noch niemand. Zumindest erfolgt eine Verurteilung wegen Betrugs. Die zuständige Richterin Lauren Marshall ermahnt Newman bei der Urteilsverkündung noch einmal eindringlich: „Sie haben ein medizinisches Problem und müssen immer Medikamente nehmen." Doch die strengen Worte der Richterin prallen an dem Angeklagten ab.

Newman arbeitet nach seiner Verurteilung weiter als Porno-Darsteller. Er lässt sich nun auch für Magazine für homosexuelle Männer ablichten. Gelegentlich trägt er Frauenkleider. Anfang 2006 lernt er die Transgender-Frau Barbie kennen und erklärt seiner neuen Bekanntschaft, die zwar mit männlichem Geschlecht geboren wurde, aber sich als Frau identifiziert, dass er eines Tages ganz sicher eine große Berühmtheit sein werde. Ständig muss Barbie von Newman Fotos machen, die er nutzt, um den persönlichen

Kultschrein in seiner Wohnung auszustaffieren. Im Sommer des Jahres 2006 legt sich Newman schließlich einen neuen, klangvolleren Namen zu, der einem Prominenten seiner Meinung nach besser zu Gesicht steht. Er benennt sich offiziell in Luka Rocco Magnotta um.

Nach einer Privatinsolvenz will Magnotta nun endlich im Showbiz landen. In den Jahren 2007 und 2008 spricht er für mehrere Realityshow-Formate vor, u. a. für die Sendung „Cover Guy", eine sechsteilige kanadische Sendung, bei der dreißig junge Männer alles tun, um als männliches Model durchzustarten. Einer der Preise ist die Abbildung auf dem kanadischen „abOUT"- Magazin. Als Begründung, warum ausgerechnet er das ideale Model für ein Titelbild wäre, sagt Magnotta den verblüfften Jurymitgliedern im Brustton der Überzeugung: „Manche Leute sagen, ich sehe verheerend gut aus." Zu diesem Zeitpunkt hat sich der Gang von Magnotta ebenfalls gewandelt; er bewegt sich nun ständig so, als wäre er ein Model, welches auf einem Catwalk die neueste Haute Couture präsentiert. So jedenfalls beschreibt es der 70-jährige Mann, von dem sich Magnotta 2009 auf mehrere Reisen nach Übersee als Begleitung mitnehmen lässt. Auf den diversen Fotos aus Metropolen wie Paris, New York, Moskau und Rom, die in den sozialen Netzwerken auftauchen, ist Magnotta oftmals in aufreizenden Posen zu sehen – mit nacktem Oberkörper; die Lippen in grellem Pink oder Rot geschminkt. Zu diesem Zeitpunkt hat er sich schon mehreren Schönheitsoperationen unterzogen.

Im Dezember 2010 endet sein Weg auf der Suche nach öffentlichem Ruhm; Magnotta hat nahezu alle ihm offenstehenden Optionen ausprobiert, um zu einem Star zu werden – ohne Erfolg. Dabei ist er schon immer so fasziniert von weiblichen Filmgrößen wie Marilyn Monroe, Ava Gardner und Sharon Stone, dem mordenden Star aus dem Filmklassiker Basic Instinct, gewesen. Aber nun weiß er endlich, wie er die Aufmerksamkeit aller auf sich ziehen kann – mit einem Paukenschlag! Dafür besorgt er sich ein unschuldiges Katzenbaby …

Während die Polizei noch mit Hochdruck nach Magnotta fahndet, ist dieser längst untergetaucht. Seine Spur verliert sich am 26. Mai 2012 an einem kanadischen Flughafen, an dem der junge Mann in eine Maschine in Richtung Frankreich steigt. In Zusammenarbeit mit Interpol wird eine weltweite Schleppnetzfahndung eingeleitet. Dafür werden die Daten von infrage kommenden Personen bei Polizeikontrollen an Staatsgrenzen gespeichert und mit den Daten der Zielperson von der Staatsanwaltschaft verglichen. Diese Form der Fahndung darf nur dann genutzt werden, wenn keine anderen Möglichkeiten zur Verfügung stehen und ein Richter bzw. ein Staatsanwalt Schleppnetzfahndung anordnet. Diese Art der Fahndung kommt nur bei bestimmten, schwerwiegenden Straftatbeständen überhaupt zum Einsatz. Es wird alles Menschenmögliche getan, um den Mörder schnellstens aufzuspüren. Schließlich hat er damals bei seinem Besuch bei der Londoner Zeitung „The Sun" einem Reporter gegenüber bereits darauf hingewiesen, dass er von diesem ultimativen Kick nicht mehr ablassen könne. Es ist Eile geboten!

In Montreal sind die Ermittler nun einen wichtigen Schritt weitergekommen: Das zerstückelte und geschändete Opfer Magnottas ist mittels DNA-Test identifiziert! Es handelt sich um den chinesischen Studenten Jun Lin. Der bekennend homosexuelle 33-Jährige, der der von seinen Freunden Justin genannt wird und sich seit 2010 in Kanada befindet, ist auf dem Internet-Kleinanzeigen-Portal craigslist.org auf die Kontaktanzeige eines anderen schwulen Mannes gestoßen, der jemanden für einen One-Night-Stand suchte. Hierauf meldet sich Justin und vereinbart mit dem Inserenten, Luka Magnotta, ein Treffen. Was er nicht ahnt, Magnotta hat bereits seinen Tod geplant. Justin Tod ist ein schrecklicher Verlust für seine Familie, über den die Angehörigen nicht hinwegkommen. Für einen chinesischen Freund von Jun Lin steht fest: „Luka Magnotta hat nicht nur diese eine Person getötet, sondern die komplette Familie vernichtet."

Magnotta, der nun in den Medien nur noch als „Porno-Killer“, „Canadian Psycho“ oder der „Schlächter von Montreal“ bezeichnet wird, steht nun im Zentrum einer globalen Fahndung. Anfang Juni 2012 soll er erstmals in einem Café sowie in einem Hotel in Paris gesichtet worden sein. Am 4. Juni 2012 wird der Mörder in der Mittagszeit in einem Internetcafé im Berliner Stadtteil Neukölln entdeckt – er sitzt dort und liest entspannt am Computer mit der Nummer 25 die aktuellen Berichte über seine Person in den verschiedenen Online-Zeitungen. Der Angestellte, der im After-Hour-Tabakladen des Internetcafés arbeitet, ist sich sicher als er seinen Gast erblickt: Das ist der Mann von den Zeitungsfotos! Sofort rennt er vor die Ladentür auf die Straße und hält Ausschau nach einer Polizeistreife; er weiß, dass hier öfter Streife gefahren wird. Wild gestikulierend hält er das nächste Polizeiauto an – doch die Insassen nehmen den aufgeregten Mann einfach nicht ernst. Erst die Polizisten im nächsten Streifenwagen, den er stoppt, glauben ihm und fordern umgehend Verstärkung an. Die Festnahme geht ganz ruhig vonstatten, ist unspektakulär. Höflich-distanziert fragt einer der insgesamt sieben Polizeibeamten den inzwischen eine Zeitung lesenden Mann, ob er Luka Rocco Magnotta sei? Der leugnet zuerst, behauptet, diesen Namen nicht zu kennen. Die Polizisten bleiben beharrlich und haken nach. Dabei beobachten sie den Mann intensiv. Falls die Stimmung von einem Moment auf den anderen umschlägt und er etwas Unbedachtes versuchen sollte, wollen sie keine Zeit verlieren. Schon um die anderen Menschen in dem Internetcafé keiner Gefahr auszusetzen. Doch der bleibt unerwarteterweise gelassen; Magnotta scheint nicht einmal eine Sekunde an einen Fluchtversuch oder eine andere Verzweiflungstat zu denken. Dann leuchten seine Augen plötzlich für den Bruchteil einer Sekunde auf; ein verschmitztes Lächeln umspielt seine Lippen und er entgegnet nun auf die Nachfrage des Polizisten: „OK, du hast mich.“

Während Magnotta im deutschen Gefängnis auf die Auslieferung in sein Heimatland wartet, tauchen nun auch noch die zweite Hand und der andere Fuß von Jun Lin in Kanada auf. Mitarbeiter in zwei verschiedenen

Grundschulen in Vancouver, die an diesem Tag die eingegangene Post bearbeiten, ahnen zunächst nichts Böses, als sie sich den Paketen zuwenden, obwohl diese ein unangenehmer Geruch umgibt. Der Blick hinein wird sie aber bis an ihr Lebensende verfolgen. In dem einen Paket befindet sich eine Hand, in dem anderen ein Fuß – beide im Zustand fortgeschrittener Verwesung. Die Haut ist grünlich fahl, das Gewebe darunter hat sich bereits verflüssigt und ist teilweise ausgetreten. Und dunkelgrün verfärbte Adern durchziehen die Körperteile. Unerklärlich ist nur noch, wo sich der Kopf des chinesischen Studenten befindet. Von diesem fehlt bislang weiterhin jegliche Spur. Was hat Magnotta damit getan?

Am 18. Juni 2012 landet ein Militärflugzeug in Quebec und der Mörder betritt wieder kanadischen Boden. Am Flughafen wird Magnotta schon von Beamten erwartet, die ihn umgehend in die örtliche Haftanstalt überführen. 14 Tage nach der Auslieferung des jungen Mannes gibt es Hinweise von Spaziergängern auf weitere menschliche Überreste in einem Park in Montreal, in einem Gebüsch in der Nähe eines kleinen Sees. Die Ermittler halten sich zunächst bedeckt, erklären aber zwei Tage später endlich: Ja, der gefundene abgetrennte Kopf gehört zu der Leiche von Jun Lin!

Der Prozessauftakt am Montag, den 29. September 2014, sorgt für eine gewaltige Überraschung: Nachdem sich Magnotta zuvor in Anhörungen vor dem Haftrichter immer als „nicht schuldig“ in Bezug auf wesentliche Anklagepunkte bekannt hat, wählen er und sein Anwalt nun unerwarteterweise eine gänzlich andere Strategie. Dieses Mal bekennt sich der „Kanadische Kannibale“ schuldig – zumindest der Leichenschändung, der Verbreitung obszönen Materials sowie der Belästigung von hochrangigen Politikern durch die Zusendung von Paketen mit Leichenteilen. Politische Botschaften oder Forderungen befanden sich allerdings nicht darin. Angesichts der erdrückenden Beweislage bleibt ihm aus Sicht seines Verteidigers auch kaum etwas anderes übrig. In Bezug auf den Mord beharrt Magnotta auf „unschuldig“. Das vordringliche Ziel seines Verteidigers Luc

Leclair ist, ihm die Höchststrafe zu ersparen – lebenslänglich. Deshalb bekommt die Frage nach der Zurechnungsfähigkeit von Magnotta eine zentrale Bedeutung für diesen Prozess, der von der Presse schon als „Kanadas Jahrhundert-Prozess" bezeichnet wird. Er und sein Verteidiger verweisen vielmehr darauf, bei Magnotta liege eine schon länger bestehende, gravierende psychische Störung vor, weshalb er zum Zeitpunkt der Tat nicht zurechnungsfähig gewesen sei. Für den Staatsanwalt Louis Bouthillier ist dies eine reine Schutzbehauptung. Er ist sich sicher: der Angeklagte hat die Symptome der Persönlichkeitsstörung nur vorgeschoben. Der Mann ist voll einsichts- und damit schuldfähig, schließlich hat er die Tat sechs Monate im Voraus geplant.

Tatsächlich wird kein psychiatrisches Gutachten über den Mörder Jun Lins in Auftrag gegeben. In den Medien mutmaßen Fachleute daher bereits, dass die Weigerung Magnottas womöglich ein Hinweis auf eine schwere narzisstische Persönlichkeitsstörung sei. Solche Menschen glauben, ihnen sei alles erlaubt, Lügen, Stehlen – ihnen fehlt die Empathie und sie sind nur auf ihren Vorteil bedacht. Bei dem sogenannten malignen Narzissmus wäre sogar eine derart monströse Tat wie ein grausamer Mord erlaubt, wenn man sich so für alle Ewigkeiten wie ein dunkler Genius in die Erinnerung der Menschen einbrennt. Diese Einmaligkeit mit einer „banalen" geistigen Störung zu erklären, steht für einen Narzissten nicht zur Diskussion.

Am 23. Dezember 2014, fast genau 4 Jahre nach dem Posten des ersten Katzenkiller-Videos bei YouTube, befinden die Geschworenen Luka Rocco Magnotta in allen Punkten der Anklage für schuldig. Der Angeklagte findet in seiner letzten Einlassung keine Worte der Reue für die Tötung des jungen Studenten. Das schmerzt vor allem den Vater des Getöteten, der jeden Tag des Prozesses im Gerichtssaal verfolgt. Der Vorsitzende Richter verhängt eine lebenslange Haftstrafe für den Mörder; räumt ihm aber die Möglichkeit auf eine Bewährung nach 25 Jahren Gefängnis ein. In seiner Begründung betont der Richter, dass Magnotta zwar psychisch erkrankt, aber dennoch voll schuldfähig sei. Der 32-jährige Angeklagte hört dem Vorsitzenden bei der Verlesung seines Urteils regungslos zu.

2016 sorgt Luka Magnotta aus dem Hochsicherheitsgefängnis Port-Cartier heraus erneut für Schlagzeilen. Er gibt wieder einmal eine Kontaktanzeige auf – genau wie damals, als er sein Opfer Jun Lin kennenlernte. Dieses Mal jedoch sucht er auf einem Dating-Portal speziell für Häftlinge, Canadian Inmates Connect, nach einem Partner fürs Leben.

„Suche Single-Mann, zwischen 28 und 38 Jahre, weiß und in Form. Jemanden, der loyal ist, vorzugsweise gebildet, finanziell und emotional stabil, für eine feste Langzeitbeziehung. Wenn du glaubst, dass du mein Traumprinz sein könntest, dann schick mir einen ausführlichen Brief mit mindestens [zwei] Fotos. Ich werde nur denjenigen antworten, die ich für kompatibel halte. Bitte nur ernst gemeinte Zuschriften. Alle unangemessenen Briefe werden weggeworfen."

Der 34 Jahre alte Anthony Jolin, ein Mörder wie Magnotta, fühlt sich hiervon angesprochen. Jolin hat über die Jahre zahlreiche Verbrechen begangen, darunter einen bewaffneten Banküberfall, bei dem Kelly Wilneff, ein Teenager aus Halifax, von ihm exekutiert wurde. Während der sechsjährigen Gefängnisstrafe erstach er 2003 zusammen mit einem Mitinsassen einen anderen Häftling unter der Dusche. Jolin wird als „gewalttätiger Zuhältertyp" und als Anhänger der „weißen Vorherrschaft" beschrieben. Er verbüßt seine Strafe für den Mord im Duschraum ebenfalls in Port-Cartier.

Schnell kommen sich die beiden näher, während sie per Brief, E-Mail und Telefon kommunizieren. Inwiefern Gerüchte zutreffend sind, dass Magnotta zumindest eine Zeit lang sogar ein geschmuggeltes Smartphone besessen hat, ist unklar. Angeblich soll er zwischenzeitlich mehrere Social Media-Accounts betrieben haben, die jedoch wieder gelöscht wurden.

Nachdem Magnotta und Jolin sich verlobt haben, steht ihnen sogar grundsätzlich das Recht zu, sich an festgelegten Tagen offiziell zu besuchen und ein paar Stunden miteinander in einer privaten Liebes-Zelle zu verbringen. In den Langzeit-Besuchsräumen, die etwas größer sind als eine normale Zelle und über eine Dusche verfügen, herrscht eine ungestörte und entspannte Besuchsatmosphäre.

Am Montag, den 26. Juni 2017 geben sich die beiden das Ja-Wort. Die Hochzeitsnacht will das frisch getraute Ehepaar, so wie es das kanadische Recht für inhaftierte Hochzeitspaare vorsieht, ohne Aufsicht, ganz für sich allein in der Liebes-Zelle verbringen – doch die Justizvollzugsanstalt gestattet dies nicht.

Trauzeugin von Luka Magnotta ist seine Mutter, Anna Yourkin; sie glaubt nach wie vor an die Unschuld ihres Sohnes. 2018 veröffentlicht sie gemeinsam mit ihrem Co-Autor Brian Whitney, ein Buch über ihren Sohn mit dem Titel „My Son, The Killer: The Untold Story of Luka Magnotta and >1 Lunatic 1 Ice Pick<“ („Mein Sohn, der Killer: die unerzählte Geschichte von Luka Magnotta und >1 Verrückter, 1 Eispickel<“). Darin beschreibt sie unter anderem, wie ihr Sohn seine Zeit im Gefängnis verbringt: es gibt Filmabende für die Insassen. Jeder Häftling hat gar einen eigenen Fernseher auf dem Haftraum, um sich die Langeweile zu vertreiben. Magnotta spiele gerne Videospiele. Der Mörder belege Zeichenkurse und trainiere viel. Aber Medikamente nehme er keine mehr.

»*Das Opfer vergisst nicht so schnell wie der Täter.*«

- Gert von Paczensky (1925-2014)
deutscher Journalist und Schriftsteller -

KAPITEL 3

Der Würfel ist gefallen

Der Verkäufer betrachtet gelangweilt die Zeiger der Uhr, die sich an diesem Tag nur wie im Schneckengang zu bewegen scheinen. Zäh verrinnt die Zeit; Sekunden dehnen sich zu Stunden, während der Mann sich an diesem 21. November 1989 dem Feierabend entgegen sehnt. Insofern ist er über jeden Kunden dankbar, der den Weg in die Waffenabteilung des Montrealer Checkmate-Sports-Geschäftes findet – so wie der junge Mann, der nun interessiert die Auslagen begutachtet.

...Er ist höchstens Mitte zwanzig, vermutet der Waffen-Verkäufer; schon die noch immer sichtbare Akne spricht dafür, dass der schlanke Typ mit den dunklen, leicht krausen Haaren noch nicht lange aus der Pubertät heraus ist. Er macht einen geradezu glücklichen Eindruck, während er sich im Geschäft umschaut; so, als fühle er sich hier rundum wohl. Anscheinend weiß dieser Kunde zudem, was er möchte, stellt der Verkäufer erfreut fest. Denn der etwa 1,77 Meter große Mann, mit dem etwas eingefroren wirkenden Dauerlächeln im Gesicht und den weit aufgerissenen Blick betrachtet angelegentlich eine Ruger Mini-14 Rifle im Regal, was ihm einen anerkennenden Blick des Verkäufers einbringt. Eine halbautomatische Waffe, .223er Kaliber, mit bis zu 50 Schuss im Magazin. Leicht – aber tödlich genau, auch auf größere Distanzen- der Grund, warum sich die Mini-14 besonderer Beliebtheit in Kanada erfreut. Ebenso schätzen inzwischen taktische Spezialeinheiten der Polizei, sogenannte SWAT-Teams, sowie Militäreinheiten das Gewehr, das ursprünglich wegen seiner enormen Durchschlagskraft für die Jagd auf Koyoten und Hirsche verwendet wurde.

… „Die Munition dafür ist sehr effektiv“, erläutert der Verkäufer dem jungen Mann, der etwas von Waffen zu verstehen scheint. „Die Eintrittswunde ist wirklich sehr klein, aber die Austrittswunde dafür umso größer.“ Der etwas zurückhaltend wirkende Dunkelhaarige nickt, dann legt er das ungeladene, halbautomatische Gewehr zur Probe an. Langsam, wie er es von seinem Onkel, dem Fallschirmjäger gelernt hat, sucht er nach dem Druckpunkt und schwenkt dann zur Seite, stoppt und peilt ein imaginäres Ziel an.

… „Was wollen Sie denn jagen?“, hakt der Verkäufer nach.

… „Nur Kleinwild“, entgegnet Marc Lépine mit einem seltsamen Lächeln, ehe er die Mini-14 wieder senkt.

Bereits als der kleine Gamil Rodrigue Liass Gharbi am 26. Oktober 1964 geboren wird, zeigt die Ehe seiner Eltern schon Anzeichen feiner Risse. Dabei hatte seine Mutter Monique Lépine für den attraktiven und erfolgreichen Geschäftsmann aus Algerien nahezu ihr ganzes bisheriges Leben umgeworfen. Die Tochter eines Bankmanagers aus Montreal traf den 30 Jahre alten Algerier Rachid Liess Gharbi im Jahr 1962 und verliebte sich sofort in den großen, selbstsicheren Mann. Zu diesem Zeitpunkt arbeitete Monique als Krankenschwester, obwohl sie zuvor geplant hatte, katholische Nonne zu werden. 1963 läuteten schon die Hochzeitsglocken, was Moniques Eltern mit eher mäßiger Begeisterung aufnahmen. Moniques Mann Rachid Liess war nicht nur sehr gut aussehend, sondern ebenfalls unglaublich redegewandt, weshalb er schnell zu einem außergewöhnlich erfolgreichen Verkäufer aufstieg. Entsprechend war der Lebensstil der Gharbis Mitte der Sechziger: Sie besaßen ein schickes Haus, große Autos und waren der Mittelpunkt rauschender Partys mit einer Vielzahl von Gästen.

...Die Gharbis waren eine ausgesprochene Vorzeigefamilie; besonders, als nach dem kleinen Gamil Rodrigue 1964 auch noch ein kleines Mädchen zur Welt kam: seine Schwester Nadia. Für Monique aber wurden die öffentlichen Auftritte immer mehr zu einer regelrechten Qual, denn ihr Mann Rachid ließ dort kaum eine Gelegenheit aus, um den Frauen auf eine unangebrachte Art und Weise zu begegnen. Er kam ihnen so nahe, dass er beim Tanzen sein Geschlechtsteil an ihnen reiben konnte. Schließlich schafft er es nicht mehr, diesen Impuls bei Fahrten in öffentlichen Bussen zu unterdrücken. Ursache für dieses Verhalten von Rachid Liess war vor allem die Tatsache, dass er Frauen schlicht und ergreifend nicht respektiert, etwas, dass sogar die Bekannten der Gharbis wahrnehmen. Auch Monique behandelt der Algerier zunehmend wie eine Untergebene und traktiert sie schließlich sogar mit körperlicher Gewalt. Seine persönliche Maxime ist: Frauen sind die Diener der Männer. Der Familienvater wird immer brutaler; wirft seiner Frau leere Schnapsgläser ins Gesicht und schleudert sie mehrfach hintereinander gegen eine Steinmauer. Tut sie beim Abendessen zuerst den Kindern etwas auf ihre Teller und dann erst Rachid, bringt ihn das direkt zur Weißglut. Wegen Nichtigkeiten und manchmal sogar in Gegenwart anderer Menschen verliert der Mann die Beherrschung. Immer öfter zieht sich Monique deshalb in den Keller des Hauses zurück, wo sie zitternd wartet, dass der Vater sich wieder beruhigt.

...Ihre beiden Kinder, Gamil und Nadia, werden ebenfalls mehrfach Opfer von Rachid Liess Gharbi. Er schreckt nicht davor zurück, sie wegen Kleinigkeiten körperlich zu züchtigen. Es reicht schon, wenn die Kinder zu laut singen oder vergessen, ihren Vater nach dem Aufstehen „Guten Morgen" zu sagen. Trösten darf Mutter Monique ihre Kinder nach den Bestrafungen nicht.

...1971 verlässt Gharbi seine Familie und im folgenden Jahr reicht Monique die Scheidung ein. Sie erhält nicht nur das Sorgerecht für die beiden kleinen Kinder zugesprochen, sondern darf zudem in der Familienwohnung in einem der wohlhabenden Viertel Montreals wohnen bleiben. Bei der Scheidungsanhörung bestreitet Rachid Liess Gharbi die ihm gemachten Vorwürfe; doch zahlreiche Zeugen bestätigen die Erzählungen Moniques. Weil sie den Kindern dennoch nicht ihren Vater nehmen will, erlaubt sie ihm nach der Scheidung, dass er Gamil und Nadia einmal im Monat, unter strengen Auflagen, sehen kann – ein Angebot, dass ihr Ex-Mann nicht annimmt.

...Monique Lépine beginnt, in ihrem alten Beruf als Krankenschwester zu arbeiten. Sie investiert von Beginn an viel Zeit und Energie, um ihr Wissen aufzufrischen und in ihrem Beruf aufsteigen zu können. Nebenbei besucht sie zahlreiche Fachseminare, um sich weiterzubilden. Solange Gamil und Nadia noch so klein sind, dass sie nicht allein bleiben können, betreuen sie Verwandte und Freunde. Der kleine Junge liebt besonders die Zeit bei seinem Onkel, der früher als Fallschirmjäger bei der US-Army war. Hier lernt der kleine Junge, wie man eine Waffe bedient und schießt.

...1975 ist Monique Lépine der Ansicht, dass in ihrer kleinen Familie einiges schiefläuft. Sie beginnt mit ihren Kindern eine Psychotherapie. Nach Abschluss der Behandlung im Sommer 1976, zieht Monique mit Gamil und Nadia in ein kleines Haus, gelegen im ländlichen Pierrefonds. Der schüchterne Siebtklässler mit den dunklen Locken, der sein Gesicht immer unter einem Baseballcap versteckt, muss deshalb die Schule wechseln. Das fällt ihm ganz und gar nicht leicht, aber dafür lernt er erstmals in seinem Leben einen echten Freund kennen: Jean Bélanger. Mit den anderen Kindern in der Lehranstalt will der Musterschüler hingegen nichts zu tun haben.

...1977, Gamil und Jean sind in der 8. Klasse, teilt der zurückhaltende Junge seinem Freund in der Mittagspause eine schwerwiegende Entscheidung mit: Er will den Nachnamen seiner Mutter annehmen. Außerdem möchte er seinen Vornamen ebenfalls ändern. Gemeinsam beratschlagen sich die Jungen und Gamil entscheidet, sich von nun an Marc Lépine zu nennen. Er ist jetzt 14 Jahre alt. Von diesem Moment an unterschreibt er alle Klassenarbeiten nur noch mit seinem selbstgewählten Namen und will auch von seinen Mitmenschen nur noch so angesprochen werden. Wederseine Mutter noch seine Lehrer können den Teenager davon abbringen.

...Jean und Marc verbringen die meiste Zeit im Keller des Hauses der Familie Bélanger und basteln Neues aus Elektronikschrott zusammen. Besonders Marc erweist sich hier als sehr geschickt und clever. Zu dieser Zeit ist es bereits sein großer Traum, einmal ein Ingenieur zu sein. Außerdem faszinieren Waffen und das Thema Krieg die beiden Jungen. Sie besuchen gelegentlich einen Armee-Shop und stöbern durch die Auslagen. Manchmal schießen sie auch mit ihren Luftgewehren auf Tauben. Marc erweist sich dabei als ausgesprochen guter Schütze. Dank des Trainings durch seinen Lieblingsonkel verpasst er nur selten sein anvisiertes Ziel.

...Zunehmend problematisch hingegen gestaltet sich das Leben bei den Lépines zu Hause. Während Monique Lépine arbeitet und nebenbei ihr Fortbildungsstudium absolviert, hat sie Marc die Aufgabe übertragen, den Haushalt zu erledigen und sich um seine kleine Schwester Nadia zu kümmern. Als Gegenleistung und weil er keinen Ferienjob findet, erhält er ein kleines Taschengeld. Doch die beiden Geschwister sind wie Feuer und Wasser. Immer öfter kommt es zu lautstarken Konflikten zwischen den Teenagern. Nadia tut alles, um ihren Bruder nach Kräften zu ärgern und zu provozieren. Bei jeder sich bietenden Gelegenheit sagt sie seinen alten, von ihm so verhassten Namen; ständig heißt es nur Gamil, Gamil, Gamil ... Da Monique Lépine den Eindruck hat, Marc würde ein männliches Vorbild fehlen, wendet sie sich 1978 an die „Big Brothers Association“ (zu Deutsch: „Verein der großen Brüder“) und bittet um Unterstützung. Der „große Bruder“, der daraufhin in Marcs Leben tritt, ist ein ruhiger Mann Mitte vierzig, der sich mit seinem Schützling und dessen Kumpel Jean schnell anfreundet. Sie unternehmen viel miteinander und der „Big Brother“ schenkt den Jungen sogar nagelneue, teure elektronische Geräte. 1981 findet das Arrangement ein jähes Ende, der Grund ist unklar. Zunächst erzählt Marc, der Mann sei nach Europa geflohen; dann behauptet er, der „Big Brother" sei schwul und habe sich an kleine Jungs rangemacht.

...Kurz nach dem Verschwinden des „großen Bruders", Marc ist jetzt 17 Jahre alt, will der Teenager der Armee beitreten. In der Innenstadt von Montreal sucht er ein Rekrutierungsbüro auf. Der Junge wird abgelehnt, in der Begründung vermerkt ein Militärbediensteter nur in einem knappen Wort „ungeeignet". Marc interpretiert die Absage für sich. Später erzählt er, man habe ihn für „asozial" befunden. Erneut kommt es zu einem Umzug: Seine Mutter will näher am St. Jude de Laval Hospital wohnen. Hier bekleidet sie inzwischen den Posten als Pflegedirektorin. Sie findet eine Wohnung in St. Laurent, nahe des Aéroport de Cartierville. Dieser Umzug ist ein Drama für Marc, denn dadurch verliert er den Kontakt zu Jean, seinem einzigen Freund. „Marc schien dort nicht sehr glücklich zu sein", beschreibt Jean Bélanger diese Zeit später. Tatsächlich geht Lépine kaum noch aus seinem Zimmer, sitzt immerzu vor seinem alten Computer und umgibt sich mit Büchern und alten Elektronikteilen. Im Herbst 1982 belegt er einen naturwissenschaftlichen Kurs am CEGEP St. Laurent (Collège d'enseignement général et professionnel, zu Deutsch: Allgemeine und Berufsschule), als Vorbereitung für das ersehnte Ingenieurstudium. Allerdings zeigt der bis dato stets gute Schüler plötzlich deutliche Schwächen. Im ersten Semester fällt er in zwei Kursen sogar durch. Im zweiten Semester läuft es zwar endlich wieder etwas besser, doch dann ändert Lépine unerwartet seinen Berufswunsch – einer von vielen spontanen Wechseln, die noch folgen. 1983 wechselt er von den reinen Naturwissenschaften zu einem Kurs in angewandte Elektronik, den er jedoch im Januar 1986 abbricht. Dieses Mal stand der Berufsschüler kurz vor dem Abschluss. Lépine erscheint einfach von einem Tag auf den anderen nicht mehr in der Berufsschule. Gründe für diesen überraschenden Entschluss nennt er nicht. Ein Abteilungsleiter berichtet später von einem Gespräch mit dem jungen Mann, in dem Marc ihm sagte, er wolle lieber die École Polytechnique (zu Deutsch: Polytechnische Universität) von Montreal besuchen.

...Nachweislich hat Lépine die renommierte Universität für den Fachbereich Ingenieurwissenschaften am 11. September 1985 besucht, um bei der Studentenschaft einzukaufen. Dieses Erlebnis muss etwas bei Marc ausgelöst haben, denn wenig später werden seine Noten am CEGEP merklich schlechter. Tatsächlich bewirbt sich Lépine 1986 bei der École Polytechnique um einen Studienplatz. Doch auf seinen Antrag auf Zulassung erhält er direkt ein Ablehnungsschreiben, weil ihm die Nachweise über zwei notwendige Kurse an der CEGEP fehlen. Diese Ablehnung scheint ein harter Schlag für den jungen Technik-Fan zu sein, denn jetzt tut er etwas vollkommen Unerwartetes: Er hängt das Studieren einfach komplett an den Nagel und sucht sich einen Job in der Cafeteria-Küche des Krankenhauses St. Jude de Laval, in dem seine Mutter eine einflussreiche Position bekleidet. Die Kollegen im St. Jude de Laval meiden Lépine ebenso wie er sie; Marc ist ständig unter Hochspannung, erledigt alle Arbeiten in einem irrwitzigen Tempo, was zur Folge hat, dass ihm ständig Dinge kaputt gehen. Seine Versuche, lustig zu sein, gehen auch schief. Da der Essensdunst und die Wärme in der Küche seine ohnehin starke Akne noch weiter verschlimmern, wird Lépine im Gästeraum eingesetzt und soll den Besuchern ihr bestelltes Essen servieren. Doch schon bald beschweren sich die Gäste über das Äußere des Kellners und Marc beginnt in seiner Verzweiflung, sich einen Bart wachsen zu lassen, um seine immer stärker blühende Akne zu kaschieren. Doch es hilft nichts- der zausige Bart lässt den jungen Mann noch ungepflegter erscheinen. Lediglich Dominique Leclair, eine Studentin, die in ihren Sommerferien in der Klinik arbeitet, ist nett zu ihrem ständig nervösen Kollegen. Einmal fragt sie ihn sogar, warum er keine Freundin hat. Erst ist Lépine über die Frage wütend und verletzt, dann gesteht er Dominique Leclair: „Ich habe viele Mädchen um ein Date gebeten, aber alle haben abgelehnt. Ich kenne so viele Mädchen, aber sie gehen nicht mit mir aus. Ich sehe nicht gut aus ..." Dass der überaus schüchterne junge Mann zu diesem Zeitpunkt in sie verliebt sein könnte, daran denkt die Studentin nicht.

...Am 1. Juli 1986 zieht Lépine bei seiner Mutter und seiner Schwester aus. Seine erste eigene Wohnung ist ein modernes Einzimmer-Apartment in einem Wohnblock mit 24 Einheiten in Laval, einem Vorort von Montreal. Der einzige Luxus des Apartments im obersten Stockwerk ist ein kleiner Balkon. Da Lépine weder raucht noch trinkt, keine Drogen konsumiert und auch keine Freundin hat, kann er sich mit seinem Gehalt aus der Klinik-Cafeteria problemlos die Miete für das Apartment leisten und regelmäßig ein bisschen Geld sparen. Die Nachbarn haben keine Probleme mit Lépine, der seine Miete immer regelmäßig zahlt.

...Irgendwann verliert Lépine seine Stelle im Krankenhaus wieder, worüber er sehr verbittert erscheint. Die erste Freundin von Jean Bélanger, mit der auch Lépine ein sehr gutes und enges Verhältnis hat, fragt ihn bei einem Wiedersehen, wie es dazu gekommen ist: „Er sagte, er habe während seiner dreimonatigen Probezeit einen kleinen Fehler gemacht und sie sagten ihm daraufhin, er solle verschwinden." Was den jungen Mann dabei jedoch noch viel mehr verärgert als nur den Jobverlust, ist ein ganz spezielles Detail: „Er sagte mir, er sei von einer Frau gefeuert worden und eine andere Frau habe seinen Platz eingenommen."

...Als für Dominique Leclair im Herbst das Wintersemester beginnt, macht auch Lépine erneut einer seiner beruflichen Kehrtwenden. Er schreibt sich dieses Mal am CEGEP Montmorency ein und belegt Kurse in Massenkommunikation, Algebra und Politik – und beendet sie erfolgreich. Diese Erfahrung scheint Lépine so viel Auftrieb zu geben, dass er an der Aufnahmeprüfung am Control Data Institute (zu Deutsch: Kontrolldateninstitut) in Montreal teilnimmt. Eine sehr renommierte Computerschule, die den besonderen Vorteil hat, dass alle Schüler allein und für sich an ihren Computern arbeiten. Lépine, der stille Typ mit den Baseballmützen, besteht die Aufnahmeprüfung mit Bravour und startet mit dem Kurs im März 1988. Alle, die ihn kennen, gehen davon aus, dass er nun einen weiteren Anlauf nimmt, um doch noch an der École Polytechnique aufgenommen zu werden. Geografisch zieht Lépine jedenfalls schon einmal in die Nähe seiner Wunsch-Uni; seine nächste Wohnung in der Rue de Bordeaux in einem typischen Arbeiterviertel ist gerade einmal fünf Kilometer entfernt. Auch das Control Data Institute sowie die neue Wohnung seiner Mutter sind nur wenige Blocks entfernt. Diese günstige Bleibe im zweiten Stock, die sich Lépine mit einem alten Highschool-Bekannten teilt, wird seine letzte sein.

...Marc bekommt das kleine Schlafzimmer, das er gemeinsam mit seiner Mutter Monique türkis streicht. Durch seine zahlreichen Habseligkeiten wirkt der Raum ausgesprochen chaotisch. Auf dem Schreibtisch vor dem Fenster mit dem Ausblick auf eine rote Backsteinwand und oberirdische Telefonkabel steht sein Computer, daneben liegen jede Menge elektronische Teile. Überall stapeln sich die Bücher des Studenten, teilweise bis unter die Decke. Selbst im Kleiderschrank deponiert er sie. Hinzu kommen zahlreiche Videokassetten; meist handelt es sich um aufgezeichnete Kriegsfilme. Er benötigt sie, um den „strategischen Aspekt“ zu erforschen, wie Lépine seinem Mitbewohner erläutert. Auch einer der beiden Kunstdrucke an den Wänden bildet einen Kriegsschauplatz ab.

...Während viele von Lépines Bekannten annehmen, er wolle sich noch ein weiteres Mal bei der École Polytechnique bewerben, plant der Student, zur Armee zu gehen. Zu diesem Zeitpunkt wird ein weiterer Charakterzug Lépines immer offenkundiger: Frauenfeindlichkeit und sexistische Ansichten. Seinem Mitbewohner stoßen diese Äußerungen zwar übel auf, er glaubt jedoch, der Grund dafür sei, dass es Lépine einfach nicht gelingt, eine Freundin zu finden. Auch Sylvie Drouin, die Marc im Februar 1989 bei einem abendlichen Aktualisierungskurs in Chemie am CEGEP Vieux Montréal kennenlernt, kommt er nicht näher. Die junge Frau findet Lépine dabei anfangs durchaus attraktiv und sie fragt ihn, ob er ihr Laborpartner sein möchte. Und weil sie ihn auch bittet, ihr bei den Hausaufgaben zu helfen, treffen sie sich einige Male außerhalb der Kurse. Lépine behandelt seine Kommilitonin die meiste Zeit äußerst respektlos; ist sehr harsch zu ihr. Regelrecht unheimlich wird es, als er mit einem Zeitungsausschnitt über eine Polizistin im Chemieunterricht auftaucht und sich bitterlich beschwert. Er ist der Ansicht, dass Frauen nicht zum Polizeidienst zugelassen werden dürften. Auf die Entgegnung des Laborassistenten André Tremblay, bei der Polizei von Montreal gäbe es eine große Zahl weiblicher Beamter, argumentiert Lépine: „Bis jetzt habe ich in den Zeitungsartikeln nur die Namen von sechs Frauen gefunden." Offenbar hat er intensiv recherchiert, wie viele Namen von weiblichen Polizisten in den örtlichen Zeitungen erwähnt werden. Auch sein Mitbewohner muss sich heftige Tiraden über die Ungeheuerlichkeit anhören, dass Frauen in „männlichen" Berufen tätig sind.

...Im März 1989 bricht Lépine den Kurs bei Control Data ab. Dem Direktor des Instituts sagt er lediglich, „dass er seine Karriere ändern würde." Sylvie gegenüber, die es geschafft hat, einen Ingenieur-Studienplatz an der Université du Québec a Trois Riviéres (zu Deutsch: Universität Quebec in Trois Riviéres) zu bekommen, behauptet Lépine, er werde im Herbst ebenfalls studieren – an der École Polytechnique. Ende des Sommers zieht sein Mitbewohner aus der Wohngemeinschaft mit Marc aus.

...Am 5. September 1989 beantragt Lépine eine Genehmigung zum Erwerb von Schusswaffen und erhält die Berechtigung ohne Probleme. Im Oktober 1989 hält er sich insgesamt drei Mal auf dem Campus der École Polytechnique auf. Am letzten Oktobertag mischt er sich unter die Studenten in der Cafeteria im zweiten Stock der Ingenieurschule. Einige Wochen später erwirbt Marc bei Checkmate Sports in Montreal die Ruger Mini-14 Rifle samt hundert Schuss Munition. Um Kleinwild zu jagen, wie er dem Waffenverkäufer sagt.

Einen Tag später wird Marc Lépine erneut in der École Polytechnique gesehen- dieses Mal im Verwaltungspavillon. Weitere Male folgen. Bei jedem seiner Besuche macht der junge Mann sich unauffällig weiter mit den Räumlichkeiten und dem Gelände der École Polytechnique vertraut. Am 5.

Dezember 1989 taucht Lépine nachmittags bei einem Autovermieter auf und mietet sich einen Wagen.

...Weder sein Vermieter wundert sich, dass er Anfang Dezember zum allerersten Mal nicht pünktlich die Miete erhält; noch Lépines Mutter, die von ihrem Sohn mehrere Wochen vor ihrem Geburtstag ihr Geschenk bekommt.

...Am 6. Dezember 1989, ein Mittwoch, ist es kalt und ungemütlich. Der Tag ist grau, stetig fällt eisiger Nieselregen vom verhangenen Himmel. Marc Lépine ist am Nachmittag mit dem Leihwagen unterwegs zur École Polytechnique. Er stellt das Auto in einem Abschleppbereich ab, dann geht er durch den Regen zum Gebäude der Ingenieurschule.

...An diesem Tag herrscht an der École Polytechnique eine ganz spezielle Stimmung. Es ist der letzte Unterrichtstag vor den Weihnachtsferien, ehe die Prüfungen in den Semesterferien geschrieben werden. Nach einem langen, intensiven Semester fühlen sich die Studenten, die Dozenten und auch die Mitarbeiter der Verwaltung allesamt ausgelaugt und urlaubsreif. Hinzu kommt eine gewisse Vorweihnachts- und Jahresendstimmung. Die Cafeteria im Erdgeschoss ist fröhlich geschmückt mit Luftschlangen und Ballons, außerdem hängt eine große Girlande mit „Frohes neues Jahr“ an einer Wand.

...Marc Lépine trägt an diesem Tag blaue Jeans, Arbeitsstiefel, eine dunkle Jacke und natürlich sein Markenzeichen: ein Baseballcap. Er sieht fast ein wenig so aus wie jemand, der auf der Jagd ist. Bei sich trägt er einen grünen Plastikmüllsack, der nichts über seinen Inhalt verrät. In der Zeit zwischen 16:00 Uhr und 16:40 Uhr bemerkt man ihn im Büro der Registratur. Er sitzt auf einer Bank im Eingangsbereich, direkt neben der Tür. Bemerkenswert ist die Art und Weise, wie er sich dort positioniert, es scheint so, als wolle er es den Studenten absichtlich erschweren, den Raum zu betreten. Kein Student spricht ihn an- er redet ebenfalls mit niemanden. Das Einzige, was Lépine tut, ist, seine grüne Plastiktüte zu halten. Schließlich kommt eine der Verwaltungsmitarbeiterinnen zu Lépine und fragt ihn freundlich, ob sie ihm irgendwie helfen könne. Ohne auch nur ein einziges Wort zu sagen, steht er auf und geht. Fünf Minuten später, um 16:45 Uhr, befindet sich der junge Mann in einem Korridor auf der dritten Etage. Hier lehnt er sich an eine der Wände und betrachtet erneut aufmerksam und wortlos das rege Treiben in seiner Umgebung.

...Gegen 17:10 Uhr macht Marc sich entschlossen auf den Weg zu seinem ersten Ziel, das sich in der zweiten Etage befindet. Lépine geht zielstrebig durch das einem Labyrinth gleichende zweite Stockwerk, durch Flure und Lounges, vorbei an Kiosken mit Snacks, Getränken und Schreibwaren. Raum 230 ist der einzige Seminarraum auf dieser Etage, versteckt hinter Fotokopierern und zahlreichen Stahltüren. Nur wer ihn kennt, findet den Raum am Ende der engen, verwinkelten Korridore. Doch Lépine hat sich in den letzten Wochen gründlich vorbereitet.

...In dem Seminarraum halten zu diesem Zeitpunkt Studenten eine Präsentation vor einer Maschinenbauer-Klasse. Zunächst bemerkt keiner der insgesamt 62 Anwesenden den Neuankömmling, der so wirkt, als sei er einfach zu spät zu seinem Kurs gekommen. Er steht mit einem merkwürdigen, maskenhaften Lächeln an der Tür. Erst als Lépine sich bis auf ein-zwei Meter den Studierenden in der ersten Reihe nähert und befiehlt, dass sofort alle mit dem, was sie just in diesem Moment machen, zu stoppen haben, registrieren ihn die 60 Studenten und die zwei Professoren. Eric Chavarie, einer der Präsentierenden, stellt fest, dass Lépine „lächelte ... Er war sehr ruhig". Da es sich um die letzte Stunde des Semesters handelt und der vermeintliche Student offenbar gut aufgelegt ist, denken alle, es handele sich um einen Schabernack und reden entspannt und ausgelassen durcheinander. Ein Scherz zum Semesterende, was für eine großartige Idee! Doch dann feuert Lépine einen Schuss in die Decke von Raum 230 – noch immer spielt das seltsame Lächeln um seine Lippen. Jetzt hat er endlich die Aufmerksamkeit, die er sich wünscht, und verlangt: „Teilt euch auf! Mädchen links und Jungs rechts." Doch niemand bewegt sich, einige glauben sogar, es handele sich nur um Platzpatronen. Erst als Lépine seine Anordnung wiederholt, kommt Bewegung in die Anwesenden – doch anders als von ihm in seinem militärischen Plan gedacht. Zwei Studenten verstecken sich hinter Säulen. Es entstehen zwar tatsächlich zwei Gruppen im Seminarraum – doch sie sind gemischt. Also wiederholt Lépine noch ein weiteres Mal seine Anweisung und endlich ist es so, wie er es sich vorstellt. Als er die Frauen in einer Einheit separiert hat, befiehlt er den Männern, den Raum zu verlassen. Sie sind so verunsichert, dass sie gehorchen und vor die Tür gehen.

...Jetzt wendet sich Lépine den Studentinnen zu. Insgesamt neun Frauen sind es, die nervös und verwirrt vor ihm stehen. Er befindet sich direkt zwischen ihnen und der Tür, sodass ein Fluchtversuch unmöglich ist. Niemand wäre schnell genug, um an dem jungen Mann mit dem Selbstladegewehr vorbeizukommen. Dann entspinnt sich eine merkwürdige Unterhaltung: Lépine fragt die neun Studentinnen, ob sie wüssten, warum er hier sei? – Nathalie Provost nimmt all ihren Mut zusammen und antwortet: „Nein“. „Ich bin gekommen, um gegen den Feminismus zu kämpfen“, erklärt ihr Lépine. „Schauen Sie, wir sind nur Frauen, die Ingenieurwissenschaften studieren“, entgegnet Provost, in der Hoffnung, ihn von der Unschuld der neun Studentinnen zu überzeugen. Lépine fällt der jungen Frau ins Wort und beginnt zu schreien: „Ihr seid alle ein Haufen Feministinnen!»- dann eröffnet er das Feuer.

Von links nach rechts gibt er eine Salve mit seiner Ruger auf die neun Anwesenden ab. Schlagartig riecht es im Klassenraum rauchig; erstickte, kurze Schreie sind zu hören. Insgesamt feuert Lépine rund 30 Schuss ab. Nathalie Provost sackt mit einer Wunde am Unterschenkel und einer über ihrem linken Auge wie eine Lumpenpuppe in sich zusammen. Sechs weitere Studentinnen, alle um die 21 Jahre alt, sind auf der Stelle tot; sie liegen in sich langsam vergrößernden Blutlachen auf dem Boden. Vor dem Raum 230 drehen ihre männlichen Kommilitonen in Panik auf dem Absatz um und flüchten Hals über Kopf.

...Nachdem Lépine diesen Teil seines Planes erfolgreich erledigt hat, setzt der Amokläufer seinen Kriegszug fort. Er begibt sich auf den Gang im zweiten Stockwerk und trifft 30 Meter vom Raum 230 entfernt einige Leute, die bei den Fotokopierern stehen. Ohne sich die Mühe zu machen, etwas zu sagen, feuert Lépine auf sie. Drei Personen sinken augenblicklich verletzt zu Boden, noch ehe sie verstehen, was mit ihnen geschieht. Andere Anwesende rennen in Panik davon. Als Lépine an den Kopierern vorbei ist, dreht er sich um, die Wand im Rücken, und feuert in den Gang in Richtung Raum 230. Alles wirkt wie eine typische Szene aus seinen geliebten Kriegsfilmen.

...Bereits um 17:12 Uhr geht der erste Notruf in der Leitstelle ein: „Es gibt eine Geiselnahme, es fallen Schüsse und viele Menschen werden verletzt!“. Danach bricht das Notrufsystem von Montreal durch die Vielzahl der Anrufe beinahe zusammen. Doch selbst die schnellste Hilfe würde zu spät kommen, denn Lépine agiert entschlossen und präzise wie ein Uhrwerk. Während man sich bei der Polizei noch sammelt und das weitere Vorgehen zu koordinieren versucht, setzt Lépine seinen Weg der Zerstörung durch die École Polytechnique fort.

...Im Büro des Finanzdirektors gelingt es der frisch verheirateten Angestellten Maryse Laganiere gerade noch, die Tür von innen zu verriegeln. Sie hört den Angreifer fortgehen und wähnt sich in Sicherheit. In dem Moment jedoch, als sie sich dem Inneren des Büros zuwendet, starrt sie am gegenüberliegenden Fenster in das Gesicht eines Mannes, der eine Baseballkappe trägt. Lépine schießt zweimal auf die Frau und trifft sie am Kopf. Tödlich verwundet bricht Maryse Laganiere auf dem Boden des Büros zusammen.

...Lépine streift jetzt durch das inzwischen menschenleere Foyer im zweiten Stock und nutzt die Rolltreppe, um ins Erdgeschoss zu gelangen. Unten angekommen steuert er auf die Cafeteria zu. Er sieht noch, wie eine Gruppe von Fliehenden durch die Eingangstür des Selbstbedienungsrestaurants rennen, die daraufhin von innen zuschlägt. Der Schütze stößt die Tür mit einer Hand auf und eröffnet sofort wieder das Feuer. Eine Kugel Kaliber .223 trifft die gebürtige Polin Barbara Klueznik in den unteren Rücken. Die Wucht des Geschosses zerreißt der Krankenpflege-Studentin im ersten Semester die linke Niere, die Bauchspeicheldrüse, Milz, Zwerchfell, Leber, Herz und den linken Lungenflügel. Darüber hinaus zerbersten die sechste und die siebte Rippe, ehe die Kugel aus der linken Brust austritt. Dabei verdreht sich der Körper von Barbara Klueznik so, dass die nächste Kugel frontal in ihre linke Brust eindringt und aus dem Rücken wieder austritt.

...Der Neurophysiologe Witold Widajewicz, Ehemann von Barbara Klueznik, steht gerade an der Essensausgabe und betrachtet die Auslage, als die Flüchtenden in die Cafeteria rennen. Sie reißen den verdutzten Mann mit und drängen ihn in die Küche. Nun liegen alle Schutzsuchend auf dem Boden. Der Koch bewacht mit einem scharfen Messer in der Hand die Tür zur Küche, während alle um ihr nacktes Leben zittern. Widajewicz versteht nicht, was los ist. Dass seine eigene Frau bereits tot ist, ahnt er nicht.

...Währenddessen setzt Lépine seinen Marsch der Vernichtung durch die Cafeteria im Erdgeschoß fort. Wer nicht rechtzeitig fliehen kann, sucht notdürftig Deckung hinter dünnen Kunststoffstühlen oder abgewetzten Tischen und betet um Rettung. Der Schütze schlendert gelassen durch die Kantine, gibt hier und dort ein paar Schüsse ab, ehe er die Räumlichkeit durch eine zweite Eingangstür schließlich verlässt. Insgesamt drei junge Frauen tötet er- eine Studentin ist schwer verwundet.

...Bald treffen drei Polizeiwagen am Ort des Geschehens ein. Die Beamten organisieren sofort eine Absperrung der École Polytechnique, dann warten sie auf das Eintreffen der Spezialisten, damit die Experten den weiteren Einsatz koordinieren.

...Währenddessen begibt sich Lépine in den dritten Stock, um dort sein Werk der Verwüstung fortzusetzen. Im dortigen Foyer verwundet er zunächst drei ahnungslose Studentinnen- dann tötet er sie. Der Schütze geht den Korridor entlang bis zum Raum 311, wo gerade ein Kurs für technische

Materialien abgehalten wird. Bis jetzt weiß von den Anwesenden noch niemand, was in der École Polytechnique vor sich geht. Auch hier finden jetzt die üblichen Präsentationen zum Semesterende statt. Alle sind verdutzt, als die Tür aufgeht und ein Mann eintritt. In seiner Hand hält er sein Ruger-Gewehr. Die Kommilitonen verharren regungslos. Im nächsten Moment eröffnet Lépine auch schon das Feuer. Die Hochschülerin Maryse Leclair bricht von Kugeln getroffen verwundet zusammen. Sechs ihrer Rippen sind zerborsten, Knochensplitter haben die Lunge perforiert.

...Zwei Professoren und 26 Studenten gehen wie verängstigte Tiere instinktiv unter den Tischen in Deckung. „Wir waren gefangen wie Ratten", beschreibt der 21-jährige Eric Forget die Situation erschüttert. Kugeln sausen durch die Luft. Der Schütze streift links an der Wand entlang und späht unter die Sitzreihen. Vier Frauen tötet er mit seinem halbautomatischen Gewehr. Die Studentin Annie Turcotte liegt stöhnend und um Hilfe schreiend zwischen zwei Sitzreihen auf dem Boden, während das Blut aus ihrem Leib fließt. Zwei Schüsse haben sie in den Oberkörper getroffen- ihre ehemals weiße Bluse ist jetzt blutgetränkt.

...Als Lépine nachladen muss, gibt es eine kurze Unterbrechung der Kugelsalven- es entsteht eine gespenstische Stille in dem Seminarraum. Maud Haviernick und Michèle Richard nutzen die Chance und rennen in Richtung Tür, doch Lépine erschießt beide Frauen, noch ehe sie den rettenden Ausgang erreichen können. Im nächsten Moment springt der Amokläufer auf einen Stuhl und beginnt, langsam über die Tischreihen zu pirschen. Vermutet er unter einem der Tische eine Frau, feuert er auf sie.

...Danach geht Lépine zur schwer verwundeten Maryse Leclair, die auf dem Podium an der Kopfseite des Raumes um Hilfe wimmernd und nach Luft schnappend in einer Blutlache liegt. Lépine zieht sein Jagdmesser. Die Klinge blitzt kurz im Licht der Deckenlampen auf, dann sticht er dreimal auf die wehrlose Frau ein. Ein Hieb trifft sie mitten ins Herz. Maryse verstummt augenblicklich- die junge Studentin ist tot.

...Lépine atmet einmal tief ein, dann legt er das blutbefleckte Messer behutsam auf das Pult, das sonst von den Professoren als Ablage für ihre Lehrmaterialien dient. Daneben platziert der Schütze ein leeres Magazin, ehe er sein Markenzeichen, die Baseballmütze, abnimmt. Bedächtig legt er die Kappe neben die anderen Gegenstände auf den Tisch. Dann nimmt Lépine am Pult Platz und zieht sich langsam die Jacke aus. Auf der Vorderseite des Pullovers, den er an diesem Tag trägt, prangt ein großer Totenschädel. Hochkonzentriert beginnt er nun, seine Jacke um den Lauf der Ruger zu wickeln. Als sie seinem Gefühl nach richtig sitzt, atmet Lépine noch einmal tief ein und flüstert zu sich selbst: „Oh, Scheiße". Dann ertönt der allerletzte Schuss an diesem Tag. Um 17:20 Uhr pustet sich der Massenmörder mit seiner eigenen Waffe das Stirnbein weg. Er ist sofort tot.

...Der Amoklauf, der als „Massaker von Montreal" traurige Berühmtheit erlangt, dauert zwanzig Minuten. Insgesamt ermordet der Amokläufer 14 Frauen und verwundet 13 weitere Menschen, darunter auch 4 Männer.

...Währenddessen warten die Polizisten vor der Universität im kalten Nieselregen immer noch auf den zuständigen Bezirkskommandanten. Inzwischen befinden sich vor dem Gebäude siebzehn Fahrzeuge und 28 Beamte – doch niemand wagt es, die Ingenieurschule zu betreten. Erst um 17:35 Uhr sind endlich auch die Spezialisten sowie der Bezirkskommandant vor Ort, der die Operation leitet. Zur selben Zeit dringt die Nachricht nach draußen, dass der Amokläufer sich selbst gerichtet hat – eine Minute später stürmen die Polizisten das Gebäude.

...Im Raum 311 im dritten Stock entdecken die Beamten die Leiche von Marc Lépine. Bei der Durchsuchung seiner Habseligkeiten entdecken sie in einer seiner Jackentaschen einen insgesamt drei Seiten langen Abschiedsbrief. Außerdem trägt der Amokläufer eine handgeschriebene Notiz bei sich, auf der zu lesen ist: „Verzeihen Sie die Fehler, ich hatte nur 15 Minuten, um das zu schreiben." Die Behörden bewahren Stillschweigen über den Inhalt des Abschiedsbriefes.

...Einen Tag später wird der Leihwagen, den Lépine gemietet hat, in einer Sperrzone nahe der Uni aufgefunden. In dem Wagen entdecken die Ermittler noch einen Brief des Toten. Dieser ist an einen Freund gerichtet. Darin heißt es, man könne den wahren Grund des Massakers in seiner Wohnung finden. Man brauche lediglich den in der Wohnung hinterlassenen Hinweisen zu folgen. Doch die Polizisten entdecken lediglich einen Koffer mit Computerspielen und Hardware.

...Die Provinzregierung sowie die Stadtregierung von Montreal setzen eine dreitägige Staatstrauer für die Opfer an. Dieser Amoklauf ist der schlimmste Massenmord in der bisherigen kanadischen Geschichte. Die Reaktionen in Kanada und rund um den Globus schwanken zwischen Trauer, Fassungslosigkeit und blanker Wut. Besonders für die Montrealer Familien ist das Ereignis ein schwerer Schlag, denn eine Vielzahl von ihnen ist persönlich betroffen.

...Bei der Autopsie von Marc Lépine stellt sich heraus, dass der Massenmörder und Suizident keinerlei Alkohol im Blut hat; auch Spuren von anderen Drogen sind nicht nachzuweisen. Aber wie konnte es zu der schrecklichen Tat am 6. Dezember 1989 kommen? Was hat Lépine dazu getrieben? Im Untersuchungsbericht wird explizit darauf hingewiesen, dass Lépine Frauen und besonders Feministinnen als seine Feinde angesehen habe. Doch im Laufe der Aufarbeitung des Massakers von Montreal verlagert sich der Fokus. So sehen einige Kommentatoren die Schuld bei den gewalttätigen Actionfilmen und -spielen, von denen der Amokläufer so fasziniert war. Andere verweisen auf soziale Missstände oder die Tatsache, dass Lépine zwar in Kanada zur Welt kam, aber einen Migrationshintergrund hatte und sich nicht dazugehörig fühlte. Wieder andere gehen davon aus, dass es sich bei dem Massaker von Montreal schlicht um die Tat eines Geistesgestörten handelt. Ein Psychiater, der sowohl die Familie Lépines befragte, als auch Einsicht in die Ermittlungsakten erhielt, vermutet bei dem Todesschützen eine schwerwiegende Persönlichkeitsstörung. Derartige Taten seien typisch für Männer mit einer narzisstischen Problematik, die einerseits Fantasien über ihre Grandiosität und Erfolge haben sowie ein immenses Bedürfnis nach Anerkennung, aber andererseits unter Zurückweisungen und Fehlschlägen extrem leiden. Sie greifen dann überdurchschnittlich oft zu Formen von Gewalt. Da Lépine Frauen und besonders Feministinnen als die Verantwortlichen für sein Scheitern ausgemacht habe, sei es zu seinem Racheakt gekommen. Dieser verlieh ihm zudem endlich die Berühmtheit, nach der er sich insgeheim immer gesehnt habe. Eine andere Theorie eines Psychiaters besagt dagegen, Lépine habe durch die Gewalttaten seines Vaters eine Gehirnschädigung erlitten, die ihn psychotisch werden ließ.

...Erst einige Zeit später verlagern sich die Erklärungsversuche wieder auf das, was Lépine selbst als Motiv für seinen Amoklauf erwähnt hat und im Untersuchungsbericht bereits festgehalten wurde: Antifeminismus. Inzwischen wird das Massaker von Kriminologen eindeutig als Hassverbrechen gegen Frauen gewertet. Lépine kannte keines seiner Opfer persönlich- er tötete die Studentinnen lediglich, weil sie Frauen waren.

...Im Jahre 1990 bekommt Francine Pelletier, Journalistin und Herausgeberin einer feministischen Zeitung, den dreiseitigen Abschiedsbrief von Marc Lépine zugespielt. Bis zu diesem Zeitpunkt war er noch nicht an die Öffentlichkeit gegeben worden. Als Pelletier den Brief am 22. November 1990 in den Händen hält und die Zeilen überfliegt, weiß sie sofort, dass er eine Sensation ist. Denn er enthält nicht nur die Gründe für den Amoklauf, sondern auch eine Liste von 19 prominenten Frauen aus Quebec, die Lépine ebenfalls töten wollte, weil er sie zu den Feministinnen zählte. Die Journalistin setzt sich dafür ein, dass die Zeilen des Massenmörders in der kanadischen Zeitung „La Presse“ veröffentlicht werden.

...Der Brief beginnt mit dem Satz: „Ich werde am 6. Dezember 1989 sterben.“ In den Schreiben ist keine blinde Wut zu entdecken, der Verfasser schrieb ruhig und rational. Lépine trifft unter anderem Regelungen für die Zeit nach seinem Ableben. So bittet er darum, seinem Vermieter als Ausgleich für die noch offene Monatsmiete den Kühlschrank aus seiner Wohnung auszuhändigen. Seine restlichen Habseligkeiten soll sein alter Freund Jean Bélanger bekommen. Die Zeilen wirken fast so, als habe sie ein unheilbar Kranker verfasst- und tatsächlich hatte ja auch Lépine sein Ende vor Augen.

...In seinem Abschiedsbrief gesteht der Amokläufer, er sei die letzten sieben Jahre fortwährend unglücklich gewesen – seit einem neuerlichen Umzug seiner Mutter, der ihn von seinem einzigen Freund, Jean Bélanger, trennte. Auch seine vermeintlichen Berufswünsche seien lediglich Finten gewesen, da er schon sein „Schicksal im Voraus kannte". Lépine wehrt sich gegen die Bewertung seiner Person als „verrückten Killer", vielmehr sei er ein „rationaler Gelehrter", den schlicht „die Feministinnen immer wütend gemacht" hätten. Für ihn ist eine vollkommene Gleichberechtigung der Geschlechter eine Farce- nach seinem Verständnis könne es keine Gleichheit geben. Und er wirft den Feministinnen vor, sowohl die „Vorteile der Frauen" zu vereinnahmen und zugleich auch noch die „Vorteile der Männer" zu fordern.

...Für das Ende seines Briefes wählt der Massenmörder ein berühmtes Cäsar-Zitat: „Alea Jacta Est." (zu Deutsch: Der Würfel ist gefallen.)

...Das Leben in Montreal wird für immer geprägt sein von den Ereignissen des 6. Dezembers 1989. Der Tag ist inzwischen zum nationalen Gedenktag gegen Gewalt gegenüber Frauen erklärt worden- die Flaggen werden an diesem Tag auf halbmast gesetzt. An der École polytechnique de Montréal bleibt es zum Gedenken an die Opfer des Amokläufers jedes Jahr am 6. Dezember still; es findet kein Unterricht statt. In Montreal finden häufig Mahnwachen statt und Diskussionen werden angestoßen, in denen Gewalt gegen Frauen thematisiert wird. Nur wenige Schritte entfernt vom Ort des Geschehens befindet sich im Stadtteil Côte-des-Neiges–Notre-Dame-de-Grâce ein Mahnmal für die Opfer des Gemetzels. Auch in der kanadischen Hauptstadt Ottawa sowie in Vancouver befindet sich jeweils ein Mahnmal mit der Bezeichnung „Marker of Change" (zu Deutsch:

„Marker der Veränderung"), wobei die Widmungen jeweils öffentliche Diskussionen auslösten – sie seien zu politisch formuliert. Die strittige Aufschrift in Vancouver lautet: „women who have been murdered by men" (zu Deutsch: „Frauen, die von Männern ermordet wurden"). Sie wurde trotz der öffentlichen Kritik nicht entfernt- allerdings sind in Vancouver seither alle Kunstwerke verboten, die bestimmte Bevölkerungsgruppen verärgern könnten.

...In Kunst, Musik und Film hinterließ das Ereignis ebenfalls Spuren: 2009 erschien der kanadische Film „Polytechnique", der durch seine Authentizität Kontroversen auslöste. Auch das Theaterstück „The Anorak" (zu Deutsch: „Der Anorak") sowie der Death-Metal-Song „Montreal Massacre" (zu Deutsch: „Montreal Massaker") der Band „Macabre" thematisieren den Amoklauf.

...Marc Lépines Schwester Nadia Gharbi stirbt 1995 an einer Überdosis Drogen. Man findet ihre Leiche in einem schmutzigen Kellerapartment in Montreal. Seine Mutter Monique spricht 17 Jahre lang nicht öffentlich über die Morde, die ihr Sohn begangen hat. Erst nach dem Amoklauf am Dawson College im Jahr 2006, bei dem es einen Toten und 19 Verletzte gibt, beschließt sie, sich zu äußern. 2008 erscheint ihr Buch unter dem Titel „Aftermath" („Nachwirkungen"), in dem sie Marcs Geschichte erzählt. Sie vermutet, dass sie als seine Mutter und die von ihm verhasste Schwester Nadia die Ursache für Marcs Wut auf Feministinnen sind. Mit der Tat habe er sich an ihnen rächen wollen.

»Ein Dieb heißt den andern Spitzbub.«

- Deutsches Sprichwort -

KAPITEL 4

Durchs Raster gefallen

(von Marie van den Boom/ Mordgeflüster)

Das beschauliche Whitewood liegt in Saskatchewan, einer Provinz im Süden von Kanada. Seine Einwohner bezeichnen sich selbst stolz als „Crossroad Community“ (zu Deutsch: „Kreuzungsgemeinschaft“). Dieser Spitzname leitet sich aus der einzigartigen Lage von Whitewood ab. Hier „In the Middle of Nowhere” (zu Deutsch: „Mitten im Nirgendwo“) kreuzen sich zwei große Autobahnen von Kanada, der Highway 1 und der Highway 9.

„In Whitewood bleibt man entweder einen Tag oder für immer“, scherzen die Bewohner.

Eine Familie, die sich diesen Spruch zu Herzen genommen hat, sind die Millers. Ihre idyllische Farm liegt etwas abseits der Highways und Besucher werden schon von weitem mit einem Schild begrüßt, auf dem die frischen Eier und köstlichen Gurken der Farm angepriesen werden.

Lyle und Pam Miller haben sich 2002 ihren großen Traum erfüllt und das 640 Hektar große Stück Ackerland mit der alten Farm aus den 1920er Jahren gekauft. Eine eigene Farm mit Landwirtschaft und vielen Tieren, mit genug Platz, um den drei gemeinsamen Kindern eine unbeschwerte, glückliche Kindheit zu ermöglichen. Fast wie in der Komödie „Dr. Dolittle“. Nur ohne den Schauspieler Eddie Murphy.

Früh am Morgen, des 23. Juli 2006, wird der 10 Jahre alte Zach vom Krähen des Hahnes geweckt. Er blinzelt verschlafen und reibt sich müde durch das Gesicht. Die ersten Sonnenstrahlen tauchen die saftigen Felder von Whitewood in ein goldenes Licht. Draußen auf dem Hof der Farm hört man das Gackern der Hühner und den Wind, der sich in den Blättern der Bäume verfängt und diese zum Rascheln bringt.

Auch wenn Zach noch sehr müde ist und gerne liegen geblieben wäre, muss er aufstehen. „Es hilft ja alles nichts", murmelt der Junge vor sich her. Die Tiere warten und wollen versorgt werden. Egal ob Kind oder Erwachsener, hier bei den Millers packen alle mit an. Das lernen Zachs Bruder, seine Schwester und er schon von klein auf.

Dieser Freitag im Juli ist ein recht warmer Tag in Whitewood. Am Himmel sind nur ein paar vereinzelte Schäfchenwolken und mittags klettern die Temperaturen auf angenehme 23 Grad. Auf der Farm gibt es wie immer viel zu tun und Zach hilft seiner Mutter Pam gerade dabei Stachelbeermarmelade einzukochen. Der süße Duft strömt durch das ganze Haus.

Dann zieht ein Brummen seine Aufmerksamkeit auf sich. Es fährt ein Auto auf den Hof. Zach lässt alles stehen und liegen und rennt aus dem Haus, neugierig darauf, wer da gerade gekommen ist. So oft verirrt sich schließlich keiner zu ihnen.

Auch Pam läuft ihrem Sohn hinterher und begrüßt den jungen Mann, der gerade aus dem Auto steigt. Dann fällt ihr der kleine Junge auf, der auf dem Beifahrersitz des Wagens sitzt. Schüchtern blickt er zu ihnen auf. „Er musste in Zacharys Alter sein", denkt sich Pam, „wie schön, dann hätte er ja vielleicht einen neuen Spielkameraden."

Der Fremde stellt sich als Peter Whitmore vor. Er ist neu in der Stadt und gemeinsam mit seinem 14 Jahre alten Neffen unterwegs. Josh geht nächsten Monat hier zur Schule und es wäre toll, wenn er vorher schon mal ein paar Kinder kennenlernen könnte. Dann ist der neue Anfang in der fremden Schule nicht so schlimm.

Zach freut sich. Hier auf dem Land trifft man nicht besonders oft neue Kinder und wenn doch, sind sie meistens nach wenigen Stunden wieder weg.

Ein paar Tage später kommt Peter Whitmore erneut auf die Farm. Jetzt lernt auch Zachs Vater Lyle den jungen Mann kennen, von dem seine Ehefrau ihm bereits vorgeschwärmt hat. Peter ist nicht ohne Grund hier, er benötigt Hilfe. Sein Van hat einen Platten und eine Felge ist auch beschädigt. Lyle, der sich mit Autos auskennt, bietet ihm seine Hilfe an und gemeinsam können die Männer den Wagen reparieren. Hinterher lädt Pam den Onkel und seinen Neffen auch ein, zum Abendessen zu bleiben. Immerhin verstehen sich die Kinder doch so gut. Es wird für den nächsten Tag verabredet, dass die Jungen sich erneut zum Spielen treffen können.

Zach freut sich schon. Das wird ein Spaß. Hier auf dem Land kann man so viele großartige Dinge machen und entdecken. Es wird nie langweilig. Er möchte Josh so viel zeigen.

Der 30. Juli 2006, ein Sonntag, beginnt wie jeder andere. Erst werden die vielen Tiere versorgt, dann steht die Hausarbeit an und danach ist es dann endlich so weit.

Josh kommt wie verabredet zum Spielen vorbei. Zach, der mit seinen rötlichen Haaren und den Sommersprossen immer auffällt, und der blonde schüchternen Josh sind gleich auf einer Wellenlänge. Die beiden Jungen schnappen sich zwei Fahrräder und erkunden die Umgebung. Ganz in der Nähe ist ein alter Bauernhof, den sie sich anschauen wollen. Ein perfekter Abenteuerspielplatz zum Toben, Klettern und Verstecken spielen.

Dort angekommen schauen sie sich um. Die Garage scheint interessant zu sein. Die Jungen steigen ab und werfen die Fahrräder achtlos auf den Boden. Vorsichtig schiebt Zach die Türe auf. Im Inneren der Garage ist es dunkel und staubig. Die Luft, die ihm entgegenschlägt, ist warm, muffig und abgestanden. Vorsichtig tritt er einen Schritt nach vorne und hinein in die Dunkelheit.

Kaum ist er ganz in der Scheune, geht alles ganz schnell. Viel zu schnell, um zu begreifen was hier gerade passiert.

Zach wird plötzlich von hinten gepackt. Er zuckt erschrocken zusammen, aber bereits im nächsten Augenblick klebt ihm jemand den Mund mit einem Klebestreifen zu, fesselt ihn und zieht ihm einen Sack über den Kopf. Was ist hier nur los? Was passiert gerade mit ihm? Ist das alles ein Scherz?

Nein, es ist kein Scherz. Es ist der Beginn eines wahrgewordenen Albtraums, aus dem Zach nicht erwachen kann.

Er ist vollkommen hilflos. Angst und Panik lähmen seinen Körper. Unsanft wird er in den Kofferraum eines Vans geworfen, der sich kurz danach auch in Bewegung setzt. Zach hört den Motor aufheulen und spürt die Erschütterungen. Er rollt von links nach rechts; unfähig, sich zu orientieren. Die Fahrt kommt ihm wie eine Ewigkeit vor.

Während der nicht enden wollenden Fahrt denkt er an seine Mutter, an seinen Vater, an die Geschwister. Er wird sie alle niemals wieder sehen. Panik durchflutet seinen Körper. Schwappt wie eine Welle über ihn und begräbt ihn. Immer wieder fragt er sich was seine Eltern jetzt denken. Er hat solche Angst sie zu enttäuschen und ist schockiert darüber, wie ihm das passieren konnte. Wie soll er hier jemals wieder rauskommen?

Nach etwa zwanzig Minuten, die Zach deutlich länger vorkommen, hält der Van endlich an. Die Kofferraumklappe öffnet sich und jemand zerrt an ihm; zieht ihn zu sich ran. Zach wehrt sich so gut es geht, er windet sich; versucht, mit zugeklebtem Mund zu schreien und kämpft. Aber außer einem heiseren Fiepen kommt kein Ton aus ihm heraus und gegen den festen Griff seines Gegenübers hat er keine Chance.

Kurz darauf spürt er etwas Kaltes an seinem Hals. Zach atmet hektisch, wird wieder panisch. Was soll das? War es das jetzt? Nein.

Der Angreifer legt Zach eine Hundeleine aus kaltem Leder an und zerrt den geknebelten Jungen in ein altes, verlassenes und heruntergekommenes Bauernhaus.

Die Fenster und einige Türen sind mit Brettern zugenagelt und alles ist dreckig, staubig und morsch. Hier wohnt schon lange niemand mehr. Um das Haus herum ist weit und breit nichts. Es liegt sehr versteckt und abseits der Straße.

Als ihm endlich der Sack über dem Kopf abgenommen wird, schaut er sich ängstlich um. Spätestens jetzt ist Zach klar, dass das hier alles kein blöder Scherz ist. Hier wird gleich niemand vor ihm stehen und laut „Überraschung" rufen. Er sitzt auf einem alten Bett und seine Füße sind mit Seilen daran befestigt. Sofort zerrt Zach an den Fesseln, aber das Material schneidet sich nur weiter in seine Haut. Entmutigt hört er damit auf und konzentriert sich jetzt auf den Mann, der für all das hier verantwortlich ist.

Er kennt ihn. Es ist Peter Whitmore.

Verwirrt und verunsichert suchen seine Augen die Dunkelheit ab. Die morsche Holztüre seines Zimmers steht einen Spalt offen und im Nachbarzimmer entdeckt er einen weiteren Jungen. Es ist Josh, der ebenfalls an ein Bett gefesselt ist. Er schaut ängstlich und voller Scham auf den Boden.

Die nächsten beiden Tage werden für Zach und Josh zur Hölle auf Erden, denn Peter ist kein netter, freundlicher Mann. Den hat er den Millers nur vorgespielt. Immer mit dem Hintergedanken, irgendwie an Zach heranzukommen.

Alles war ein perfider Plan, den er jetzt endlich in die Tat umsetzen will. Er spürt diesen Druck in sich. Dieses Verlangen, gegen das er nicht ankommen kann.

Whitmore zwingt die beiden verängstigten Jungen immer wieder, mit ihm Kinderpornos zu schauen. Er misshandelt und vergewaltigt sie. Wenn sie sich wehren, dann schlägt er zu. Es ist eine ungezügelte und rohe Gewalt, die den unschuldigen Kindern entgegenschlägt.

Immer wieder droht er ihnen, sogar mit vorgehaltener Waffe. Sie seien selbst schuld. Peter kündigt an, dass er sie in Stücke schneidet, wenn sie auch nur den Versuch starten, sich zu wehren oder zu fliehen. Danach würde er dann auch Zachs Familie töten und alle die ihm lieb sind.

Für Zach ist das Martyrium kaum zu ertragen. Oftmals denkt er, es wäre besser er würde einfach sterben. Dann hätte das alles hier ein Ende.

Die Fragen in seinem Kopf hören nicht auf; sie kreisen in ihm und halten ihn nachts wach. „Wann hört er endlich auf? Warum tut er mir das an?", geht es Zach immer und immer wieder durch den Kopf. Mit aller Kraft versucht der Junge, Peter aus seinem Kopf und seinen Gedanken auszusperren. Er schließt die Augen und versucht, sich an einen anderen Ort zu träumen. Zurück auf die Farm. Zu seinen Eltern und den Geschwistern. Was würde er jetzt dafür geben, den Hahn früh morgens krähen zu hören und nochmal den Duft der Stachelbeermarmelade zu riechen.

Nachts, wenn Whitmore schläft und die Jungen in Ruhe lässt, versucht Zach sich abzulenken. Er hat Freundschaft mit den kleinen Mäusen geschlossen, die in der Nacht vorsichtig aus den Lüftungsöffnungen des Hauses krabbeln. Er teilt sein weniges Essen mit ihnen und findet so etwas Trost. Schon immer stehen die Tiere bei ihm und seiner Familie an erster Stelle. So sind es jetzt die Mäuse, die in dieser schweren Zeit bei ihm sind und ihm Kraft und Mut spenden. Er muss weitermachen; muss kämpfen und darf jetzt nicht aufgeben.

So vergehen zwei Tage, die sich für die verletzten, geschundenen und verängstigten Jungen wie eine halbe Ewigkeit anfühlen; begleitet von der lähmenden Ungewissheit und der puren Angst um ihr Leben.

Aber am Dienstag gibt es endlich einen Lichtblick; einen kleinen Hoffnungsschimmer, der in Zach aufkeimt.

Draußen auf dem Hof hört er Geräusche. Ein Auto nähert sich und hält schließlich vor dem verbarrikadierten Haus. Auch Whitmore hat es gehört und wirkt zunehmend nervöser. Er springt auf und versucht durch einen Spalt zwischen zwei Holzplatten einen Blick auf den Hof zu erhaschen.

Für Zach ist das die Gelegenheit. Er wittert seine Chance, will endlich aus dem grausamen Gefängnis ausbrechen und seinem Peiniger entkommen.

Kaum ist Whitmore abgelenkt, schnappt er sich ein rostiges, altes Sägeblatt, was ihm schon vor ein paar Stunden aufgefallen war und beginnt damit seine Fesseln durchzuschneiden. Immer wieder reibt er es über die Seile, aber er kommt nur langsam voran. Die Säge ist sehr stumpf und es dauert ewig. Zach hat riesige Angst, von Peter entdeckt zu werden und erneut die körperlichen und seelischen Qualen ertragen zu müssen. Er muss es jetzt einfach schaffen. Das Adrenalin in seinem Körper scheint ungeahnte Kräfte in ihm freizusetzen und schließlich ist das Seil durch. Er kann sich endlich wieder normal bewegen. Aber draußen und somit hoffentlich in Sicherheit, ist er immer noch nicht.

Whitmore beobachtet immer noch das Geschehen vor dem Haus und das ist die Gelegenheit. Zach nimmt all seinen Mut zusammen, springt auf und rennt los. Panisch sucht er nach einem Ausgang, doch findet zuerst keinen bis er eine kleine Öffnung in der maroden Hauswand sieht. Zach sieht das Sonnenlicht hindurchscheinen. Ohne weiter nachzudenken, zwängt er sich durch das Loch und rennt danach so schnell ihn seine kleinen Füße tragen. Weg vom Haus, weg von diesem schrecklichen Ort und vor allem weg von Peter.

Doch besonders weit kommt er nicht. Ein alter Zaun versperrt ihm den Fluchtweg, aber auch der kann ihn jetzt nicht mehr aufhalten. Er ist schließlich schon so weit gekommen. Mit letzter Kraft schafft er es, den Zaun einzutreten und stolpert danach erschöpft und immer noch voller Angst auf den Weg, der gleich dahinter liegt.

Die Polizeibeamten und Beamtinnen, die gerade vor dem heruntergekommenen Bauernhof stehen und kurz davor sind, das Gebäude zu stürmen, können ihren Augen nicht trauen, als Zach nur wenige Meter neben ihnen aus dem Gebüsch auf den Weg taumelt und dann panisch auf sie zu gerannt kommt.

Endlich haben sie ihn. Seit zwei Tagen steht ganz Whitewood Kopf. Die ganze Stadt sucht verzweifelt nach dem 10-jährigen Jungen.

Zach wird von den Beamten in Empfang genommen und schließlich mit einem Einsatzwagen zur Farm seiner Eltern gebracht. Je näher sie der so vertrauten Umgebung kommen, desto aufgewühlter ist das Kind. Er weiß gar nicht wie er reagieren soll. Wie soll er das alles nur seinen Eltern erklären?

Als die Millers das Polizeiauto sehen, stürmen alle aus dem Haus, um ihren geliebten Zachary in Empfang zu nehmen. Die letzten zwei Tage haben an allen Familienmitgliedern deutliche Spuren hinterlassen. Kaum auszuhalten war die schreckliche Angst und die quälende Ungewissheit.

Kaum ist Zach ausgestiegen, fällt er ihnen schon in die Arme. Alle weinen vor Erleichterung und selbst bei den erfahrenen Ermittlern sieht man einige Tränen über die Wangen laufen. Schließlich passiert so etwas nicht jeden Tag.

Zach ist vollkommen durcheinander und aufgewühlt. So viele schreckliche Dinge hat er in den letzten 48 Stunden erlebt; so viele Ängste durchgestanden und doch kann der Junge nicht aufhören sich zu entschuldigen. Er hat seiner Familie so viel Kummer und Schmerz bereitet. Es tut ihm schrecklich leid.

Aber Pam und Lyle unterbrechen ihren Sohn. „Genug davon!“ Wenn einer keine Schuld an dem Ganzen hat, dann ihr kleiner Zachary. Hauptsache, er ist wieder bei ihnen. Das ist das Einzige, was zählt. Es wird noch Jahre dauern, bis die Familie und vor allem Zach einigermaßen mit dem Erlebten umgehen können. Zu groß sind die äußerlichen und vor allem die seelischen Wunden.

Für Pam ist bereits am Sonntagnachmittag, am Tag des Verschwindens ihres Sohnes, klar gewesen, dass etwas nicht stimmt. Als die beiden Jungen nicht zum Mittagessen auftauchen, macht sie sich nach einiger Zeit auf den Weg zum nahegelegenen alten Bauernhof. Sie weiß, dass ihr Sohn hier gerne spielt und ist sich ziemlich sicher, die beiden Jungs hier gleich anzutreffen. Doch kaum dort angekommen, hört und sieht sie weder Zach noch Josh. Lediglich die beiden Fahrräder stehen ordentlich an der Hauswand abgestellt. Eigentlich noch kein Grund zu Beunruhigung, doch Pam kennt ihren Sohn in- und auswendig. Wenn er eines nicht ist, dann ordentlich. Niemals hätte er sein Rad so abgestellt.

Aufgeregt ruft sie Lyle an, der in der Stadt unterwegs ist und einige Erledigungen mache muss. Sie erzählt ihm von ihrem Verdacht. Er rät ihr, umgehend die Polizei zu informieren.

Genau das tut sie auch. Das Verschwinden von Zach und Josh spricht sind in Windeseile im kleinen Whitewood herum und kurz darauf ist die ganze Nachbarschaft auf den Beinen und sucht nach den beiden Vermissten.

Am späten Abend wird dann auch ein „Amber Alert“ (zu Deutsch: „Bernsteinalarm“) ausgelöst. Diese höchste Alarmstufe dient dazu, die Bevölkerung möglichst schnell und umfassend auf einen aktuellen Vermisstenfall eines Kindes aufmerksam zu machen.

Die Polizei ermittelt und schnell wird Peter Whitmore mit dem Verschwinden der beiden Jungen in Verbindung gebracht. Über ihn kommen nach und nach immer mehr grausame Details an Tageslicht und es steht mehr und mehr die Frage im Raum, wie ein so gefährlicher Mensch weiterhin unbehelligt durch das Land reisen konnte.

Peter Robert Joseph Whitmore ist ein mehrfach vorbestrafter, pädophiler Sexualstraftäter, der vor der Entführung von Zachary und Josh wegen sexuellem Missbrauch an sieben weiteren Kindern bereits fünfmal zu Gefängnisstrafen verurteilt wurde. Trotzdem gelang es ihm immer wieder, vorzeitig entlassen zu werden. Er fiel durchs Raster und konnte so seine Gräueltaten ungehindert fortsetzen.

Auch Josh wurde von ihm entführt und war nicht, wie Whitmore behauptet hatte, sein Neffe. Seine Eltern waren schon seit über einer Woche krank vor Sorge um ihren Sohn.

Die Beamten und Beamtinnen durchkämmen währenddessen die Straßen von Whitewood und suchen alles nach den beiden vermissten Jungen ab.

Am 31. Juli 2006 wird dann ein kanadischer Haftbefehl gegen Whitmore erlassen, wegen des Verdachtes der Kindesentführung.

Alle suchen verzweifelt nach den Kindern und mit jeder weiteren Stunde schwindet die Hoffnung, sie unversehrt wiederzufinden.

Auch Pat Beaujot, ein Farmer aus Whitewood, beteiligt sich an der Suche. Seine Farm liegt auch etwas außerhalb und so ist es ein glücklicher Zufall, dass er in der Mittagspause zum benachbarten alten Bauernhof fährt, um dort nach den Jungen zu suchen. Je näher er dem verwilderten Gebäude kommt, desto mehr beschleicht ihn ein ungutes Gefühl. Auf dem zugewachsenen Weg zum Hof kann man deutlich frische Reifenspuren erkennen und auch das Tor steht offen. Vorsichtig wagt er einen Blick auf den Hof. Er sieht einen Haufen Müll mit einigen Verpackungen von der Fastfoodkette KFC. Es sieht alles danach aus, als wäre hier vor kurzem jemand gewesen. Kurz darauf fällt ihm dann auch der blaue Van auf, der in einer Scheune steht. „Ist das nicht das Auto vom Gesuchten Peter Whitmore?“, fragt sich Pat ungläubig. Sollte er hier wirklich das Versteck des Entführers und womöglich auch die beiden Jungen gefunden haben?

Aufgeregt fährt er zurück zu seinem eigenen Hof und berichtet seiner Ehefrau von seinem Fund, die sogleich die Polizei informiert. Kurz darauf läuft den Beamten dann Zach entgegen, nachdem er es geschafft hat, erfolgreich vor seinem Peiniger zu flüchten.

Josh kann dagegen erst nach weiteren 10 Stunden und nicht enden wollenden Verhandlungen zwischen der Polizei und Whitmore befreit werden. Dieser wird kurz darauf endlich festgenommen.

Das Martyrium der Kinder hat ein Ende gefunden.

Peter Whitmore wird in der anschließenden Verhandlung am 23. Juli 2007 zu einer lebenslangen Haftstrafe verurteilt. Er bekennt sich in zwölf der fünfzehn Anklagepunkten für schuldig- unter anderem wegen sexueller Übergriffe an Kindern mit Körperverletzung und anderen Sexualdelikten, Entführung, Mordandrohung und eines Kinderpornografiedeliktes.

Zudem wird ein Veröffentlichungsverbot für die Namen von Zach und Josh verhängt. Die Kinder sollen dadurch geschützt werden.

Von den Familien der Opfer fällt nach dem Urteilsspruch eine unglaubliche Last ab. Tränen fließen. Trotzdem sind die seelischen Wunden von Whitmores abscheulichen Taten noch lange nicht verheilt und ihre Narben werden die Überlebenden und ihre Familie für den Rest ihres Lebens zeichnen.

Zach Miller ist heute 25 Jahre alt. Er will und muss seine Geschichte erzählen. Viel zu lange hat er geschwiegen.

Heute arbeitet Zach als Schwermaschinenführer und spricht offen darüber, was ihm vor 15 Jahren passiert ist. Denn auch die Zeit danach war nicht einfach. In der Schule wurde er gemobbt und immer wieder mit dem Erlebten konfrontiert.

Zach fällt es schwer zu vertrauen und körperliche Nähe zuzulassen. Bis heute mag er keine Umarmungen. Nachts wird er immer wieder von Albträumen geplagt.

Und trotzdem gibt er nicht auf. Er setzt sich dafür ein, dass sein Name und seine Geschichte veröffentlicht wird. Sein größtes Ziel ist es, so vielen betroffenen Kindern wie möglich zu helfen und Mut zu machen.

Heute sagt er: „Bis zu diesem Zeitpunkt war ich nur ein durchschnittlicher Bauernjunge, aber nach diesen Tagen bin ich nicht mehr derselbe."

Peter Whitmore hat die Möglichkeit, eine Bewährung für seine verbleibende Haftstrafe zu beantragen.

Sollte er es tun, dann will Zach bei der Anhörung dabei sein und alles in seiner Macht stehende tun, um das zu verhindern. „Ich werde dort sein, um zu protestieren. Wir brauchen keine weitere Tragödie wie meine."

»Ich fühle, wie ich langsam zu einem Mörder werde. Mein Glaube an die Humanität ist machtlos. Und weil ich es weiß, bin ich ein Säufer geworden.«

- Friedrich Dürrenmatt (1921-1990),
Schweizer Schriftsteller, Dramatiker und Maler -

KAPITEL 5

Pakt mit dem Teufel

Was ist, wenn ihre Kinder erfahren, was für ein Mensch ihre Mutter in Wahrheit ist? Denn hinter der attraktiven Fassade, den guten Manieren, steckt noch etwas völlig anderes: etwas Beunruhigendes, zutiefst Bedrohliches; auch wenn dies der gut aussehenden Frau nicht anzumerken ist. Nur diejenigen, die sie wirklich in ihr Leben lässt, dürfen in den dunklen, verborgenen Abgrund ihrer Seele sehen. Doch für Außenstehende ist sie die freundliche, besorgte Mutter von drei entzückenden Kindern, die behütet aufwachsen.

Für Karla Leanne Homolka ist es, als würde der Blitz einschlagen, als sie den unglaublich gut aussehenden, jungen Mann in einem Restaurant in Scarborough sieht. Die 17-jährige Tierarzthelferin will an diesem 17. Oktober 1987 nach der anstrengenden Fach-Tagung einfach nur mit ihrer Kollegin Debbie Purdie noch ein wenig ausspannen und feiern, als der Mann in ihr Leben tritt, zu dem sie sich augenblicklich wie magisch hingezogen fühlt. Und diesem geht es ganz genauso. Auch der 23 Jahre alte Buchhalter Paul Kenneth Bernardo ist augenblicklich fasziniert von der hübschen, schlanken Blondine mit den langen Haaren, die den Prinzessin-Diana-Blick so perfekt drauf hat. Für beide ist das geschäftige Treiben in dem Restaurant mit den zahlreichen Gästen, den hastig herumlaufenden Bedienungen, dem Klirren von Besteck auf Geschirr mit einem Schlag bedeutungslos geworden. Sie haben nur noch Augen füreinander. Das Märchen von der Liebe auf den ersten Blick, es scheint wahr geworden zu sein. Die Begleiter der Schockverliebten spüren beide, dass es zwischen der Prinzessin Karla und dem kultivierten Paul, der eine gute Position bei dem renommierten Unternehmen Price Waterhouse hat, direkt knistert. Die Begegnung hat etwas animalisches und nur wenige Minuten nach der ersten Kontaktaufnahme können die beiden ihre Hände nicht mehr voneinander lassen. Es überrascht niemanden, dass die beiden an diesem Abend ihrer ersten Begegnung miteinander schlafen. Doch noch gehen alle davon aus, dass es sich um einen One-Night-Stand handelt.

In Karlas Augen ist Paul der absolute Traummann. Als Kind besaß sie eine Unmenge an Barbie- und Ken-Puppen, mit denen sie nach genauen Regeln; nach ihren Festlegungen, spielte. Und sie hatte schon damals nur einen Traum: Sie will einen Mann heiraten, der wie Ken ist.

Auch mit dem eigentlich dunkelhaarigen Paul, der aber zu diesem Zeitpunkt mit seinem blond gefärbten Schopf wie der Mädchentraum eines kalifornischen Surferboys aussieht, geschieht an diesem Abend etwas. Er lässt sich – entgegen seinen sonstigen Gepflogenheiten – Karlas Telefonnummer und Adresse geben. Paul kann es nicht leugnen: Er hat sich Hals über Kopf in die Blondine verliebt. Eine schicksalhafte Begegnung. Karlas einziger Makel in den Augen des konservativen 23-Jährigen: Sie ist mit ihren 17 Jahren schon bei ihrer ersten gemeinsamen Nacht keine Jungfrau mehr. Und er ist geradezu besessen von dem Gedanken, der erste Mann einer Frau zu sein.

Das hält Paul jedoch nicht davon ab, seine Traumfrau nur 2 Wochen später noch mal zu treffen. Obwohl die beiden Verliebten anderthalb Stunden Fahrzeit voneinander entfernt wohnen, nimmt Paul jede Woche wenigstens zwei Mal die Fahrt auf sich, um seine Karla sehen zu können. Die junge Frau ist so verliebt, dass sie alles für ihren neuen Freund tut, der schnell jeden Aspekt ihres Lebens regiert: Er bestimmt, was sie anziehen soll, wie sie ihr Haar frisiert, welche Meinung sie zu vertreten hat. Als Paul die Kontrolle über das junge Mädchen gewonnen hat, beginnt er, Karla zu demütigen: Er beschimpft die schlanke Frau als fett und hässlich. Er zwingt sie beim Sex zu ungewöhnlichen Sexualpraktiken, die Karla eigentlich als erniedrigend empfindet. Doch selbst das ist für die Verliebte kein Grund, ihren neuen Freund zu verlassen. Vielmehr ist sie vollkommen besessen von dem Gedanken, ihren „Ken" glücklich zu machen. Ihre allergrößte Angst ist es, Paul an ein anderes Weib zu verlieren. Dass er neben der Beziehung zu Karla noch Sex auf ganz besondere Art mit zahlreichen anderen Frauen hat; das ahnt Karla zu diesem Zeitpunkt nicht.

Karla wird am 4. Mai 1970 im Stadtviertel Port Credit, gelegen in der südöstlichen Provinz Kanadas, in eine gutbürgerliche Familie hineingeboren. Die Eltern Karel und Dorothy Homolka bekommen nach ihrer Erstgeborenen noch zwei weitere Töchter. Im Jahr 1971 kommt Lori zur Welt. Vier Jahre später wird die kleine Tammy geboren. Schon während ihrer Schulzeit beginnt Karla nebenbei in einer Tierhandlung zu arbeiten. Nach ihrem Schulabschluss 1988 wird sie von einer Tierklinik als Assistentin eingestellt.

Paul Bernardo, der am 27. August 1964 das Licht der Welt erblickt, wächst dagegen unter völlig anderen Umständen auf. Seine Mutter Marylin, in jungen Jahren von einem wohlhabenden Anwalt aus Toronto adoptiert, wird in einer vornehmen Umgebung großgezogen. Im Jahr 1960 heiratet sie einen gut situierten, erfolgreichen Geschäftsmann, den Halbitaliener Paul Bernardo. Eine Ehe, die Marylins reiche Adoptivfamilie, die zur Upperclass der Stadt gehört, offen missbilligt. Das junge Paar zieht in ein Mittelklasseviertel nach Scarborough. Dann kommen zwei Kinder zur Welt, der Stammhalter David und ein Mädchen, die kleine Debbie. Nach und nach kommt die dunkle Seite von Marylins Gatten ans Licht: Er ist gewalttätig; vergreift sich immer wieder an seiner Frau. Vielleicht sucht diese deshalb schließlich eine Zeit lang Trost bei ihrer verflossenen Jugendliebe. Eine Affäre mit Folgen, denn Marylin wird schwanger und bringt einen Jungen zur Welt. Ihr Ehegatte scheint keinen Verdacht zu schöpfen oder es interessiert ihn schlicht und ergreifend nicht, somit erhält das unehelich gezeugte Kind im August 1964 den Namen Paul Kenneth Bernardo.

Das Verhältnis der Eltern des kleinen Paul Kenneth verschlechtert sich dennoch stetig. Vor allem wegen der Angewohnheit des Vaters, in der Dunkelheit durch die Nachbarschaft zu schleichen und durch die Fenster junger Mädchen zu spähen, um sie zu beobachten. Und dann kommt es auch noch zu einer Verurteilung, weil er ein Mädchen unsittlich berührt und gestreichelt hat. Zu Hause misshandelt Bernardo Marylin und seine Kinder, David, Debbie und Paul Kenneth, immer wieder über die Jahre. Außerdem wird gemunkelt, der Mann habe sich sexuell an seiner Tochter vergangen. Die Zustände setzen Kenneths Mutter Marylin so sehr zu, dass sie depressiv wird. Um ihren Schmerz zu betäuben und die innerliche Leere zu füllen, beginnt die Frau, fortwährend zu essen. Schon bald hat die dreifache Mutter so massiv zugenommen, dass sie nicht mehr in der Lage ist, ihre Kinder selbst zu versorgen und die anfallenden Hausarbeiten zu erledigen. Zu diesem Zeitpunkt quartiert ihr Ehemann sie so weit wie möglich von sich entfernt im Haus in Scarborough ein – im Keller.

Trotz dieser unseligen Ausgangssituation bezaubert der kleine dunkelhaarige Paul Kenneth die Menschen in seiner Umgebung mit seinem süßen Lächeln, seiner freundlichen, höflichen und immer ein wenig schüchternen Art. Mit fünf oder sechs Jahren läuft er einmal von zu Hause fort, wenige Tage später taucht der Junge wieder auf. Sein Bruder Dave erwähnt später einmal, die ganze Zeit über habe niemand danach gefragt, wo Paul steckt. In den folgenden Jahren kommt es mehrfach zu Rangeleien mit Nachbarskindern, die sich über die Bernardo-Familie gerne lustig machen und ihr Streiche spielen. Paul Kenneth wird mehrfach dabei beobachtet, wie er auf andere Kinder eintritt – auf dem Rasen vor dem Haus. Ansonsten hat er wenig soziale Kontakte zu Gleichaltrigen. Allerdings erweist er sich als ein Kind, das absolut furchtlos ist und sich bei sportlichen Aktivitäten wenig um seine körperliche Unversehrtheit kümmert.

Er ist ein guter Schüler und macht seinen Lehrern keine Schwierigkeiten. In seiner Freizeit ist er bei den Pfadfindern aktiv, wo er schnell eine Position als Vertrauensperson bekommt, und beginnt früh, sich mit Jobs neben der Schule etwas dazu zu verdienen. Er ist wie das perfekte Kind.

Doch mit 16 Jahren offenbart Paul Kenneth eine andere Seite von sich. Es kommt zu einem lautstarken Streit zwischen ihm und seiner Mutter. Marilyn ist so wütend auf ihren Sohn, dass sie ihm kurzerhand ein Foto eines ihm unbekannten Mannes auf den Tisch knallt und ihm entgegenschleudert, dass er das Ergebnis eines Seitensprunges ist. Dieser Moment muss den Teenager bis ins Mark getroffen haben, denn von nun an verwandelt sich das einst perfekte Kind komplett. Zwar ist Paul Kenneth nach außen hin noch immer der freundliche junge Mann, doch den Respekt gegenüber seiner Mutter hat er verloren. Er beschimpft sie als Schlampe und Hure. Seinen Vater hasst er wegen dessen pädophiler Neigungen, die erst öffentlich werden, als sich die Polizei schließlich auch damit befasst; das Verhältnis zu den Eltern geht vollends in die Brüche.

In den folgenden Jahren liest Paul Kenneth viele Bücher über Kommunikation und Manipulationstechniken und wie man diese richtig anwendet, um seine eigenen, selbstsüchtigen Interessen durchzusetzen. Schon bald rekrutiert ihn ein amerikanisches Unternehmen, Amway, dem immer wieder vorgeworfen wird, ein Schneeballsystem zu betreiben. Später nimmt sich der junge Paul einen berühmten Fernsehprediger Jim Bakker zum Vorbild, einen exzellenten Rhetoriker (später auch als Betrüger verurteilt), der damit in den 70er und 80er Millionen Menschen fesselt, und nutzt dessen Rede-Methoden, um Mädchen mit allerlei fantasievollen Geschichten ins Bett zu bekommen und sich anderweitig Vorteile zu verschaffen. Etwas, das in jeder Hinsicht hervorragend funktioniert. Die Mädchen hängen ihm an den Lippen und lassen sich von dem vermeintlichen Traumprinzen leicht zu einem One-Night-Stand überreden, bevor er seine Eroberungen wie eine heiße Kartoffel fallen lässt.

Während seiner Zeit an der University of Toronto ist Paul immer auf der Suche nach einem lohnenden Betrug, um schnell und einfach an Geld zu kommen. Durch seinen ausschweifenden Lebensstil benötigt er eine Menge Bares und das lässt sich nicht mit normalen Jobs erwirtschaften. Er liebt repräsentative Autos, kleidet sich gerne gut, hat ein Faible für schöne Häuser und gutes Essen. Pauls sexuelle Fantasien werden mit der Zeit zunehmend extremer: Er entwickelt eine besondere Vorliebe für harten Analsex und devote Frauen. Auch Fesselsex und das Schlagen seiner Sexualpartnerinnen stehen bei ihm hoch im Kurs. Anfänglich schwer verliebt in den gut aussehenden Paul, lassen sich die Frauen dies eine Weile gefallen, bis sie begreifen, dass er sie nur benutzt als Sexobjekte. Die Beziehungen dauern maximal einen Monat. Setzen seine Expartnerinnen ihn damit unter Druck, zu erzählen, was er mit ihnen angestellt hat, bedroht Paul sie. Macht über Frauen zu haben, erregt Paul und deshalb sucht er schon bald nach dem nächsten, ultimativen Kick. Im Sommer 1986 wird der junge Mann jedoch erst einmal für seine Übergriffe zur Verantwortung gezogen: Er hat die Ex-Freundin eines guten Freundes mit obszönen Anrufen belästigt. Die Frau erwirkt eine einstweilige Verfügung gegen den 22-Jährigen.

Der 4. Mai 1987, es ist ein Dienstag, markiert eine wichtige Wende im Leben des jungen Paul Bernardo. Nur kurze Zeit nach seinem erfolgreichen Universitätsabschluss lässt er erstmals seinem Trieb auf den Straßen Scarboroughs freien Lauf. Mit 21 Jahren kombiniert er die für ihn so erregende Erfahrung von Erniedrigung, hartem, brutalem Sex und dem Kick der kriminellen Handlung. In dieser Nacht lauert er an einer Bushaltestelle in der Nähe seiner eigenen Wohnung dem ersten weiblichen Opfer auf. Der Überraschungsangriff aus dem Hinterhalt lässt der Frau zu keinem Moment eine Chance, sich erfolgreich gegen ihren Angreifer zur Wehr zu setzen. Ihre verzweifelte Gegenwehr geht ins Leere. Der 1,80 Meter große Täter zwingt sie zu Anal- und Oralsex. Dabei redet er ununterbrochen auf sie ein und gibt ihr vor, was sie an den zu antworten hat – wie es ein Herr mit seiner willenlosen Sklavin macht. Dann lässt Paul Bernardo die junge Frau gehen und kostet den Moment der Macht somit vollends aus. Er fühlt sich so sicher, dass er keinerlei Angst hat, man könne ihn für die Tat zur Verantwortung ziehen. Er entscheidet, was mit seinen Opfern geschieht, wie sehr er sie erniedrigt. Dieses Erlebnis muss für den Mann, der junge Frauen, die beinahe noch Kinder sind, demütigt, um das eigene Lusterleben zu steigern, wie eine Initialzündung gewesen sein. Gerade einmal 10 Tage später kommt es bereits zum nächsten sexuellen Übergriff. Dieses Mal geht Paul sogar noch weiter: Er vergewaltigt sein Opfer direkt vor ihrem Haus. Im Gegensatz zu seinem Vater, der inzwischen gerichtlich zur Verantwortung gezogen wurde, begnügt er sich nicht damit, ihnen nur des Nachts in die Fenster zu sehen und zu hoffen, sie beim Ausziehen beobachten zu können. Bernardo junior will den schnellen, den harten Kick. Er will seine Opfer demütigen, sich für den Seitensprung seiner Mutter an der Frauenwelt rächen. Am 27. Juli 1987 scheitert er zum ersten Mal. Die Frau schafft es, unbeschadet die Flucht vor ihrem Widersacher zu ergreifen.

In Scarborough kann die Öffentlichkeit kurzfristig aufatmen, denn so unvermittelt wie der brutale Vergewaltiger in der Stadt aufgetaucht ist, so plötzlich bricht die Vergewaltigungsserie ab. Denn der Täter hat zwischenzeitlich die Liebe seines Lebens gefunden und besucht diese regelmäßig in St. Cathrine: Karla Homolka. Die Beziehung ist eine völlig neue Erfahrung für den jungen Buchhalter, Gelegenheitsbetrüger und Vergewaltiger, denn Karla teilt seine sexuellen Vorlieben. Mehr noch, sie befeuert sein sadistisches Verhalten sogar. Bei einem ihrer Liebesspiele, als die Blondine gerade gefesselt vor Bernardo kniet, fragt er sie, wie es für sie wäre, wenn er ein Vergewaltiger wäre …? Trotz ihrer wohlbehüteten Kindheit in einer fürsorglichen Familie gibt es für Karla nur eine folgerichtige Antwort: „Das wäre cool!“

Denn was kaum jemand zu diesem Zeitpunkt überhaupt ahnt: Auch Karla Homolka trägt ein moralisches schwarzes Loch in ihrer Seele. Niemand weiß, wie der Abgrund entstanden ist; die junge Frau hat nie Verletzungen oder Demütigungen erleiden müssen. Wie tief die Kluft in Wahrheit ist, ahnt zu diesem Zeitpunkt niemand.

Karla und Paul verloben sich im Dezember 1987, gerade zwei Monate nach ihrem Kennenlernen im Restaurant. Im selben Monat beginnt der Vergewaltiger wieder sein Unwesen in Scarborough zu treiben. Doch dieses Mal wird Bernardo sogar noch von seiner Verlobten zu den Taten ermutigt. Bernardo zieht kurz nach der Verlobung im Elternhaus von Karla Homolka ein. Deren ganze Familie ist begeistert von dem jungen, charmanten und brillant aussehenden Junior-Buchhalter mit den besten Karriereaussichten. Dass er seinen ersten, lukrativen Job nach dem Studium bereits wieder verloren hat, verschweigt er jedoch. Karla hingegen weiß alles – sie ist auch vor Ort, wenn der Scarborough Rapist Frauen missbraucht. Ein Opfer gibt bei der Polizei an, sie habe während der Tat eine Frau beobachtet, die ihre brutale Vergewaltigung auch noch filmte – die Beamten schreiben die Beobachtung der Vergewaltigten ihrer überreizten Fantasie zu und messen dem Teil der Aussage keinerlei Bedeutung zu.

Es ist das Jahr 1989, seit zwei Jahre treibt der Täter, den die Presse „Der Scarborough Vergewaltiger" tauft, nun schon sein Unwesen; elf Frauen sind dem Mann schon zum Opfer gefallen. Die Polizei nimmt die Vorfälle sehr ernst und die Suche nach dem Verbrecher wird mit Hochdruck betrieben. Die ganze Stadt ist in Angst und Schrecken vor dem Kriminellen. Junge Frauen gehen nur noch dann allein vor die Tür, wenn es sich nicht vermeiden lässt.

Allerdings ist eines der Opfer in der Lage, den Angreifer so gut zu beschreiben, dass die Polizei mit Hilfe der Zeugin ein Phantombild erstellen konnte. Anderen gegenüber gibt sich Bernardo zwar ob der Ähnlichkeit zwischen ihm um dem Konterfei auf dem Fahndungsplakat amüsiert, doch genau dieser Umstand weckt das Interesse der Polizei an ihm. Schnell gerät er ins Visier der Ermittler. Die Polizei setzt auf die modernsten kriminaltechnischen Untersuchungen. Sie ordnen DNA-Tests werden in diesem Fall an. Paul Bernardo muss zum Verhör und sieht sich zudem gezwungen, eine Blut- und DNA-Probe abzugeben, Ende der 80er-Jahre dauert es jedoch Monate, bis eine DNA-Probe ausgewertet ist. Aufgrund der großen Zahl der potenziellen Verdächtigen werden die Ergebnisse sogar mehrere Jahre auf sich warten lassen. Fatalerweise. Das Phantombild wird lange Zeit nicht veröffentlicht.

Nicht einmal der Tatsache, dass Pauls Ex-Freundin Jennifer Galligan mehrfach bei der Polizei war, um ihn jetzt endlich doch wegen Vergewaltigung, Misshandlung und Bedrohung anzuzeigen, wird besondere Bedeutung beigemessen. Niemand zieht eine Querverbindung zwischen dieser Anzeige und dem Mann, der zum Verdächtigenkreis im Falle des Scarborough Rapist gehört. 1990 geben die Ermittler das Phantombild an die Öffentlichkeit. Daraufhin erreicht die Polizei eine Flut von Hinweisen aus der Bevölkerung. Immer wieder weisen die Zeugen die Kriminalisten auf die Ähnlichkeit zwischen dem Fahndungsbild und Paul Bernardo. Sogar frühere Arbeitskollegen des mittlerweile 26-Jährigen von der Wirtschaftsprüfungsgesellschaft Price Waterhouse melden sich bei der Polizei. Erschwerend kommt hinzu, dass Bernardo in der Nähe der Tatorte wohnt und einen weißen Ford Capri fährt – wie ihn eines der Opfer am Tatort gesehen hatte.

Karla ist währenddessen noch immer blind vor Liebe. Obwohl Paul ihr gegenüber hinter verschlossenen Türen immer brutaler wird. Wenn Paul einen Drink möchte, holt sie ihn – sofort und mit einem Lächeln auf den Lippen. Obwohl Karla versucht, ihrem Traumprinzen jeden Wunsch von den Augen abzulesen, wird der Mann ihr gegenüber immer respektloser. Immerzu sagt er ihr, wie dumm sie ist, wie hässlich er sie findet und wie fett sie sie. Gleichzeitig fragt er sich, warum er ihr dies eigentlich immer und immer wieder sagt, in seinen Augen ist Karla viel zu schwach, um etwas an ihren vermeintlichen Unzulänglichkeiten zu verändern. Immer öfter verleiht Paul jetzt seiner Verachtung ihr gegenüber mit Schlägen Ausdruck. Zwischendurch hat er eine Affäre und interessiert sich zunehmend für Karlas jüngere Schwester, die hübsche Tammy. Sie soll noch Jungfrau sein; etwas, das

Karla ihm nicht mehr bieten kann. Ein Umstand, der Paul mehr und mehr verärgert. Nachts schleicht er heimlich in Tammys Zimmer und beginnt bei dem Anblick der schönen, jungen Frau zu masturbieren, während sie ahnungslos in ihrem Bett liegt und schläft.

Seine Verlobte ist zu diesem Zeitpunkt so besessen von Paul Bernardo, dass sie wortwörtlich alles für ihn tun würde. Ihre allergrößte Angst ist es, ihn nicht halten zu können. Sie quält die rasende Eifersucht auf ihre Schwester, die Jungfrau. Das Interesse ihres Verlobten an Tammy ist Karla nicht verborgen geblieben. Irgendwann keimt in ihr der Gedanke auf, ihrem über alles geliebten Paul die Jungfräulichkeit ihrer kleinen Schwester zu "schenken".

Sie hat auch schon eine Idee, wie sie ihren Plan in die Tat umsetzen kann: Als Angestellte in einer Tierklinik gelangt Karla leicht an Betäubungsmittel. Durch ihre Tätigkeit in der medizinischen Einrichtung verfügt die Frau zudem auch über Wissen hinsichtlich der Wirkungsweise der verschiedenen Medikamente. Karla schlägt vor, Tammy zuerst das starke Schlafmittel Halcion zu geben, um sie dann mit Halothan, einem Narkosemittel, das über die Atemwege zugeführt wird, so weit zu betäuben, dass Paul ihr die Jungfräulichkeit kann – während Karla alles auf Video festhält. Dass man zur richtigen Verabreichung bzw. Dosierung von Halothan eine medizinische Atemmaske benötigt, vernachlässigt Karla Homolka. Die Blondine geht davon aus, dass ein getränktes Tuch schon ausreichen wird, wenn sie es zwischendurch immer wieder von Tammys Gesicht nimmt.

Als Karla Homolka dem von ihr angebeteten Paul Bernardo schließlich von ihrem besonderen Weihnachtsgeschenk erzählt, ist der außer sich vor Begeisterung. Er erklärt Karla wieder einmal, wie sehr er sie doch liebt.

Beim ersten Versuch wird die Soße der Spaghetti beim Abendessen mit zerbröselten Halcion-Tabletten versetzt, doch offenbar reicht die Dosierung nicht aus. Bernardo kommt nicht zum Zug. Am 23. Dezember 1990, einen Tag vor Heiligabend, soll der perfide Plan nun in die Tat umgesetzt werden.

Das Haus von Karlas Familie ist festlich geschmückt, der Duft von frisch gebackenen Plätzchen liegt in der Luft. Die staatliche Tanne ist mit rotem und goldenem Weihnachtsschmuck verziert und mit zahlreichen Kerzen bestückt. Ihr Lichtschein spiegelt sich funkelnd in den Christbaumkugeln. Paul filmt den Weihnachtsabend mit seinem neuen Camcorder: das Haus, die Eltern Homolka und die drei Töchter Karla, Lori und Tammy. Im Laufe des Abends versorgt er Tammy immer wieder mit Cocktails, die neben Rum und Eierlikör auch noch Halcion enthalten. Schließlich ziehen sich die anderen Familienmitglieder zurück und gehen zu Bett. Das ist der Moment, an dem Karla und Paul ihren verstörenden Plan umsetzen wollen – sie schleichen ins Zimmer der tief schlafenden Tammy. Während Paul Tammy vergewaltigt, hält Karla alles auf Video fest. Zwischendurch legt sie immer mal wieder einen Lappen mit Halothan über das Gesicht ihrer bewusstlosen Schwester, damit nicht in ihr Bewusstsein dringen kann, was ihr gerade widerfährt. Schließlich geht Paul noch einen Schritt weiter und befiehlt Karla, sich ebenfalls an ihrer kleinen Schwester sexuell zu vergehen – und die Frau zögert keine Sekunde, den Befehl ihres Verlobten zu befolgen.

Das Blatt wendet sich, als die schlafende Tammy unvermittelt anfängt, sich zu übergeben. Die Verabreichung des Halothans in Kombination mit dem üppigen Abendessen macht Probleme, vermutet Karla. Sie bedenkt nicht, dass die Nebenwirkungen einer Überdosierung des Narkosemittels gravierend sind: Der Blutdruck fällt stark ab, der Herzschlag wird schneller und es kommt zu Herzrhythmusstörungen. Außerdem können bei der Verstoffwechselung freigesetzte Bromid-Ionen toxisch wirken und einen allergischen Schock hervorrufen. Tammys große Schwester reagiert, wie sie es aus der Tierklinik kennt: Sie hält ihre Schwester so in der Taille, dass der Oberkörper kopfüber zeigt, damit diese das Erbrochene aushusten kann. Doch und die hat keine Chance und atmet das Erbrochene in die Lungen ein. Sie erstickt qualvoll.

Paul und Karla unternehmen nichts, um das junge Leben der Frau vielleicht doch noch zu retten. Sie alarmieren keinen Notarzt und sie wecken auch nicht die schlafenden Eltern. Stattdessen lieben sich die beiden neben der Leiche in Tammys Bett. Dann zieht sich das Paar hastig an, lässt die Betäubungsmittel in einer Tasche verschwinden; die Videokamera mit dem Tape verstauen sie direkt daneben. Die beiden wischen und staubsaugen mitten in der Nacht und waschen Wäsche, was niemanden verwundert. Keiner der Homolkas steht auf und schaut nach, was der Grund hierfür ist. Erst nach getaner Arbeit rufen Karla und Paul endlich einen Krankenwagen. Als dieser schließlich vor dem Haus der Homolkas zum Stehen kommt, stehen die Eltern von Karla und Tammy endlich auf und sehen nach, was los ist. Die Rettungskräfte geben ihr Bestes, um Tammy wiederzubeleben – in diesem Moment erst begreifen die Eltern von Tammy, was hier wirklich los ist. Ihre jüngste Tochter ist tot! Die Sanitäter können nichts mehr für das Mädchen tun. Alles sieht danach aus, als sei Tammy schlicht und ergreifend durch zu viel Rum-und-Eierlikör-Cocktail am Abend im Schlaf erstickt. Niemand vermutet ein Verbrechen, auch nicht die Rettungssanitäter – obwohl Tammy im Gesicht eine deutliche Verätzung durch den Lappen mit dem Halothan hat.

Nur kurze Zeit nach dem Tod von Tammy zieht das Paar aus dem Haus der Homolkas aus. Das Paar sucht sich einen eigenen kleinen Bungalow in Port Dalhousie. Karlas Eltern sollen in Ruhe um Tammy trauern können – während die Verlobten in Hochstimmung bereits intensiv über eine Hochzeit nachdenken. Doch Pauls Stimmung schlägt wieder einmal schnell um: Erst beißt Karlas Haustier, ein giftgrüner Leguan, ihren Verlobten, worauf dieser drastisch reagiert: Er schneidet dem Tier den Kopf ab, grillt den restlichen Körper und verspeist ihn. Des Weiteren ist Paul sehr verärgert vom Ausgang der Entjungferung Tammys. Wiederholt wirft er Karla vor, verantwortlich für den Tod ihrer Schwester zu sein. Besonders ärgert ihn daran jedoch, dass ihm so Tammy weggenommen wurde.

Karla bemüht sich daher kurzerhand, Paul einen gleichwertigen Ersatz zu beschaffen; ein ganz persönliches Geschenk für ihren Traummann. Sie würde alles tun, um ihn bei Laune zu halten. Dieses Mal soll es allerdings eine komplette Überraschung sein. Ihre Wahl fällt auf eine Bekannte, die Karla zwei Jahre zuvor in einem Tiergeschäft kennengelernt hat. Die beiden Frauen waren dort Arbeitskolleginnen, ehe Karla Homolka die Anstellung in der Tierklinik bekam. Karla lädt das gerade 15 Jahre alte Mädchen, das nur als "Jane Doe" bekannt ist, am 7. Juni 1991 zu sich nach Hause ein. Das Vorgehen ist ähnlich wie bei Tammy: Karla betäubt Jane Doe, indem sie ihr Alkohol mit zerstoßenen Halcion-Tabletten zu trinken gibt. Als das Mädchen sicher betäubt ist, ruft sie Paul an und bittet ihn, nach Hause zu kommen. Bernardo ist begeistert, besonders weil ihn das Mädchen so sehr an Tammy erinnert. Auch in diesem Fall wird die gemeinschaftliche Vergewaltigung wiederum auf Video festgehalten. Erst vergeht sich Karla an Jane Doe, dann wird die 15-Jährige von Paul brutalst vergewaltigt. Als sie schließlich genug von ihren perfiden Sexspielen mit der Ohnmächtigen haben, legen sie das Mädchen in ein Bett, damit sie dort ihren Rausch, verursacht von Alkohol und noch mehr Betäubungsmittel, ausschlafen kann.

Am folgenden Tag fühlt sich Jane nach dem Aufwachen gar nicht wohl. Sie hat schlimme Bauchschmerzen, Übelkeit und ihr Intimbereich ist schmerzhaft wund. Sie kann sich die Ursache für ihre plötzlichen Beschwerden nicht erklären.

Paul ist so begeistert davon, was Karla alles für ihn tut, dass er beschließt, sie zu heiraten – obwohl sie in seinen Augen kleinere Mängel hat. Schließlich ist sie für seinen Geschmack bereits viel zu alt und auch keine Jungfrau mehr. Vielleicht ist dies einer der Gründe, weshalb er weiter nach dem ultimativen Kick sucht.

Es ist der 14. Juni 1991, ein Freitag, als Paul findet, wonach er so lange gesucht hat. An diesem Abend ist er in der Stadt Burlington, gelegen in der kanadischen Provinz Ontario unterwegs. , um Autokennzeichen zu stehlen.

Er benötigt diese für eine seiner äußerst lukrativen Zigarettenschmuggel-Touren, mit denen er sich inzwischen den Lebensunterhalt verdient. Dennoch ergreift die günstige Gelegenheit zu einer neuen Tat, als sie sich ihm bietet. In den frühen Morgenstunden, es ist gegen 2:00 Uhr, trifft er auf die 14-jährige Leslie Mahaffy. Es ist eine folgenschwere Begegnung. Das Mädchen mit den langen Haaren, der festen Zahnspange und dem fröhlichen Lächeln ist an diesem Abend bei einer Totenwache. Gemeinsam mit Freunden und Angehörigen wacht Leslie Mahaffy im Beerdigungsinstitut am Sarg eines verstorbenen Bekannten. Im Anschluss daran gibt es noch einen Umtrunk mit Freunden, weshalb sich das Mädchen viel zu spät auf den Heimweg macht. Um den rebellischen Teenager zu erziehen, beschließen ihre Eltern, die Haustür zu verschließen. Und so steht Leslie nun vor ihrem Elternhaus; kommt aber nicht hinein. Sie traut sich nicht, Mutter und Vater zu wecken, deshalb beschließt sie, von der nahegelegenen Telefonzelle eine Freundin anzurufen. Sie bittet das Mädchen um einen Unterschlupf, doch diese muss ihr die Bitte abschlagen. Notgedrungen geht das Mädchen in der Dunkelheit der Nacht wieder zurück zu ihrem Elternhaus, in der Hoffnung, vielleicht doch noch irgendwo ein offenes Fenster oder eine offene Tür zu entdecken, um so heimlich in das Innere des Hauses gelangen zu können. Kurz bevor Leslie wieder das Elternhaus erreicht, trifft der Teenager ausgerechnet auf Paul Bernardo, der die Gelegenheit beim Schopf packt. Mit einem Messer zwingt er Leslie, in seinen Wagen einzusteigen. Er verbindet dem geschockten Mädchen die Augen mit einem länglichen Stück Stoff und fährt mit ihr zum Bungalow in Port Dalhousie. Ohne Karla zu wecken, beginnt seine düsteren Fantasien in die Realität zu holen. Er beginnt zu filmen, wie das entführte Mädchen nackt und mit verbunden Augen auf der Couch sitzt. Er ist voller Vorfreude auf das, was er mit seinem wehrlosen Opfer vor hat, dass er in seinem Überschwang sogar die guten französischen Champagnergläser aus dem Schrank holt, die er für besondere Anlässe extra aus Übersee bestellt hat. Er stößt mit der Entführten voller Vorfreude mit Champagner an. Dann vergewaltigt er sie wieder und wieder.

Am nächsten Morgen ist Karla außer sich vor Zorn und Eifersucht. Besonders wütend ist sie allerdings darüber, dass Paul die guten Gläser und den guten Champagner mit Leslie verschwendet hat. Darauf fällt ihr Blick als Erstes, als sie an diesem Morgen mit dem Hund zur Gassirunde aufbrechen will. Doch schon bald lenkt sie ein und macht bei Bernardos Spielen mit. Ganze 24 Stunden ist das junge Mädchen dem Paar ausgeliefert. Sie muss jede sexuelle Spielart, die den beiden einfällt, über sich ergehen lassen. Es verübt nicht nur Paul brutalen Analsex, sondern auch Karla vergeht sich an dem Mädchen. Außerdem foltern Homolka und Bernardo ihr Opfer mehrfach. Über die ganze Zeit hinweg sind die Augen des wehrlos ausgelieferten Teenagers verbunden. Zwischen den einzelnen Attacken geben sie Leslie immer wieder einen Teddy und befehlen dem Mädchen, diesen im Arm zu halten. Immerhin ist sie doch noch ein Kind und diese brauchen doch den Trost ihrer Kuscheltiere. Dann gibt Bernardo Karla genaue Instruktionen, wie sie das Mädchen zu missbrauchen hat, während er filmt. Wie ein richtiger Regisseur auf der Suche nach den perfekten Filmszenen lässt er seine Darsteller in dem Bungalow in der seriösen Mittelklassegegend in Port Dalhousie nach seinen Wünschen agieren. Als er zufrieden mit den beiden Frauen ist, macht sich Paul an die Arbeit und vergewaltigt Leslie so brutal, dass sie vor Schmerzen schreit. Erst nach 24 Stunden beenden sie das Martyrium des Mädchens. Am 15. Juni 1991 wird Leslie Mahaffy ermordet. Karla sei sich nicht sicher gewesen, ob die Augenbinde ihres Opfers nicht vielleicht doch mal verrutscht war und das Mädchen dadurch möglicherweise ihre Vergewaltiger erkennen konnte. Höchstwahrscheinlich endet das Leben des immer lächelnden Mädchens mit der Zahnspange jedoch deshalb, um das Machtgefühl bei Paul und Karla, mit der Entscheidung über Leben oder Tod ihres Opfers, zu komplettieren. Laut Homolka soll Bernardo zunächst zweimal versucht haben, den Teenager mit einem Kabel zu erdrosseln, doch dies funktioniert nicht. Unklar ist, ob es sich hierbei schlicht um eine weitere Folterattacke handelt, oder um einen ernst gemeinten Mordversuch.

Leslie wacht am 16. Juni 1991 im Bungalow in Port Dalhousie nicht mehr auf. Ihr Herz hat durch eine Überdosierung des Narkosemittels Halothan einfach aufgehört zu schlagen. Ob die Tierarzthelferin Karla Homolka dies absichtlich überdosiert hat oder es sich erneut um ein Versehen handelt, lässt sich nicht nachvollziehen. Da Karla und Paul an diesem Tag Besuch von ihrer Familie erwarten, deponieren sie kurzerhand die Leiche des geschundenen Mädchens in einem im Keller gelegenen Schlafzimmer. Hinterher zerteilt das Paar die Leiche mithilfe der Kreissäge von Bernardos Großvater in so kleine Stücke, dass diese problemlos in Zement gegossen werden können. Diese versenkt Paul Bernardo dann im Lake Gibson in der Nähe von St. Cathrines.

Die Hochzeit des mörderischen Paares, genau dreizehn Tage nach dem Mord an Leslie Mahaffy, findet in der Niagara-on-the-Lake-Kirche statt. Es ist ein rauschendes, perfekt geplant und organisiertes Fest. Wie aus dem Bilderbuch. Nach der Trauung steigt das Brautpaar in eine Kutsche, die von weißen Pferden gezogen wird. Karlas Brautkleid allein hat mit 2.000 Dollar (rund 1.700 Euro) zu Buche geschlagen. Scherzhaft bezeichnen einige das Hochzeitspaar als Barbie und Ken. 150 Gäste sind geladen. Neben teurem Champagner wird ein edles Menü serviert. Karlas Schwester Tammy ist zum Zeitpunkt der Trauung erst ein halbes Jahr tot; doch das tat der Stimmung des frisch verheirateten Paares keinen Abbruch. Den ganzen Luxus der Hochzeit kann sich der arbeitslose Ex-Buchhalter aufgrund seiner illegalen Unternehmungen leisten. Regelmäßig bricht er zu Touren in die USA auf, um von dort Zigaretten nach Kanada zu schmuggeln. Eine lukrative Einnahmequelle, denn in Kanada sind Zigaretten zur Abschreckung sehr teuer. Um die Touren zu tarnen, stiehlt Bernardo wiederholt Autokennzeichen, die er dann an seinen Wagen anmontiert. Genau wie an dem Abend, als er auf Leslie Mahaffy stieß.

Am Abend des 29. Juni 1991 wird zufällig ein seltsamer Betonblock im Lake Gibson von einem Paar entdeckt, das eine Kanutour auf dem See unternimmt. Es sieht aus, als wären darin Fleischstücke eingeschlossen. Der

Mann und seine Frau bitten einen Fischer, der am Ufer sein Boot repariert, um Hilfe. Sie wollen den Block bergen, um ihn sich genauer anschauen zu können. Erst als sie den schweren Betonblock mit vereinten Kräften an Land gehievt haben, begreifen sie, was für eine gruselige Entdeckung sie tatsächlich gemacht haben. Der steinharte Zement umschließt eine Wade und einen Fuß. Die alarmierte Polizei entdeckt weitere Zementblöcke im Wasser des Sees. Insgesamt bergen sie fünf Betonblöcke. Der erhobene Zahnstatus liefert wichtige Hinweise auf die Identität der Leiche, vor allem die gefundene Zahnspange liefert den Ermittlern den letzten Beweis: Sie haben die Überreste der verschwundene Leslie Mahaffy gefunden!

Währenddessen sucht Bernardo den nächsten Kick und seine Gattin gibt ihr Bestes, um ihn glücklich zu machen. Zuerst lädt sie wieder einmal Jane Doe ein. Dieses Mal, so hofft sie, muss das Mädchen nicht betäubt werden, um bei den Sexspielen des Paares mitzumachen. Doch das Mädchen weigert sich – sie glaubt, sie sei noch Jungfrau. So hat sich die Teenagerin ihr sagenumwobenes „erstes Mal“ nicht vorgestellt. Sie findet den Wunsch des Ehepaares so seltsam, dass sie ihrem Reitlehrer von den seltsamen Avancen erzählt. Und das Mädchen vertraut sich ihrer Mutter an. Beide warnen Jane Doe nachdrücklich vor dem Paar; daraufhin werden die Besuche bei Karla Homolka und Paul Bernardo zwar seltener, enden aber vorerst nicht – und wieder greifen die beiden zu Halothan, um das Mädchen als Sexsklavin benutzen zu können. Erst als es auch bei Jane Doe aufgrund des Halothans zu Problemen kommt, bekommen Paul und Karla „kalte Füße“. Durch eine leichte Überdosierung setzt das Atemzentrum von Jane aus. Diesmal greift Karla direkt zum Telefon und wählt die Notrufnummer. Doch noch während der Krankenwagen auf dem Weg zu der angegebenen Adresse rast, setzt die Atmung des jungen Mädchens wieder ein. Karla bestellte daraufhin die Rettung ab. Allerdings beendet das mörderische Paar nun vorsichtshalber den Kontakt zu Jane Doe. Offenbar wollen sie ihr Glück in diesem Fall nicht überstrapazieren.

Um Paul bei guter Laune zu halten, muss sich Karla Homolka eine neue Unterhaltung für ihn einfallen lassen. Inwieweit die am 30. November 1991 in St. Cathrines vermisst gemeldete, vierzehnjährige Terri Anderson hiermit in Zusammenhang steht, ist bis heute unklar. Eine Zeit lang soll es noch ein anderes Mädchen gegeben haben, das sie insgeheim für ihre sexuellen Spiele benutzen, doch von diesem heißt es, dass es schließlich nach Youngstown, Ohio umzieht. Diese Situation ist für Paul äußerst unbefriedigend und seine Laune wird immer unerträglicher. Es beginnt mal wieder zu kriseln zwischen dem Paar. Um der Ehe Pepp zu verleihen, das ist Karla klar, muss sie Paul jetzt etwas Außergewöhnliches bieten.

Am Nachmittag des 16. Aprils 1992 ist die 15-jährige Teenagerin Kristen French auf dem Heimweg von der Schule. Das hochgewachsene, gut aussehende Mädchen mit den dichten, dunklen Haaren ist eine gute Schülerin. Sie besucht die Holy Cross Secondary School in St. Catharines und ist dort sehr beliebt. Sie befindet sich gerade an der Einfahrt des Parkplatzes der Grace Lutheran Church, da sieht sie eine blonde Frau mit einer Straßenkarte in der Hand vor ihrem Auto stehen. Die Blondine scheint etwas zu suchen und wirkt ratlos. Als sie das Mädchen erblickt, bittet sie dieses um Hilfe. Höflich tritt Kristen näher an das parkende Auto, in dem ein Mann am Steuer sitzt, und wirft einen Blick auf die Karte, die die Autofahrerin weiter in ihrer Hand hält. Obwohl Passanten unterwegs sind, die alles beobachten, ist jetzt der Moment gekommen, an dem Paul Bernardo in Aktion tritt. Er springt aus dem Wagen, bedroht das Mädchen mit einem Messer und zwingt es, auf dem Rücksitz des Wagens Platz zu nehmen. Dann steigt auch Karla ins Auto und die drei fahren in Richtung Port Dalhousie davon. Keiner der Passanten reagiert, weder werden die Entführer angesprochen noch ruft einer die Polizei. Alles geht weiter, als sei nichts geschehen.

Eins ist anders als bei dem zweiten Opfer des Mörderpaars: Kristen werden die Augen zu keiner Zeit verbunden. Moment. Sie sieht die Täter und hat genug Zeit, sich ihre Gesichter einzuprägen. Auch den gutbürgerlichen

Bungalow sowie den Hund der Bernardos bekommt Kristen French zu sehen, ein Umstand, der zuvor vermieden worden war, der Leslie Mahaffy, nach späteren Aussagen von Karla, das Leben kostete. Steht für Paul und Karla schon zu Beginn der Entführung ihres Opfers fest, dass das junge Mädchen die Tat nicht überleben soll?

Das hochgewachsene Mädchen kooperiert mit ihren Entführern, sie hofft, so ihre Überlebenschancen zu vergrößern. Doch dieses Verhalten stachelt die Bernardos nur umso mehr an. Paul lebt seine sadistischen Fantasien voll aus, schlägt ihr mit dem halb erigierten Penis ins Gesicht und fordert das Mädchen auf, dabei zu lächeln. Dann muss sie sich auf den kalten Boden der Wohnung legen, denn Paul will nun seine Begeisterung für Praktiken mit "Natursekt" und "Naturkaviar" ausleben. Natursekt ist eine Umschreibung für Urin, während es sich bei Naturkaviar um Kot handelt. Er tut alles, um dieses starke Mädchen zu brechen. Zunächst uriniert er auf Kristen und erklärt: „Du siehst gut aus, mit Pisse bedeckt." – aber nur, um sich dann umzudrehen und sich mit seinem Hinterteil über ihr Gesicht zu hocken. Der Versuch, mitten in ihr Gesicht zu koten, bleibt allerdings erfolglos. Karla filmt alles akribisch. Diese Szenen sollen als anregende Erinnerungen für später dienen.

Die Erniedrigungen erstrecken sich über zwei Tage, erst dann stirbt Kristen French qualvoll. Zuletzt nimmt sie allen Mut zusammen und weigert sich, Karla und Paula weiter zu Willen zu sein. Auf die Drohungen erklärt sie lediglich: „Manche Dinge sind es wert, dafür zu sterben." Außerdem formuliert sie noch einen weiteren Satz mit schneidender Schärfe, den sie Paul entgegenschleudert: "Ich weiß nicht, wie es deine Frau mit dir aushalten kann …" Das unbeugsame Mädchen wird mit dem gleichen Kabel erdrosselt wie Leslie Mahaffy – dieses Mal funktioniert es auf Anhieb. Das Mädchen erstickt. Weil die Mörder zu einem Osteressen bei Karlas Eltern eingeladen sind, lassen sie die Leiche ihres Opfers einfach im Bungalow liegen. Erst nachdem sie das Ostertreffen absolviert haben, kümmert sich Paul um die

Entsorgung des toten Mädchens. Die Leiche deponiert er in einem Graben in Burlington.

Die Regierung von Ontario beschließt nach dem Verschwinden von Kristen French, umgehend eine spezielle Task Force zu bilden, um die Entführung mit Hochdruck zu verfolgen und schnellstmöglich aufzuklären. Noch ahnt niemand, dass das Mädchen bereits tot ist. Tatsächlich gehen bei der Green Ribbon Task Force schnell wichtige Hinweise ein, so wurde etwa am Tatort ein Auto der Marke Camaro gesehen. Außerdem taucht auch bei diesen Ermittlungen der Name von Paul Bernardo auf und dieser wird daraufhin von zwei Polizisten verhört; allerdings passt sein Auto nicht. Weil er selbst darauf hinweist, dass er zu den Verdächtigen in Scarborough gehört, kontaktieren die Ermittler den zuständigen Steve Irwin; doch dies bleibt vorerst ergebnislos.

Am 30. April 1992 wird Kristens Leiche gefunden; nur drei Wochen später, es ist der 23. Mai 1992, entdecken Polizeitaucher im Ontariosee auch die Überreste von Terri Anderson, bei der die Forensiker jedoch von einem natürlichen Tod ausgehen. Sie soll ertrunken sein, vielleicht bei einer Bootstour oder einem Bad im See. Allerdings können im Körper der vorbildlichen Schülerin LSD und Bier nachgewiesen werden. Die Einwohner von St. Cathrines erzählen hinter vorgehaltener Hand, dass ihr Vater dafür bekannt sei, gelegentlich mit Drogen zu handeln. Der Tod des Mädchens wird nicht weiter verfolgt.

Zu diesem Zeitpunkt machen endlich die Ermittlungen im Fall des „Scarborough Vergewaltigers“ entscheidende Fortschritte. Der verantwortliche Detective Constable Steve Irwin von der Toronto Metropolitan Police ist sich schnell sicher, dass es sich um einen einzigen Mann handelt, der alle Vergewaltigungen und -versuche begangen hat. Zudem können Spermaspuren an den Opfern sichergestellt werden. Im April 1992 wird der schrecklichen Vergewaltigungsserie ein Ende bereitet: Nun liegen endlich die Testergebnisse bezüglich der Proben von Verdächtigen vor. Von insgesamt 230 Blutproben passen nur fünf zu den Blutfaktoren des Vergewaltigers; einer davon ist Paul. Da der kultivierte, gut aussehende Mann so gar nicht zu dem Bild eines Serienvergewaltigers passt, sortiert ihn die Polizei zunächst wieder aus und verfolgt die Spuren zu den vier anderen Verdächtigen. Es wird noch zehn weitere Monate dauern, ehe das kriminaltechnische Labor endlich die DNA-Probe von Paul Bernardo untersucht.

Im Sommer 1992 eskaliert die häusliche Gewalt bei den Bernardos. Paul schlägt Karla mit einer Taschenlampe so heftig gegen den Kopf, dass sie zwei schwarzblaue Augen hat und schwerste Prellungen. Anfang 1993 schaffen es ihre Eltern, sie dazu zu überreden, bei ihrer Schwester Lori Schutz zu suchen, als ihr Ehemann auf einer Geschäftsreise ist. Doch Karla fährt wieder zurück und betont, sie müsse noch etwas Wichtiges holen.

Die Polizei verhaftet Paul Bernardo, nachdem er seine Frau krankenhausreif geprügelt hat, lässt ihn aber vorerst wieder auf freien Fuß. Kurze Zeit später beantragt Karla Homolka die Scheidung von ihrem Ehemann.

Im Februar 1993 nehmen sowohl die Ermittlungen in Scarborough als auch die der Green Ribbon Task Force an Fahrt auf. Da nun endlich die DNA-Ergebnisse vorliegen und somit feststeht, dass Paul Kenneth Bernardo der Vergewaltiger ist, steht der Verdacht schließlich im Raum, dass sowohl die Taten in Scarborough, Bernardos altem Wohnsitz, als auch die Morde an den beiden Teenagern an seinem neuen Wohnort St. Cathrines miteinander in Zusammenhang stehen könnten. Karla wird von mehreren Polizisten fünf Stunden lang intensiv befragt. Sie taktiert geschickt: Im Anschluss an das Verhör vertraut sie sich ihrem Onkel an und gesteht ihm, dass Paul sowohl der „Scarborough Vergewaltiger" sei als auch der Mörder von Leslie Mahaffy und Kristen French ist – dann sucht sie sich postwendend einen guten Anwalt. Ihre Wahl fällt auf George Walker, den Karla noch aus ihrer Zeit als Tierarzthelferin kennt. Damals betreute sie seine krebskranke Hündin.

Am 17. Februar 1993 wird Paul wegen zweifachen Mordes verhaftet. Tags drauf wird in Scarborough das Verfahren gegen ihn wegen mehrfacher versuchter und vollendeter Vergewaltigung eröffnet. Eine Freilassung auf Kaution lehnt der Haftrichter ab.

Zwei Tage nach der Verhaftung sichert die Polizei bei einer Hausdurchsuchung des Bungalows in Port Dalhousie zahlreiche belastende Beweise. Paul Bernardo führt nicht nur detailliert Buch über jeden einzelnen Vergewaltigungsfall in Scarborough; er hat auch eine umfangreiche Bibliothek und Videothek über Pornografie jeder Art sowie über Fetische. Des Weiteren sammelt er Literatur und Berichte über Serienmörder. Eines der gefundenen Videobänder zeigt Karla beim Sex mit zwei anderen Frauen. Zwei Tage später taucht ein weiteres Videoband auf – es handelt sich um die Aufnahmen einer Vergewaltigung. Die Ermittler halten die aufgezeichnete Person zunächst für Kristen French. Karla berichtigt die Polizisten und erklärt ihnen, es handele sich um die Aufnahmen von ihrer Schwester Tammy. Und sie gibt zu, ihre Schwester sei nicht eines natürlichen Todes gestorben, wie bislang angenommen wurde. Dass sich noch weitere wichtige Beweise im Haus befinden, ahnen die Polizisten zu diesem Zeitpunkt jedoch nicht.

Am 24. Februar 1993 wird auch Karla Homolka als Mittäterin verhaftet. Sie erklärt sich umgehend bereit, gegen ihren 28 Jahre alten Ex-Ehemann Paul auszusagen. Ihre Bedingung: Für die Kooperation will sie ein reduziertes Strafmaß erhalten. Die Strafverfolgungsbehörden willigen in diesen Deal ein, so haben sie eine wichtige Kronzeugin. Nur einen Tag später ist die von Karla eingereichte Scheidung von ihrem Mann Paul Bernardo rechtskräftig.

Karlas Anwälte und die Staatsanwaltschaft verhandeln hart. Es geht um die konkreten Bedingungen in dem Kronzeugen-Deal. Eine Absprache, die sich später als Pakt mit dem Teufel herausstellen wird. Sie sichert Karla nicht nur einen kurzen Prozess zu, sondern maximal jeweils 12 Jahre Gefängnis für die Morde an Mahaffy und French, wobei die Zeit gleichzeitig verbüßt wird. Des Weiteren wird Homolka die Chance auf Bewährung nach einer dreijährigen Haftstrafe zugesichert. Sie muss sich lediglich des Totschlags in zwei Fällen für schuldig bekennen und vollumfänglich und wahrheitsgemäß gegen ihren Ex-Ehemann aussagen. Die Blondine willigt prompt ein.

Ihr zweiter Anwalt, Murray Segal, setzt sich stark dafür ein, dass Karla Homolka psychiatrisch begutachtet wird. Während des Psychiatrie-Aufenthaltes, den Karla umgehend antritt, schreibt sie schließlich ihren Eltern einen Brief, in dem sie ihnen die Umstände von Tammys Tod erklärt und sich für alles entschuldigt. Sie wolle nicht mehr länger lügen. “Er bedrohte mich und misshandelte mich körperlich und seelisch, als ich mich weigerte”, heißt es in dem Schreiben. Karla betont, dass sie das alles nur getan habe, weil Bernardo sie dazu gezwungen und unter Druck gesetzt hat. “Es gibt keine Worte, die euch dazu bringen könnten zu verstehen, was er mir angetan hat.” Karla präsentiert sich als weiteres Opfer von Paul Bernardo.

Am 14. Mai 1993 wird der zuvor verhandelte Deal des Staates Kanada mit Karla Homolka endlich rechtskräftig. Der Bericht ihres Psychologen Dr. Malcolm trägt wesentlich dazu bei, dass die für Karla äußerst vorteilhafte Absprache tatsächlich zustande kommt. Er betont: „Sie “wusste, was passierte, aber sie fühlte sich völlig hilflos und unfähig, zu ihrer eigenen Verteidigung oder der Verteidigung anderer zu handeln. Sie war meiner Meinung nach vor Angst gelähmt”. Aus diesem Grund vermutet der Psychologe, habe Homolka einfach nur gehorcht. Ebenfalls als positiv werden Karla Homolkas junges Alter, die fehlenden Vorstrafen sowie der Missbrauch, den sie durch ihren Mann erfahren hat, angerechnet, dann ergeht das besprochene Urteil.

Karla Homolka muss nur noch gegen ihren Mann Paul Bernardo aussagen. Die Blondine assistiert zudem bei der Sichtung des vorhandenen Videomaterials und hilft den Ermittlern, im Bungalow der Bernardos DNA-Spuren der Opfer sicherzustellen. Zudem finden sie Reste des Zements samt Rechnung mit Unterschrift, den Bernardo gekauft hat, um die Überreste von Leslie Mahaffy darin zu versenken.

Einen Tag, nachdem Karla Homolka den Deal mit der Staatsanwaltschaft zugesagt hat, am 6. Mai 1993, bittet Paul Bernardo seinen Anwalt Ken Murray, nach Port Dalhousie zu fahren und aus dem Bungalow einige versteckte Super-8-Filmbänder zu holen. Obwohl der Jurist eine genaue Beschreibung des Verstecks erhält, ist es für ihn noch immer schwer zu entdecken. Er findet die Bänder aber schließlich hinter einer Lichtleiste an der Badezimmerdecke. Bernardo weist ihn an, die Aufnahmen nicht anzusehen und auch niemandem etwas davon zu erzählen, sondern die Bänder lediglich bis zum 18. Mai 1993 zu verwahren. An diesem Tag soll das Urteil für Karla Homolka verkündet werden.

Die Bänder sind in einem Safe in der Anwaltskanzlei eingeschlossen. Am Tag der Urteilsverkündung sieht sich Ken Murray, auf Bernardos schriftliche Anweisung hin, die Bänder an und fertigt Kopien an, die er an einem sicheren Ort aufbewahrt. Auf den Bändern sind die Vergewaltigungen von Tammy Homolka, Leslie Mahaffy, Kristen French sowie von Jane Doe zu sehen. Brisantes Material, doch Bernardo will offensichtlich noch abwarten, ehe er die Videos ins Spiel bringt. Sein Anwalt lässt sich darauf ein, obwohl dies in krassem Gegensatz zu den Spielregeln seines Standes gehört und er sich mit dem Gefallen in einem ethischen Dilemma befindet. Er hält wichtige Beweismittel zurück, die seinen Mandanten belasten, ihn andererseits aber auch in gewissen Punkten entlasten. Sein Anwaltskollege John Rosen rät ihm dazu, die Videos weiter unter Verschluss zu halten, diese seien in der aktuellen Situation schädlich, könnten aber nützlich werden, um eventuell später die Aussage von Karla Homolka zu diskreditieren.

Murray plant, auf Grundlage dieser Videos Karla nach Bernardos vorläufiger Anhörung zu verklagen, um zu versuchen, ein Plädoyer für ihn zu verhandeln oder im Prozess zu beweisen, dass nicht Bernardo Leslie Mahaffy und Kristen French getötet hat, sondern Homolka.

Im August 1994 änderten sich jedoch die Anweisungen von Bernardo. Er behauptet nun, niemals Kontakt zu den beiden Opfern gehabt zu haben, und weist Murray an, die Videobänder verschwinden zu lassen. Murray legt sein Mandat daraufhin nieder und John Rosen übernimmt Bernardos Verteidigung. Im Anschluss bittet Murray die Law Society um Rat, was er mit den Videobändern tun solle, und er erhält die Empfehlung, sie dem Richter des Bernardo-Prozesses zu übergeben. Er versucht, dies zu tun, allerdings werden die Bänder mit Zustimmung des Gerichts an John Rosen übergeben. Dieser leitete sie 12 Tage später an die Polizei weiter. Insgesamt hält Murray die Bänder 17 Monate zurück. Er wird wegen Behinderung der Justiz angeklagt, jedoch letztlich freigesprochen.

Bis endlich auch Paul Bernardos Prozess in Bezug auf die Taten in St. Cathrines beginnt, dauert es ganze zwei Jahre. Bewegung kommt erst wieder in das Ganze, als Bernardo von seinem Anwalt Ken Murray verlangt, die Videobänder zu zerstören. Diese waren jedoch ein wichtiges Element seiner Verteidigungsstrategie, die Bänder sollten genutzt werden, um zu untermauern, dass Karla alles andere als nur ein bedauernswertes Opfer ihres sadistischen Ehegatten war, sondern vielmehr ein aktiver, treibender Part. Paul hatte bis zu diesem Zeitpunkt ebenfalls auf diese Variante gesetzt, doch nachdem Karla so glimpflich davongekommen war, zieht er es vor, künftig lieber zu behaupten, Leslie Mahaffy und Kristen French gar nicht zu kennen und auch nicht für ihre Tode verantwortlich zu sein. Etwas, das ohne die Videos nicht zu widerlegen wäre, so seine Überlegungen. An diesem Punkt legt Murray sein Mandat nieder, künftig wird Paul Bernardo von John Rosen vertreten – und der zögert keinen Moment und übergibt am 22. September 1994 der Polizei die originalen Videobänder.

Der erste Verhandlungstag im Prozess gegen Paul Kenneth Bernardo ist für den 18. Mai 1995 angesetzt, Verhandlungsort ist Toronto, Ontario. Er wird in diesem Verfahren wegen Mordes in drei Fällen, schwerer Körperverletzung, Freiheitsberaubung, Kidnapping und wegen unwürdiger Behandlung einer Leiche angeklagt. Parallel dazu läuft noch die Gerichtsverhandlung in Scarborough. Die Verlesung der Anklage durch Staatsanwalt Ray Houlahan in Toronto nimmt einen kompletten Tag in Anspruch. Detailliert beschreibt Houlahan darin u. a. Homolkas Opferrolle, von der zu diesem Zeitpunkt offiziell noch ausgegangen wird. Er führt sogar mehrere Videobänder als Beweis an, die in ihrer Freizügigkeit die Anwesenden schockieren, unter anderem ist Homolka beim Masturbieren zu sehen – während Bernardo ihr als Regisseur Anweisungen gibt. Er ist der "König", so heißt es in den Aufnahmen, und Karla spielt seine Sklavin. Sie verspricht sogar vor laufender Kamera, ihm dreizehnjährige Jungfrauen zuzuführen. Nur die Jury bekommt die Bilder zu sehen; die Prozessbeobachter hören nur, was gefilmt wurde – doch dies macht jedem indizierten Pornofilm Konkurrenz. Bernardo plädiert auf "nicht schuldig" und gibt an, Karla Homolka habe die beiden Mädchen ermordet. Bernardos Verteidiger John Rosen gelingt es zudem durch die Videoszenen, Zweifel an der Inszenierung von Karla Homolka zu säen, die sich als das unschuldige, gequälte Opfer präsentiert.

Karla Homolka hat ebenfalls am 18. Mai 1995 einen wichtigen Termin, denn noch immer werden Forderungen laut, sie wegen sexueller Übergriffe zur Verantwortung zu ziehen, obwohl der eigentliche Prozess gegen sie bereits beendet ist. Speziell in Bezug auf die Taten an Jane Doe sieht es zwischenzeitlich so aus, als würde sich die junge Frau vielleicht doch noch zu einer gesonderten Anklage entschließen. Die Entscheidung des Richters in der Beratung lautet: Gegen Homolka werden diesbezüglich keinerlei Anklagen mehr erhoben; sie habe Derartiges nicht abgestritten, könne sich aufgrund einer Posttraumatischen Belastungsstörung jedoch an nichts mehr erinnern. Durch vermeintliche Gedächtnislücken kommt sie ungeschoren davon. Aber wird sie womöglich vor allem deswegen von vornherein eher als Opfer Bernardos gesehen anstatt als eine Mittäterin – oder womöglich sogar die eigentlich treibende Kraft?

Liegt dieser Sicht auf Karla Homolka vielleicht schlicht ein klischeehaftes Frauenbild zugrunde, nach dem Frauen sanft, fürsorglich, passiv und mütterlich sind – es sei denn, sie werden bedroht oder erpresst?

Zu Anfang der Untersuchungen drängt sich dieser Eindruck auf. Karla Homolka präsentiert sich von Beginn an als wehrloses Opfer von Paul Bernardo – was sein gewalttätiger Übergriff mit den sichtbaren Verletzungen zu diesem Zeitpunkt eindrücklich unterstreicht. So kann sie sich, ohne Nachfragen fürchten zu müssen, als hörige Person oder als Mensch mit Anzeichen einer abhängigen Persönlichkeit positionieren. Dass sie vor ihrer Verhaftung extra in den Bungalow in Port Dalhousie gefahren ist, um etwas zu holen (was sie aber nicht finden konnte), ist zu keinem Zeitpunkt Thema. Aber suchte sie womöglich nach den Videos, die Homolkas Rolle in einem deutlich anderen Licht erscheinen lassen?

Viel zu schnell willigt sie in den Deal ein, den ihr die Staatsanwaltschaft anbietet. Zudem hat die Frau offensichtlich keinerlei Skrupel, ihren früheren Traummann Paul Bernardo durch ihre Aussagen schwer zu belasten. Lange Zeit gilt der Vergewaltiger als die treibende Kraft bei den Entführungen und Morden, aber ist er das wirklich? Immerhin wurden ihm Tammy, Jane Doe und Kristen French durch Karla Homolka zugeführt, sie besorgte die Schlaf- und Narkosemittel …

Spätestens aber mit der Einführung der Videobänder als Beweismittel wird zudem klar, dass Karla Homolka bei den Vergewaltigungen und Folterungen aktiv involviert und somit alles andere als ein fügsames Opfer war. Zudem ist sie es, die darauf besteht, dass Leslie Mahaffy sterben muss. Nur sie will gesehen haben, dass die Augenbinde des Teenagers verrutscht ist und das Mädchen so vielleicht Gelegenheit hatte, einen Blick auf ihre Peiniger zu erhaschen.

Nach und nach wird immer deutlicher offenbar, wie geschickt diese Frau letztlich die Regierungsvertreter von Anfang an manipuliert hat. Doch um den vermeintlichen Haupttäter Paul Bernardo zu verurteilen, war ihnen jedes Mittel recht, um einen aussagefreudigen Belastungszeugen zu bekommen. Dadurch kam einer der schlimmsten juristischen Deals zustande, der jemals in einem Verfahren gemacht wurde.

Paul Bernardo fragt in einem Verhör sogar mehrfach die anwesenden Polizisten, warum seine Ex-Frau bislang niemals einem Lügendetektor-Test unterzogen worden sei? Dann würde vielleicht endlich herauskommen, was sie verschweigt …

Das Urteil im Fall „Der Staat Kanada gegen Paul Bernardo" ergeht am 1. September 1995: Der zu diesem Zeitpunkt 31 Jahre alte Mann wird schuldig im Sinne der Anklage gesprochen und erhält eine lebenslängliche Gefängnisstrafe. Damit gilt er offiziell als der Hauptverantwortliche in Bezug auf die Entführungen und Ermordungen von Leslie Mahaffy und Kristen French. Erst nach 25 Jahren hat er die Möglichkeit, um Begnadigung zu ersuchen; doch da er als hochgefährlich und stark rückfallgefährdet eingeschätzt wird, ist eine Begnadigung relativ unwahrscheinlich. Am 3. November desselben Jahres wird Bernardo zudem wegen der Taten des Scarborough Rapist sowie der Vergewaltigung und des Todes von Tammy Homolka von dem Gericht in Scarborough zur Rechenschaft gezogen. Auch in diesem Prozess wird er in allen Anklagepunkten für schuldig befunden.

Seit dem 4. Juli 2005 ist Karla Homolka, die während ihrer Zeit in Haft auch mehrfach psychiatrisch betreut wird und sich nun Karla Teale nennt, nach 12 Jahren Haft wieder auf freiem Fuß. Sie hat während der Haftphase keinen Antrag auf Bewährung bzw. vorzeitige Entlassung gestellt und sitzt ihr Strafmaß bis auf den letzten Tag ab, was für kanadische Verhältnisse eher unüblich ist. Ansonsten ist man hier eher bemüht um eine möglichst frühzeitige Resozialisierung von Tätern.

Nach ihrer Freilassung im Jahr 2005 erhält die nun in Quebec lebende Karla Homolka über ein eigens erstelltes Internetportal immer wieder anonyme Morddrohungen, des Weiteren wird die Frau, die sich nun Leanne Teale nennt, von den Medien intensiv beobachtet und verfolgt. Presse, Funk und Fernsehen sind der Ansicht, jeder Kanadier hat das Recht zu erfahren, wo sich der weibliche Teil des mörderischen „Ken-und-Barbie"-Duos gerade aufhält. Die Medien betonen, hierbei gehe es um den Schutz der kanadischen Kinder.

Kurze Zeit nach ihrer Freilassung heiratet Homolka den Bruder ihrer Anwältin Sylvie Bordelais, den aus der Karibik stammenden Thierry Bordelais. Er ist auch der Vater ihres ersten Kindes, das 2005 zur Welt kommt.

Um den Nachstellungen der Medien zu entkommen, zieht das Paar 2007 in seine Heimat nach Guadeloupe. Homolka, sie nennt sich nun Leanne Bordelais, wird von den Medien jedoch auch hier aufgespürt. Die Reporterin sieht, wie die dünn gewordene Homolka im Garten ihres Hauses mit ihren inzwischen drei Kindern umgeht, einem der Kinder die Brust gibt und in einer durchschnittlichen Küche das Essen für ihre Familie herrichtet. Die überraschende Erkenntnis: „Barbie“ Karla wirkt wie eine Bilderbuchmutter. Liebevoll kümmert sie sich um ihren Nachwuchs, behütet die Kinder und achtet darauf, dass es ihnen an nichts fehlt. Polizeischutz hat die Familie nicht, obwohl es im Internet auch eine Seite gab, auf der die User wetteten, wann es jemand schafft, Karla Homolka aufzuspüren und zu töten.

2017 macht sie erneut von sich reden: Sie lebt wieder in Kanada, im gutbürgerlichen Montrealer Vorort Châteauguay. Dort engagiert sich die frühere Sexualmörderin, die in ihrer Heimat noch immer zu den am meisten gehassten Personen gehört, nun an einer örtlichen Grundschule und führt ein, nach außen hin, völlig normales Leben. Für Aufregung bei den Eltern sorgt regelmäßig, dass Homolka die Schülerinnen und Schüler gelegentlich bei Ausflügen begleitet. Bei einer Gelegenheit kommt es dazu, dass sie mit ihrem Hund eine der Grundschulklassen besucht, damit die Kinder den Kontakt zu Tieren lernen. All dies rief einen Sturm der Empörung der anderen Eltern hervor.

In einem Interview des Fernsehsenders CBS, das kurz nach Homolkas Freilassung aufgezeichnet wurde, fragt sie die Moderatorin: „Verstehen Sie, warum die Leute so interessiert an Ihnen sind?“ Nach einem Blick zu ihrem

Begleiter antwortet Homolka lächelnd: „Ja und nein. Natürlich habe ich schreckliche Dinge getan, daran besteht kein Zweifel. Und es kommt auch nur selten vor, dass eine Frau solche Dinge tut. Andererseits werden doch jeden Tag viele Leute aus dem Gefängnis entlassen, die ebenfalls schreckliche Dinge getan haben." Und sie setzt nach einer Pause schließlich hinzu: „Ich glaube aber, dass ich es schon verstehe."

»50 Morde pro Woche auf der Mattscheibe sind kein Ausdruck zusätzlicher Freiheit.«

- Egon Karl-Heinz Bahr (1922 -2015)
deutscher Politiker-

KAPITEL 6

Ein geschminkter Bandit

Der Wärter George Hutchison kann sich ein ausgiebiges Gähnen nicht verkneifen, während er am Morgen des 9. Septembers 1952 seinen Dienst antritt. Seine Arbeitsstätte ist das verrufene Don-Gefängnis. Das in den 1860er Jahren erbaute Gebäude befindet sich in Ontarios Hauptstadt Toronto. Benannt ist die Haftanstalt mit der auffälligen Fassade im italienischen Stil nach dem Fluss Don-River, der sich östlich des Baus durch die Provinz schlängelt. Hutchison schleppt sich müde durch den Korridor des ehemaligen Krankenflügels, der mittlerweile zu einem Zellenblock umfunktioniert ist. Geschuldet ist der Umbau des Don-Gefängnisses der zunehmenden Belegung der Hafträume mit Delinquenten. Jedes Mal, wenn der Aufseher an einem der vergitterten Fenster vorbeikommt, streicheln die spätsommerlichen, warmen Sonnenstrahlen das Gesicht des Mannes. Auf dem Weg zu seinem Posten sinniert Hutchison darüber, wie es sich wohl für die Häftlinge anfühlen muss, dass bisschen Außenwelt, das sie noch zu Gesicht bekommen, tagtäglich nur durch Gitterstäbe betrachten zu können. Während George seinen Gedanken nachhängt, macht ihn eine plötzliche, beunruhigende Entdeckung schlagartig hellwach. An einem der vergitterten Korridorfenstern sind vier der Eisenstangen verschwunden. Dem Mann läuft es eiskalt den Rücken herunter: „Bitte lieber Gott, lass das jetzt nicht wahr sein", murmelt der Wächter vor sich her, in dem vergeblichen Versuch, sich selbst zu beruhigen. Doch der Blick in die leeren Zellen der berüchtigtsten Bankräuber des Landes lassen keinen Zweifel:

mit den Gitterstäben vor dem Fenster sind auch die vier Gefangenen spurlos verschwunden. „Nicht schon wieder!", flucht Hutchinson, bevor er seine Kollegen alarmiert. Die aufgeregten Wärter suchen jeden Winkel der Haftanstalt ab. Als einige der Aufseher in den Innenhof der Haftanstalt stürmen und sich suchend nach den Flüchtigen umblicken, hören sie schallendes Gelächter. Die Männer drehen sich um und schauen die Fassade des Don Gefängnisses hoch. An einem der vergitterten Zellenfenstern hängt ein Insasse und blickt auf sie herab. „Ihr Narren, die sind doch schon längst über alle Berge!", lacht er die Wächter schadenfroh aus.

...Es ist der 2. April des Jahres 1914, als Eleanor ihren ersten Sohn in Toronto zur Welt bringt. Der kleine Junge ist gerade 4 Monate alt, als das Britische Weltreich, dem auch Kanada angehört, Deutschland den Krieg erklärt. Im August 1915 tritt Vater Glover der Armee bei und reist nach Übersee, um an der Front im ersten Weltkrieg zu kämpfen. Sein Sohn Edwin Alonzo ist da nicht mal Eineinhalb Jahre alt. Als der Soldat 1919 zu seiner kleinen Familie nach Hause zurückkehrt, ist es für den mittlerweile 5 Jahre alten Edwin, als würde ein fremder Mann bei seiner Mutter einziehen. Er hat keine Erinnerung an seinen Vater Glover Boyd. Der religiöse Veteran arbeitet fortan als Schutzmann auf der Polizeiwache in Toronto. Im Laufe der Jahre bekommt das Ehepaar Boyd noch zwei weitere Kinder. Die wachsende Familie zieht häufig um. Für den Erstgeborenen Edwin, der von allen nur Eddie genannt wird, bedeuten die Umzüge auch ständige Schulwechsel. Doch er hat keine Schwierigkeiten, Anschluss bei seinen Schulkameraden zu finden. Der Teenager beeindruckt seine Freunde vor allem damit, dass er allerlei Unfug treibt- ohne Rücksicht auf die Tatsache, dass sein Vater Polizist ist und für Recht und Ordnung zu sorgen hat.

...Eddie Boyd ist 15 Jahre alt, als seine Brüder Gord und Norm an der gefürchteten Kinderkrankheit Scharlach erkranken. Mutter Eleanor pflegt die Jungen gesund. Dabei steckt die Frau sich mit der bakteriellen Infektionskrankheit an und verstirbt an den Folgen der Infizierung. Der Tod seiner Mutter wirft den Teenager aus der Bahn. Er verlässt die Schule und reißt von Zuhause aus. Als blinder Passagier reißt der Junge auf Zügen, gemeinsam mit anderen Wanderarbeitern, genannt „Hobos“, durch den Westen des Landes.

...Die 1930er Jahre werden in den USA von einer schweren Wirtschaftskrise geprägt, die als „Great Depression“ (zu Deutsch: „Große Depression“) in die Geschichte eingehen. Eddie übersteht das Dilemma trotz aller Widrigkeiten. Mittlerweile zu einem attraktiven, jungen Mann herangewachsen hält er sich mit wechselnden Frauenbekanntschaften, schlecht bezahlten Gelegenheitsjobs und kleineren Betrügereien über Wasser. Boyd ist 22 Jahre alt, als er den Bogen dann aber überspannt: der junge Mann raubt eine Tankstelle aus. Zuvor war Eddie von der Polizei zwar schon wegen Landstreicherei verhaftet worden, aber dieses Vergehen handelt ihm jetzt einen zweieinhalb Jahre dauernden Gefängnisaufenthalt ein.

...Es ist das Jahr 1939, als der zweite Weltkrieg ausbricht. In Ermangelung anderer Alternativen tritt der entlassene Straftäter dem Militär bei. Im Juni 1940 macht sich sein Regiment auf den Weg nach Frankreich. Im Anschluss an die Mission werden die Soldaten in die Stadt Reigate, gelegen im Süden Englands, berufen. Eddie trifft hier auf ein Mädchen. Recht bald heiratet das verliebte Paar und Eddie adoptiert gar Doreens Sohn aus einer vorherigen Beziehung. Nur neun Monate, nachdem die Hochzeitsglocken läuteten, bringt Doreen am 20. August 1941 einen kleinen Jungen zur Welt. Doch gleich zwei Tage nach der Geburt lässt eine Krankenschwester den Neugeborenen während eines Fliegeralarms aus ihren Armen fallen- der Sturz verursacht eine Hirnblutung und der nach seinem Vater benannte Säugling stirbt.

...Um ihrem Mann während des Krieges nah sein zu können, tritt die noch immer trauernde Mutter der ATS („Auxiliary Territorial Service“, zu Deutsch: „Territorialdienst der Armee“) bei. Der ATS ist die Frauenabteilung des britischen Heeres während des zweiten Weltkrieges, deren Mitglieder vor allem unterstützende Aufgaben wie Kochen, Verwaltung der Lager und dergleichen verrichten. Eddie ist derweil von dem Militärdienst zunehmend genervter. Schon seit er ein Teenager war, hasst der junge Mann Regeln aller Art. Doch die strengen Vorschriften der Armee machen ihn glauben, kaum noch atmen zu können. Und so geschieht es, dass der vorbestrafte Soldat ausgerechnet bei der Militärpolizei zum Einsatz kommt. Nur kurz nach seiner Versetzung ist Doreen wieder in anderen Umständen. Im Dezember 1943 bringt die junge Frau gesunde Zwillinge zur Welt.

...Vierzehn Tage nach Ende des zweiten Weltkrieges in Europa erhält Eddie Boyd seine offiziellen Entlassungspapiere aus der Armee. Das Paar kehrt mit ihren drei Kindern von Übersee nach Kanada zurück. Fortan arbeitet der Familienvater als Straßenbahnfahrer auf der Yong-Street-Linie und nebenberuflich als Fensterputzer. Doch Boyd ist bald gelangweilt von dem schnöden regelkonformen Zivilleben. Als Eddie die Geschichte eines autistischen Kindes zu Ohren kommt, dass eine Bank ausgeraubt haben soll, ohne auch nur eine Waffe zu benutzen, beginnt es im Kopf des gutaussehenden Mannes mit den dunklen Augen und dem kantigen Kinn zu arbeiten. „Wenn es so einfach ist, warum zum Teufel arbeite ich tagaus, tagein.?", denkt Eddie sich, während er in seinen besten Anzug schlüpft. Dann drückt er etwas Watte zusammen und schiebt sie sich in den Mund, um seine Wange aufzuplustern. Geschwind legt sich der Straßenbahnfahrer noch etwas Make-Up zur weiteren Tarnung auf, bevor er zur Flasche greift, um sich Mut anzutrinken. An diesem 9. September 1949 begeht Eddie seinen ersten Bankraub. Als er einige Tage später zum Tatort zurückkehrt, erkennt keiner der Angestellten den Räuber. Daraufhin ist sich Boyd seiner Unfehlbarkeit sicher. Den Lebensunterhalt für seine Liebsten bestreitet der Ganove fortan mit Banküberfällen.

...In den kommenden Wochen und Monaten begeht Eddie mindestens sechs Banküberfälle. Nicht selten enden seine Straftaten mit Gewehrkugeln, die ihm um die Ohren sausen, denn oft sind die Bankangestellten mit Revolvern ausgestattet, um sich und das Geld im Falle eines Angriffes verteidigen zu können. Doch immer kommt der Mann glimpflich aus dem Kugelhagel heraus. Boyd ist schon bald berüchtigt als der geschminkte Räuber, der gewandt auf die Bankschalter springt und geschickt seine deutsche Luger-Pistole in der Luft herumschwenkt. Nicht immer ist er bei seinen Straftaten allein. Zeitweilen hat er Komplizen und genau einer davon soll ihm zum Verhängnis werden. . Howard Gault, der Boyd gelegentlich bei seinen Raubzügen begleitet, läuft nach einem missglückten Überfall direkt in die Arme der Polizei. Nach einem stundenlangen Verhör bricht der Räuber zusammen und verrät seinen Partner. Nachdem Boyd verhaftet ist, kommen er und Gault in das berüchtigte Don-Gefängnis in Toronto. Die Bevölkerung, vor allem die Bankangestellten unter ihnen, atmen auf- endlich ist der allbekannte Räuber gefasst.

...In der Haftanstalt lernt Boyd den ebenfalls wegen Bankraubes verurteilten Lennie Jackson kennen, der etwa zeitgleich mit Eddie inhaftiert wurde. Die beiden Straftäter, zusammen gefangen in einer winzigen Zelle, knüpfen schnell Kontakt zueinander. Lennies auffälligstes Merkmal ist sein Holzfuß; seinen eigenen Fuß hatte der Mann bei dem Versuch, auf einen fahrenden Güterzug aufzuspringen, verloren.

...Recht bald schließt sich ein weiterer Bandit dem Duo an: Willie Jackson, auch „Der Clown“ genannt. Seinen Spitznamen verdankt der Mann, der nicht mit Lennie verwandt ist, seiner witzigen Art. Willie wartet im Don-Gefängis auf seine Überstellung in das Kingston Gefängnis, wo er seine sieben Jahre dauernde Haftstrafe wegen seiner zahlreich begangenen Banküberfälle absitzen soll.

...So kommt es, dass Eddie; der Hübsche, der Clown und der Mann mit nur einem Fuß, gemeinsam einen Plan schmieden - sie wollen aus dem verhassten Don-Gefängnis ausbrechen. Lennies Behinderung erweist sich dabei als ein Segen für die Banditen, denn seine Prothese verhilft ihm nicht nur dazu, aufrecht zu gehen- der gewiefte Mann hat darin auch einen Satz Sägeblätter vor den Gefängniswärtern versteckt.

...In der Nacht zum Sonntag, dem 4. November 1951, sägen die drei Bankräuber die Gitterstäbe ihrer Zellen ab und rutschen an einem zwölf Meter langen Seil, geknüpft aus Bettlaken, in den Gefängnishof. Sie huschen zu der sechs Meter hohen Gefängnismauer und klettern in die Freiheit. Die kommenden Wochen sollen zu einer nervlichen Zerreißprobe für die Schutzpolizisten werden, die alles daran setzen, die Banditen wieder dingfest zu machen. Es sind gerade zwei Wochen vergangen, als die Räuber wieder eine Bank im Westen von Toronto überfallen und um 4300 Dollar (entspricht heute etwa 28 739 €) erleichtern.

...Obwohl die Polizisten des Landes in höchster Alarmbereitschaft sind, schaffen die Banditen es am 20. November 1951 die Royal Bank in dem Stadtviertel Leaside auszurauben. Ihre Beute beträgt 46 000 Dollar (entspricht heute etwa 307 442 €). Für die Männer steht nun ein üppiges Weihnachtsfest vor der Tür. Eddies Ehefrau Doreen und seine drei Kinder verbringen das Fest in einem Motel am westlichen Stadtrand von Toronto. Die Frau erinnert sich später an den Weihnachtsabend zurück: „Es war ein richtiges Weihnachten mit Geschenken und Weihnachtsessen- alles außer einem Baum“, schwärmt die dreifache Mutter.

...Dem „Clown“ hingegen vergeht das Lachen in der Weihnachtszeit 1951. Willie Jackson lernt in einer Taverne in Montreal eine hübsche Frau kennen. Die beiden schäkern miteinander und es fließt reichlich Alkohol, der Jackson alsbald nachlässig werden lässt. Um sein Gegenüber vermeintlich zu beeindrucken, lässt er seine geladene Waffe aus der Innentasche seines Jacketts aufblitzen. Um seine Kühnheit zu unterstreichen, erzählt er seiner neuen Bekanntschaft, dass er einen spektakulären Ausbruch aus dem gefürchteten Don-Gefängnis hingelegt habe. Dem Pflichtbewusstsein der jungen Frau verdanken die Polizisten es, dass sie dem Ausbrecher wieder habhaft werden.

...Auch wenn es Vermutungen gibt, dass Lennie Jackson der Kopf der Bande ist, benennen die Zeitungen die Verbrecher lieber nach dem gutaussehenden, charmanten Eddie und taufen die Delinquenten als „Boyd-Gang". Die Männer finden schnell Ersatz für ihren verhafteten Kumpanen-fortan ist der professionelle, aber erfolglose, Geiger Steve Suchan gemeinsam mit Eddie und Lennie auf der Jagd nach dem schnellen Reichtum. Er war es auch, der den Ausbrechern Unterschlupf gewährte und sie vor den Schutzmännern versteckte, die jeden Stein nach den Flüchtigen umdrehten. Zwischenzeitlich versteckte die Bande gar ihre Beute in Suchans Elternhaus. Dessen Vater bot den Gangstern an, das Geld in einem kleinen Versteck in der Wand des Hauses zu verwahren. Doch am nächsten Morgen war der alte Mann samt dem Geld spurlos verschwunden.

...Nur kurz nach dem Jahresbeginn 1952 schlägt die Bande wieder zu-sie überfallen eine Filialbank in Scarborough, einem östlichen Vorort von Toronto. Die Männer erbeuten 10 000 Dollar (entspricht heute etwa 57 860 €). Nur wenige Wochen später haben die Räuber schon ihren nächsten Coup ausbaldowert. Es ist der 4. März 1952, als die „Boyd-Gang" eine Bank in Montreal um 2600 Dollar erleichtert (entspricht heute etwa 17 623 €).

...Die Polizei ist fieberhaft auf der Suche nach den Bankräubern, um der Bevölkerung das Gefühl der Sicherheit zurück zu geben, denn meist befinden sich schockierte Kunden in den Banken, während die „Boyd-Gang" die Angestellten anschreien und bedrohen. Während ihrer Raubserie erbeuten die Männer rund 75 000 Dollar (entspricht heute etwa 500 000 €). Nur zwei Tage nach dem letzten Raub fahren die Polizisten Edmund Tong und Roy Perry im West End Streife, als sie ein Auto herauswinken, um die beiden männlichen Insassen routinemäßig zu überprüfen. Als Tong sich dem schwarzen Mercury Monarch nähert, ist ihm nicht bewusst in welcher Gefahr er sich befindet, bis ihn der Fahrer des Wagens aus dem Fenster mit einem Schuss zu Boden streckt. Schwer verwundet sackt der Polizist in sich zusammen. Sein Kollege Perry, der starr vor Schreck noch im Einsatzwagen sitzt, ist daraufhin das Ziel des Schützen. Geistesgegenwärtig hält der Schutzmann den Arm vor sein Gesicht, wird verwundet aber verhindert so, dass ihn eine Gewehrkugel in den Kopf trifft. Dann rollen die Räder des Mercury und der Schütze mit seinem Begleiter flüchten. Edmund Tong kommt in ein Hospital und erliegt wenige Tage später seinen schweren Schusswunden- allerdings nicht, bevor er seinen Kollegen mitteilen kann, dass niemand geringeres als Steve Suchan sein Mörder und Lennie Jackson dessen Komplize ist.

...Der Tod des Polizisten treibt seine Kollegen unerbittlich an, die Mitglieder der „Boyd-Gang“ zu fassen und sie zur Rechenschaft zu ziehen. Obwohl Eddie Boyd nicht an der Schießerei beteiligt war, sorgt der Vorfall dafür, dass die Zeitungen sein Konterfei auf jedem Titelblatt abdrucken. Konnten Eddie und Doreen bis dahin wenigstens im Schutz der Dunkelheit ihr Haus verlassen, ist dem Ehepaar nun auch das bisschen Freiheit genommen. Von nun an müssen sie sich im Verborgenen halten.

...Zwischenzeitlich arbeitet die Polizei auf Hochtouren. Keine dreißig Stunden, nachdem ihr Kollege Tong tödlich verletzt wurde, brechen die Ermittler in Suchans Wohnung ein und warten auf die Rückkehr des Mörders. Und tatsächlich betritt schon bald der ahnungslose Mieter sein Zuhause. „Polizei! Keine Bewegung!“ schreien ihm die ungebetenen Gäste entgegen. Steve greift nach seinem Holster, in dem sein Revolver steckt. Doch noch bevor er nach der Waffe greifen kann, schießt einer der Polizisten auf den Mann. Die Kugel verfehlt nur knapp Steves Herz.

...Einige Tage später kommen die Gesetzeshüter auch Lennie Jackson auf die Schliche. Nachdem ein Nachbar des Gesuchten den Schutzmännern verraten hat, wo der Räuber wohnt, beziehen die Gesetzeshüter auch in Jacksons Wohnung Stellung und warten auf die Rückkehr des Mannes. Anders als bei Suchan verläuft die Festnahme von Lennie ganz und gar nicht reibungslos. Der Räuber eröffnet das Feuer auf die Gesetzeshüter, bevor diese reagieren können. Einer der Polizisten gibt eilig einen Schuss ab, bevor er mit seinen Kollegen die Flucht ergreift und die Wohnungstür hinter sich zuschmeißt. Es folgt ein langwieriger Schusswechsel durch die geschlossene

Tür. Etwa 200 Gewehrkugeln sausen an diesem 11. März 1952 innerhalb von 45 Minuten durch die Luft, bis die Polizisten den verletzten Jackson aus dem Inneren der Wohnung rufen hören: „Ich höre auf!". Erst mit Tränengasbomben, die Augen und Lunge von Lennie verbrennen, schaffen die Schutzmänner es, den Mann dingfest zu machen. Jackson kommt, wie Suchan, in ein Krankenhaus. Beide Gangster überleben ihre Festnahmen und sehen sich einer Anklage wegen Mordes gegenüber.

...Auch das Versteck von Eddie Boyd können die Ermittler schnell ausfindig machen. Er hält sich, gemeinsam mit seiner Frau und einem seiner Brüder, in einer angemieteten Wohnung versteckt. Der legendäre Detective Adolphus Payne beschließt, das Morgengrauen des kommenden Tages abzuwarten, bevor er den Gangster festnimmt. Um jeden Preis will er eine erneute Schießerei verhindern. Und so schleicht sich Payne, gemeinsam mit seinem Partner, am 15. März 1952 in das Versteck von Boyd. Er pirscht sich mit gezogener Waffe an das Bett des Gejagten, der dort friedlich neben seiner Frau Doreen schlummert. Vor dem Bett entdeckt der Beamte eine Tasche, gefüllt mit Gewehren und 25 000 Dollar (entspricht heute etwa 207 984 €). Adolphus hält dem schlafenden Boyd die Pistole an die Stirn und schreit: „Hier ist Payne! Gib endlich auf!". Und tatsächlich verläuft die Festnahme von Eddie ohne einen Schusswechsel und ohne Gegenwehr des Verbrechers.

...Boyd kommt zurück an den trostlosesten Ort, den sich der Mann vorstellen kann. Umso größer ist seine Freude, als eines Tages sein Kumpane Willie als auch Lennie und Suchan wieder im Don-Gefängnis auftauchen. Beide haben sich im Krankenhaus von ihren Verletzungen erholt. Die Haftanstaltsleitung hatte, wohl ohne sich große Gedanken zu machen, entschieden, die „Boyd-Gang" im ansonsten leeren Trakt der Todeszellen unterzubringen. Wochen und Monate vergehen, in denen die Männer Zeit haben, ihren nächsten Ausbruch akribisch zu planen. Zwar haben die Wärter Lennie Jackson seine Fuß-Prothese abgenommen, so dass der Mann gezwungen ist, eine mit einer Socke ausgekleideten Blechdose als Ersatz zu nehmen- doch an dem Einfallsreichtum der Gang ändert diese Schikane nichts.

...Sie schaffen es, jemanden zu bestechen, der ihnen ein Stück Metall, eine Feile und Sägeblätter in das Gefängnis hineinschmuggelt. Nachdem sie sich mit einem der älteren Wächter zum Schein angefreundet haben, albern sie eines Tages mit ihm herum. Einer der Gangmitglieder greift, wie zum Scherzen, nach dem Schlüsselring, der am Gürtel des Wärters befestigt ist. Fest drückt er den Zellenschlüssel, der alle vier Hafträume der Gangster öffnen kann, in seiner Hand zusammen. Und tatsächlich entsteht in seiner Handinnenfläche ein passgenauer Abdruck. Mit Hilfe der eingeschmuggelten Werkzeuge fertigen die Gefangenen einen Nachschlüssel an. Sobald die Wachen außer Sicht sind, befreien sich die Verbrecher abwechselnd aus ihren Zellen und sägen in jeder unbeobachteten Minute unbemerkt an einem der Fenstergitter im Korridor bis die Funken fliegen. Um sich leichter durch das gesägte Loch zwischen den Gittern schieben zu können, specken die Männer jeweils etwa 9 Kilogramm ab. „Das war die härteste Zeit meines Lebens", berichtet William Jackson später. „Aber der beste Grund, auf einer Diät zu sein, von dem ich je gehört habe", witzelt „Der Clown" weiter. Keiner der Wärter scheint zu bemerken, dass die Gangster abspecken und den Großteil ihrer Mahlzeiten auf ihren Tellern zurück lassen. „Aber das kann man den Wachen nicht verdenken", erzählt Eddie Boyd später mit einem verschmitzten Grinsen im Gesicht, „viele Leute im Don können das Essen einfach nicht ausstehen."

...Bevor der Morgen des 8. Septembers 1952 graut, quetschen sich die Häftlinge durch das mühsam gesägte Loch im Fenstergitter und kriechen in luftiger Höhe an der Mauer des Gefängnisses entlang, bevor sie den Sprung auf die Erde wagen und sogleich einen Hügel hinunter in ihre Freiheit rennen. Ihren Kumpanen Lennie, der sich ohne seine Fuß-Prothese nur humpelnd fortbewegen kann, stützen die Gangster und helfen so auch ihm, dem Don-Gefängnis zu entkommen. Die Männer haben, auch mit Hilfe von befreundeten, in Freiheit lebenden Ganoven, ihre Flucht genau geplant. Auf dem Weg zu ihrem Versteck hat einer von den Kumpels der „Boyd-Gang“ eine Fuß-Prothese deponiert. Nachdem Lennie mit seinem Stumpf in den Holzfuß geschlüpft ist, machen sich die Männer auf den Weg zu einer 24 km von der Haftanstalt entfernten, verlassenen Scheune. Hier wollen sie ausharren, bis die Bevölkerung das Interesse an den Flüchtigen verliert. Die einzigen Habseligkeiten der Männer sind drei Waffen, 96 Gewehrkugeln, 50 Dollar (entspricht heute etwa 524 €) und ein Rasiermesser. Wer ihnen all die Dinge beschaffte, werden die Gangster nie verraten.

...Das Rasiermesser nutzt William Jackson, um sich zu tarnen. Er rasiert sich eine kahle Stelle über seinen Stirnansatz und macht sich auf den Weg, um in einem Lebensmittelgeschäft, gelegen an einer viel befahrenen Straße, einzukaufen. Tatsächlich erkennt niemanden den Mann und das, obwohl die Behörden eine schier unglaublich hohe Belohnung, für Hinweise, die zur Ergreifung der Bande führen, in Höhe von 26 000 Dollar (entspricht heute etwa 216 304 €) ausgelobt haben. Dennoch werden die flüchtigen Gangster nicht selten gesichtet; jedoch halten die meisten Zeugen die Männer nur für Wanderarbeiter, die in der verlassenen Scheune Schutz suchen. Einige Beobachter schöpfen dennoch bald Verdacht und alarmieren die Polizei. Die bis an die Zähne bewaffneten Gesetzeshüter sind seit Tagen auf der Suche nach den flüchtigen Ganoven. Sie durchkämmten jeden Winkel der Stadt und alle bekannten Orte der Unterwelt.

...Es ist der 16. September 1952, als eine Armada von schwer bewaffneten Polizisten die Scheune umstellen. In Anbetracht der ausweglosen Lage ergibt sich die „Boyd Gang“ ohne Widerstand zu leisten und die Ausbrecher werden zurück in das Don-Gefängnis verfrachtet.

...Einige Wochen später wird den Männern der Prozess gemacht. Edwin Alonzo Boyd erhält wegen etlicher Banküberfälle und geringerer Delikte mehrere lebenslange Haftstrafen. Sein Kumpane Willie Jackson bekommt eine Haftstrafe von 31 Jahren. Lennie Jackson und Steve Suchan werden wegen Mordes an dem Polizisten Edmund Tong zum Tode verurteilt. Aber nicht nur die Mitglieder der „Boyd-Gang“ bekommen Strafen auferlegt: auch alle ausfindig zu machenden Mitwirkenden an den Fluchten der Delinquenten erhalten Sanktionierung.

...Am 16. Dezember 1952 steigt Suchan auf die Richtstätte, Lennie hüpft ihm hinterher; seine Fuß-Prothese darf der Mann bei seinem Tod nicht tragen. Rücken an Rücken stehen die Verurteilten auf der im Boden eingelassen Falltür, als der Henker ihnen einen Leinensack über die Köpfe stülpt und eine dick geknüpfte Schlinge um ihre Hälse legt. Dann betätigt er routiniert den Hebel und die beiden Verbrecher stürzen in den Tod.

...Die Inhaftierung des landesbekannten Räubers ist für seine Frau Doreen und die drei Kinder ein einschneidendes Erlebnis. Die nun Alleinerziehende hat zunächst Schwierigkeiten, Arbeit zu finden, um ihre Familie zu versorgen. Und auch die gesellschaftliche Verachtung trifft vor allem Boyds Nachwuchs. Tochter Carolyn erinnert sich: „Es war schwierig, keinen Vater zu haben, aber es war schwieriger, mit den Folgen umzugehen. Zum Beispiel wollten die meisten Eltern ihre Kinder nicht bei uns spielen lassen. Die Kinder nannten uns Jailbirds (zu Deutsch: Gefängnisvögel) und beschuldigten uns des Diebstahls.“

...Im Jahre 1966 kommt Willie Jackson auf Bewährung frei. Der Mann geht fortan einer ehrlichen Beschäftigung als Hausmeister nach. Im gleichen Jahr wie Jackson gestehen die Behörden auch Eddie eine Bewährung zu. Boyd lässt sich von Dorren scheiden, nimmt eine neue Identität an und zieht nach British Columbia. Auch Eddie verdient sein Geld nun mit ehrlicher Arbeit: er fährt einen Bus, der Menschen mit Handicap transportiert. Hier lernt er seine zweite Frau kennen und pflegt sie die kommenden 35 Jahre, bis eine Heimunterbringung nicht mehr abzuwenden ist.

...Am 17. Mai 2002 stirbt der berüchtigtste Bankräuber Kanadas im Alter von 88 Jahren an den Folgen einer Lungenentzündung. Es ist das Jahr 2011, als der Regisseur Nathan Morlando in Zusammenarbeit mit Boyds Tochter

Carolyn das Leben des charismatisch wirkenden Verbrechers in dem Drama „Gangsters“ verarbeitet. Doch der Regisseur weiß zu berichten: „Es war für Boyd sehr einfach, seinen Charme einzuschalten, mit dem Finger, als wäre sie eine Pistole, auf die Kamera zu zeigen und zu sagen, dass er den Bankraub nicht bereut. Aber wenn ich ihn in einem ruhigeren Moment erwischt habe, dann konnte ich tiefes Bedauern in seinen Augen sehen. Untröstlich machte ihn den Verlust seiner Familie und seiner Kinder.“ Boyds Nachwuchs leidet bis ins Erwachsenenalter unter dem Verlust des geliebten Vaters durch die Inhaftierung und seinem durch die Medien glorifizierten Gangster-Image. Vor allem die Besuche des eingesperrten Familienoberhauptes im Gefängnis mit den großen, schweren Türen, sind der erwachsenen Tochter Carolyn grausig im Gedächtnis geblieben. Morlando zeigt in seinem Werk auf, welche seelischen Schmerzen der charismatische Bandit seiner Familie mit seinen Taten zugefügt hat. „Als der Film fertig war, sagte ich (…), dass dies das Ende sein würde. Es wird keinen „Rocky II“ geben. Es ist vorbei“, erzählt Carolyn erleichtert.

»Wenn du die Geschichte eines großen Verbrechers liest, so danke immer, ehe du ihn verdammst, dem gütigen Himmel, der dich mit deinem ehrlichen Gesicht nicht an den Anfang einer solche Reihe von Umständen gestellt hat.«

- Georg Christoph Lichtenberg (1742 – 1799)
Begründer des deutschsprachigen Aphorismus.-

KAPITEL 7

Die Maske

(von Sarah Fischer / Eyes in the Dark - der Podcast)

Endlich Freitag - der Kalender zeigt den 10. Oktober 2008. Der Tag, an dem John Altinger das aller erste Mal auf seine Internet-Bekanntschaft Jen treffen wird. Die beiden tauschen nun schon seit einer Weile Nachrichten miteinander aus und John hat ein gutes Gefühl bei ihr. Euphorisch weiht er daher auch einige seiner engsten Freunde ein und erzählt diesen von dem geplanten Date mit seiner vermeintlichen Traumfrau. Er wohnt nur einige Fahrminuten von dem vereinbarten Treffpunkt entfernt, dennoch macht er sich an diesem Abend überpünktlich auf den Weg zu Jens Wohnung. Jen lebt im südlichen Teil von Edmonton, der Hauptstadt der kanadischen Provinz Alberta - eine gute Gegend.

Obwohl John seinen Freunden versichert hatte, nach dem Date von sich hören zu lassen, meldet er sich zunächst nicht. Das mulmige Gefühl, welches sich bei Johns Freunden breit macht, wird jedoch übertönt von der Hoffnung, dass das Date besonders gut verlaufen ist. Johnny würde sich schon noch melden, wenn er Zeit hat, das tat er immer. Sie sollten recht behalten: Drei Tage nach dem Treffen kontaktiert John seinen besten Freund per Mail, in welcher er von seiner neuen Bekanntschaft schwärmt. Die beiden hätten sich spontan entschieden, Jens Winterhaus in Costa Rica aufzusuchen, um hier die nächsten Wochen gemeinsam zu verbringen. Vor dem 10. Dezember

2008 wird er nicht wieder in der Stadt sein. Aber er würde seine E-Mails regelmäßig checken und seinen Freunden eine Telefonnummer zukommen lassen. Seine Mail beendet er mit einem knappen „Wir sehen uns an den Feiertagen. Johnny". Diese Nachricht hinterlässt einen bitteren Beigeschmack bei Johns Freunden, das passt überhaupt nicht zu dem 38-jährigen. Das geht alles viel zu schnell. Aber als John einige Tage später, ebenfalls via Mail, seinen Job kündigt- da schrillen die Alarmglocken in seinem Bekanntenkreis. Das war nicht der John, den sie kannten. Prompt entschließen sich einige seiner Freunde, zu Johns Wohnung zu fahren, um nach dem Rechten zu sehen. Vor Ort fällt ihnen sofort auf, dass sein Auto nicht da ist. Außerdem sind seine zwei Motorräder nicht wie üblich mit einer Plane abgedeckt. Die Motorräder sind Johns Babys; unter keinen Umständen würde er sie so zurücklassen. Nun hatten sie endgültig genug. Doch auf der Polizeistation angekommen, erklären die Polizisten ihnen, dass diese Hinweise nicht ausreichend für eine Vermisstenanzeige sind - es gibt keinen hinreichenden Verdacht für ein Gewaltverbrechen. Darüber hinaus kommuniziere John ja mit der Außenwelt.

Ernüchtert, aber dennoch fest entschlossen John zu finden, machen sich seine Freunde nun erneut auf dem Weg zu dem kleinen Apartment, in dem der Mann lebt. Unbefugt verschaffen sie sich Zugang zu seiner Wohnung und entdecken etwas, was ihnen das Blut in den Adern gefrieren lässt: Johnnys Reisepass liegt auf dem Esstisch. Wie sollte John nach Costa Rica geflogen sein, wenn er seinen Reisepass gar nicht bei sich hatte? Bis auf Johns Laptop befindet sich alles an Ort und Stelle. John wäre doch niemals ohne Gepäck verreist. Bewaffnet mit dieser Erkenntnis machen sie sich erneut auf den Weg zu dem Polizeipräsidium. Nun nimmt auch die örtliche Polizei die Bedenken der jungen Männer ernst und leitet die Ermittlungen ein. Als erstes müssen sie diese „Jen" finden, die John Altinger vor einigen Tagen auf der Dating-Plattform „Plenty of fish" kennengelernt hatte.

Der erste verwertbare Hinweis, dem die Polizei nachgeht, kommt von Johns Internet-Bekanntschaft höchstpersönlich. Jen hatte ihm in einer der ausgetauschten Mails eine detaillierte Wegbeschreibung zu ihrem Haus zukommen lassen - und John Altinger hatte diese Mail vorsichtshalber einem seiner besten Freunde weitergeleitet. Volltreffer! Keine Stunde später stehen die Ermittler vor einer runtergekommenen Doppelgarage, in einer unscheinbaren Seitengasse im Süden Edmontons. Mark Twitchell, ein lokaler Produzent und Filmemacher, hat diese Garage angemietet und nutzt sie überwiegend als Filmstudio. Als die Polizei ihn kontaktiert, macht er sich unverzüglich zu seiner Garage auf, um den Ermittlern Zutritt zu gewähren. Er ist ein unscheinbarer, großer Mann mit einer Vorliebe für Science-Fiction, Fantasy-Filme und gut gemachte Thriller. Ein kreativer Kopf, der seit seiner Jugend den Traum hat, ein erfolgreicher Filmproduzent zu werden. Wenn er nicht gerade an seiner Filmkarriere feilt, verbringt er seine Freizeit mit seiner frisch angetrauten Frau und der gemeinsamen Tochter. Das kleine Mädchen ist noch kein Jahr alt.

An der freistehenden Doppelgarage angekommen, sticht Mark sofort ein Vorhängeschloss ins Auge - das hatte *er* dort nicht angebracht. Beim Betreten der Garage fallen ihm weitere Unstimmigkeiten auf: Mehrere Gegenstände sind nicht mehr an ihrem ursprünglichen Platz, darunter eine Rolle Klebeband, mehrere Müllsäcke, Papiertücher und ein Mülleimer. Mark und seine Crew hatten kurz zuvor ein von ihm geschriebenes Drehbuch in der Garage verfilmt. Ein 8-minütiger Thriller namens „House of Cards" („Kartenhaus"), inspiriert von der Fernsehserie „Dexter". Da sich die Dreharbeiten bis in die späten Abendstunden gezogen hatten, entschied er sich, erst einige Tage später zur Garage zurückzukehren. Laut seinen eigenen Angaben beseitigte er das Chaos, das sie während des Drehs veranstaltet hatten, wie geplant am zweiten Oktoberwochenende. Danach war er nur noch einmal dort, um neu besorgte Putzutensilien abzuladen. Neben ihm hätten zwei seiner engeren Freunde jedoch ebenfalls einen Schlüssel für die von ihm angemietete Garage. Doch weder seine Freunde noch er selbst kennen eine Frau mit dem Namen Jen. Während sich die Ermittler in der Garage umschauen, fällt ihnen neben diversen Filmutensilien und einigen Kunstblut-Rückständen vom Dreh nichts Verdächtiges auf. „Womöglich war John Altinger ja doch verreist?", überlegen die Polizisten. Aber eine Überprüfung der Flugaufzeichnungen der letzten Tage beweist das Gegenteil: John Altinger kann das Land unmöglich mit einem Flieger verlassen haben. Die Ermittler tappen im Dunkeln. Der Mann konnte sich doch nicht in Luft aufgelöst haben?

Der einzige Anhaltspunkt, den die Ermittler haben, ist die Wegbeschreibung zu Mark Twitchells Garage. Haben sie dort etwas übersehen? Da Mark sich sehr kooperativ gezeigt hat, stellt die Polizei erneut den Kontakt zu dem Filmproduzenten her. Wie erwartet ist Mark mit einer erneuten Durchsuchung seiner Garage einverstanden und händigt den Ermittlern die Schlüssel aus. Diese Gelegenheit nutzt der junge Mann außerdem, um mit den Ermittlern einige Details zu teilen, die er bei seiner ersten Befragung als belanglos eingestuft hatte. Mark erzählt, dass es in den letzten Tagen - neben dem fremden Vorhängeschloss - zu weiteren merkwürdigen Geschehnissen gekommen ist. Unter anderem sind bei einem Einbruch in sein Auto diverse persönliche Gegenstände entwendet worden. Außerdem haben er und seine Frau Jess den Verdacht, dass sich, während einer Thanksgiving Party bei ihren Eltern, eine fremde Person in ihrem Haus aufgehalten haben muss. Denn als sie nach Hause kommen, ist die Eingangstüre nicht mehr verschlossen. Doch sie haben die Türe beim Verlassen des Gebäudes ordnungsgemäß abgeschlossen. Da sind sie sich sicher. Obendrein rekonstruiert Mark bei diesem Gespräch eine Begegnung mit einem Mann, die am 15. Oktober 2008 stattgefunden hat: Als Mark an einer Tankstelle steht und in seinem Wagen sitzt, klopft plötzlich ein ihm unbekannter Mann an sein Fenster. Der Mann, der sich ebenfalls als Mark vorstellt, erzählt von seiner Begegnung mit einer gut situierten Frau und einem bevorstehenden, ausgiebigen Urlaub, den die beiden geplant haben. Da seine neue Bekanntschaft ihm nach dem Urlaub ein neues Auto kaufen will, möchte er seinen alten Wagen gerne schnellstmöglich verkaufen. Da Mark derzeit finanziell nicht so gut aufgestellt ist, kramt er seinen Geldbeutel vor und wedelt mit seinen letzten 40 Dollar (etwa 27 Euro). Entgegen seinen Erwartungen antwortete der Unbekannte „Verkauft!“, wodurch Mark nun der stolze Besitzer eines roten Mazdas ist.

Diese Story stimmt die Ermittler stutzig. „Wer verkauft seinen Wagen für 40 Dollar?“, fragen sich die Beamten. Umgehend überprüfen sie, wer der eingetragene Fahrzeughalter des Wagens ist. Schnell bestätigt sich das ungute Bauchgefühl der Ermittler: Der rechtmäßige Besitzer des frisch erworbenen Wagens ist der vermisste John Altinger. Grund genug für eine weitere offizielle Befragung von Mark Twitchell. Angesprochen auf diese Begegnung, verstrickt sich Mark mehr und mehr in Widersprüche. Die Ermittler sind sich sicher: entweder ist Mark selbst verantwortlich für das Verschwinden von John Altinger oder aber er weiß mehr, als er zugibt. Um dieser Vermutung auf den Grund zu gehen, konfiszieren sie Marks Wagen und ordnen eine großangelegte Durchsuchung seines Hauses und seiner angemieteten Garage an. Hierbei legen sie den Fokus auf alle elektronischen Geräte - Marks Computer, seine Kameras, externe Festplatten und sein Filmmaterial. Getrieben von dem Verdacht, dass John auf einem der Videos zu sehen sein könnte. Doch Fehlanzeige. Bei der Durchsuchung seines Autos ziehen einige handgeschriebene Notizzettel die Aufmerksamkeit der Ermittler auf sich: Auf einem der Zettel ist eine ausführliche Wegbeschreibung zu zwei verschiedenen Orten notiert - eine führt zu dem Haus von Mark Twitchells erster festen Freundin, die andere Wegbeschreibung führt zu dem Gebäudekomplex, in dem John Altinger lebt. Doch das ist noch nicht alles: zwischen etlichen kleinen Notizzetteln und Gerümpel stoßen die Ermittler auf ein blutiges Jagdmesser. Obendrein entdecken sie im Kofferraum des Wagens einen großen Fleck, der aussieht wie getrocknetes Blut. Außerdem finden sie eine schwarze Eishockey-Maske, die scheinbar von Blutsprenkeln übersäht ist. Was ist hier nur passiert?

Aufschluss darüber gibt ein Dokument mit dem Dateinamen „SKConfessions", dass die Polizisten auf dem Laptop von Mark Twitchell finden. Die Ermittler trauen ihren Augen nicht, als sie die vorübergehend gelöschte Datei wiederherstellen und Schritt für Schritt durchgehen. Eingeleitet wird in das 42 Seiten umfassende Dokument mit folgendem Absatz: „Diese Geschichte basiert auf wahren Begebenheiten. Die Namen und Ereignisse wurden leicht verändert, um den Schuldigen zu schützen. Dies ist die Geschichte meines Werdegangs zum Serienmörder. Wie jeder, der eine neue Fertigkeit erlernt, musste ich zu Beginn meiner Reise einiges ausprobieren und Fehler machen. Erlaube mir, von Anfang an zu beginnen, und ich denke, ihr werdet sehen, was ich meine. Ich erinnere mich nicht mehr genau an den Ort und die Zeit, als ich beschloss, Serienmörder zu werden, aber ich erinnere mich an das Gefühl, das mich überkam, als ich mich zu dieser Entscheidung entschloss. Es war ein Rausch der puren Euphorie." Die Ermittler sind erstaunt und grübeln: „Ist das etwa ein schriftliches Geständnis?" Doch bereits nach einigen Seiten stockt dem leitenden Ermittler Mike Stabler der Atem - laut dem Skript hat das erste Opfer des Verfassers es geschafft, seinem Peiniger zu entkommen. Das könnte der Durchbruch in diesem Fall sein. Sie müssen diesen Unbekannten ausfindig machen. Gesagt, getan.

Bereits einige Stunden später steht der erfahrene Kriminalist Stabler vor einem Dutzend Journalisten und hält die bei Mark Twitchell gefundene Eishockey-Maske mit goldenem Streifen in die Kameras. Eine schwarze Eishockey-Maske mit goldenem Streifen. Der gesuchte Unbekannte sollte die Vermummung wieder erkennen. Laut Skript trug der Täter sie bei dem Angriff. Das muss sich bei seinem Opfer eingebrannt haben. Und tatsächlich: Als Gilles Tetreault gedankenlos durch seine Facebook-Startseite scrollt, stößt er auf einen Artikel, in dem die schwarz-goldene Hockey-Maske abgebildet ist. Er erstarrt, doch Tetreault weiß genau, was zu tun ist. Der Mann meldet sich umgehend bei der Polizei und noch am gleichen Tag begibt er sich zu einer Befragung auf die örtliche Polizeiwache und schildert seine Begegnung mit dem Unbekannten, der eine unverwechselbare Hockey-Maske trug: Am 03. Oktober 2008 folgt Gilles der Wegbeschreibung zu einer Doppelgarage in Edmonton. Dort soll er auf seine Internet-Bekanntschaft Sheena treffen, mit der er bereits seit einigen Tagen über die Dating-Plattform „Plenty of fish“ kommuniziert. Wie vereinbart, krabbelt er durch den kleinen Schlitz des Tors hindurch, um in die Garage zu gelangen. Wenige Sekunden nach dem Eintreten spürt Gilles plötzlich, wie ihn jemand von hinten packt und ihn mit einem Elektroschocker traktiert. Ein Moment blanker Panik. Gilles dreht sich um und sieht sich einem Mann gegenüber, der eine schwarz-goldene Hockey-Maske trägt. In diesem Moment wird ihm klar, dass dies kein Rendezvous ist. Der maskierte Mann zückt eine Pistole, befiehlt Gilles sich auf den Boden zu knien und klebt ihm die Augen zu. Als Gilles am Boden liegt, wird ihm klar: „Wenn ich schon sterben muss, dann lieber auf meine Art als auf seine Art.“ Festentschlossen, nicht kampflos aufzugeben, steht er auf, reißt das Klebeband von seinen Augen und greift nach der Waffe des Angreifers. Augenblicklich wird Tetreault bewusst, dass die Pistole aus Plastik ist. Das ist seine Chance, um sein Leben zu kämpfen: Ein heftiges Handgemenge bricht aus, das Gilles zu seinen Gunsten nutzt. Mit jedem Schlag des Angreifers torkelt er ein Stückchen weiter in Richtung des Garagentors. Daher lässt er die Schläge zu, bis er nah genug an dem Tor ist, um hindurch kriechen zu können. Sein Widersacher packt ihn in einem letzten verzweifelten Versuch am Kragen - doch erfolglos. Gilles windet sich geschickt aus seiner Jacke heraus und entkommt. Doch der Mann kommt nicht weit - unmittelbar vor dem Garagentor bekommt er die Auswirkungen des Elektroschockers zu spüren. Seine Beine machen schlapp und Gilles sackt in sich zusammen. Nun kämpft er sich auf allen Vieren durch den Dreck, als er plötzlich bemerkt, dass sein Angreifer erneut hinter ihm auftaucht und ihn an den Knöcheln packt. „Wenn ich jetzt nicht funktioniere, dann war's das“, denkt sich Gilles. Für den Bruchteil einer Sekunde verliert der Angreifer den Halt. Der Adrenalin-Schub, den Gilles dringend zum Überleben benötigt hat, durchströmt seinen Körper. Blitzschnell rafft er sich auf und rennt auf den kleinen Gehweg, der ihn zuvor zu der Garage geführt hatte. Dort bricht er erneut zusammen, direkt vor den Füßen eines jungen Pärchens - seine Rettung. Das junge Paar traut seinen Augen kaum, als es den maskierten Mann dicht hinter Gilles entdeckt. Prompt ruft dieser: „Kumpel, komm zurück." - „Ist diese Show Teil eines ausgeklügelten Raubüberfalls?" denkt sich das Paar und macht sich daher schleunigst davon.

Der maskierte Mann lässt, wahrscheinlich wegen der potenziellen Zeugen, von Gilles ab und verschwindet in seiner Garage. Gilles schafft es, sich in seinen Wagen zu retten und fährt davon. Zuhause angekommen, checkt er seinen Nachrichtenverlauf mit „Sheena", doch das Profil seiner Internet-Bekanntschaft existiert bereits nicht mehr. Aus Scham entscheidet er sich, zu schweigen. Bis heute. Während Gilles von seiner Erfahrung mit dem maskierten Mann berichtet, können die Ermittler nur den Kopf schütteln. Denn was Gilles Tetreault ihnen schweißgebadet berichtet, deckt sich Wort für Wort mit dem Manuskript, das sie auf Mark Twitchells Laptop entdeckt haben. Das kann kein Zufall sein. Doch ein Beweis stellt das Skript für die Täterschaft Marks auch nicht dar. Gilles Tetreault hat das Gesicht seines Angreifers nicht gesehen und kann ihn daher auch nicht identifizieren. Mark Twitchell beharrt darauf, dass das Manuskript lediglich ein fiktives Drehbuch für einen seiner Thriller sei. Obwohl die Ermittler sich inzwischen sicher sind, dass Mark der Täter ist, bleibt er auf freiem Fuß. Die bisher gesammelten Indizien reichen für eine Anklage nicht aus. Aus diesem Grund ist es Mark Twitchell auch möglich, am Morgen des 31. Oktobers 2008 gut gelaunt aufzustehen und zu einem wichtigen Meeting mit einem potenziellen Investor aufzubrechen.

„Halloween, ein gutes Zeichen", denkt Mark sich. Schließlich ist das sein liebster Tag im Jahr. Noch immer sehnt er sich den großen Durchbruch in der Filmbranche herbei und kommt diesem nun endlich einen großen Schritt näher - denkt er. Doch diese Hoffnung wird zerstört, als eine taktische Spezialeinheit aus einem Kastenwagen stürmt und Mark, der auf dem

Weg zu einem Meeting ist, Handschellen anlegt. Twitchell wird wegen des Mordes an John Altinger festgenommen und noch am selben Tag angeklagt. Mit der forensischen Auswertung der Proben aus seinem Wagen haben die Ermittler nun doch genügend belastende Beweise zusammentragen können. Dennoch bleibt Mark bei seiner ursprünglichen Aussage: Er hat nichts mit dem Verschwinden von John zu tun. Die Ermittler sind auf ein Geständnis angewiesen, denn nachweisen können sie ihm die Tat nicht. Unter anderem fehlt nach wie vor eines der wichtigsten Beweisstücke: Johns Leiche ist noch immer nicht gefunden. Prozesse ohne Leichenfund kommen vor; allerdings ist der Erfolg für eine Verurteilung deutlich geringer. Zu den von Gilles Tetreault erhobenen Anschuldigungen bekennt er sich, jedoch sei das bloß ein PR-Gag für sein nächstes Projekt gewesen. Schließlich sei Gilles nichts weiter passiert. Ansonsten äußert sich Mark Twitchell nicht weiter zu den Vorwürfen.

Diese Haltung ändert sich erst im Juni 2010: Mark möchte mit den Ermittlern sprechen. Doch als er nun fast eineinhalb Jahre später wieder vor Mike Stabler steht, bringt der Mann kein Wort heraus und händigt dem Mordermittler stillschweigend ein zusammengefaltetes Stück Papier aus. Auf der Vorderseite ist eine ausgedruckte Google-Maps Karte inklusive einer detaillierten Wegbeschreibung zu einem ganz bestimmten Ort zu sehen - „Der Ablageort von John Altingers Überresten“ steht in Druckbuchstaben darüber geschrieben. Wie in dem Manuskript beschrieben, führt Mark Twichtells Wegbeschreibung zu einem Kanaldeckel. Bereits im Vorjahr hatte die Polizei aufgrund der Beschreibungen in dem Dokument etliche Abwasserkanäle durchsucht- jedoch ohne Erfolg. Bis zum heutigen Tag.

Nicht mal einen Block von den Eltern des Verdächtigen entfernt, öffnen die Beamten einen der Kanaldeckel, den sie im Vorjahr nicht untersucht haben. Und sie werden fündig: Die lange und nervenaufreibende Suche nach John Altinger hat ein Ende- die Ermittler bergen in dem unterirdischen Abwasserkanal die sterblichen Überreste des jungen Mannes. Als der Prozess wegen Mordes ersten Grades gegen Mark Twitchell im Jahr 2011 beginnt, stellt das Dokument mit dem Titel „SKConfessions“ eines der wichtigsten Beweisstücke dar. Nicht nur, dass in diesem Skript der fehlgeschlagene, erste Versuch realitätsgetreu abgebildet wird; auch auf den erfolgreichen zweiten Versuch geht der Verfasser detailliert ein. Die haargenaue Beschreibung der Herangehensweise, der Ermordung und der anschließenden Entsorgung der Leiche, deckt sich mit den von den Ermittlern gesammelten Beweisen.

Am zweiten Prozesstag wird das 42 Seiten lange Schreiben verlesen und zeichnet die letzten Stunden von John Altingers Leben nach: John Altinger lernt auf der Dating-Plattform eine junge Frau namens „Jen“ kennen, die er am 10. Oktober 2008 endlich außerhalb des Chatrooms treffen will. Zu diesem Zeitpunkt ahnt John nicht, dass ihm kein romantisches erstes Date bevorsteht, sondern dass er, den von Mark Twitchell ausgelegten Köder, geschluckt hat. Hoffnungsvoll macht er sich - etwas früher als ausgemacht - auf den Weg zu seiner Verabredung. Jen hatte ihm lediglich eine Wegbeschreibung zukommen lassen; eine genaue Adresse wollte sie ihm vorerst nicht mitteilen. Als John Altinger vor der Doppelgarage vorfährt, befindet sich Mark Twitchell bereits in seinem selbsternannten „Kill Room“ („Tötungsraum“), bereit, es dieses Mal nicht erneut zu vermasseln. Seine Garage ist noch von dem ersten, gescheiterten Versuch hergerichtet; dieses Mal soll alles wie am Schnürchen laufen. Doch plötzlich ruft eine dunkle Männerstimme „Hallo?“ - John ist zu früh. Mark Twitchell weiß, dass John seine Füße bereits gesehen haben muss- er weiß, dass jemand da ist. Doch darauf ist er vorbereitet: In den Nachrichten an John hatte „Jen“ bereits einen Mann erwähnt, der die Garage ab und zu an den Wochenenden nutzt, um dort einen Workshop zu absolvieren. „Hi, ich bin Harry“ antwortet Mark daraufhin triumphierend, „Jen verspätet sich um etwa 20 Minuten. Magst du hier warten oder kommst du wieder?“ John entscheidet sich zu gehen. Mark versucht sich in dieser Zeit vorzubereiten. Heute ist der Tag. Heute musste er es durchziehen. Doch auch als John Altinger gute 20 Minuten später erneut vor der Garage vorfährt, ist Mark Twitchell noch immer nicht bereit. Das verfrühte Erscheinen von John hat ihn völlig aus dem Konzept gebracht. John entscheidet sich, ein zweites Mal zu gehen. Dieses Mal nach Hause. Dort angekommen setzt John sich an seinen Schreibtisch und öffnet die Dating-Plattform „Plenty of fish" erneut. Er hadert etwas mit sich, überwindet sich letztendlich aber dennoch, eine Nachricht an Jen zu verfassen. Kurz darauf leuchtet eine Antwort von Jen auf und nur einige Minuten später befindet sich John wieder in seinem roten Mazda auf dem Weg zu seiner Internet-Bekanntschaft. Nichtsahnend, dass Mark Twitchell in seiner Garage wartet, bereit, das Überraschungsmoment auszunutzen. Als John erneut unter dem Garagentor durchkriecht, sagt er zu Harry „Ich schätze ich bin einfach ein Freund der Bestrafung." „Du hast ja keine Ahnung" erwidert Mark und schlägt ihm mit einer Eisenstange auf den Hinterkopf. Mehrfach. Es gibt kein Zurück mehr. Ein Kampf um Leben und Tod beginnt. Nun muss er dem Ganzen ein Ende setzen, denkt sich Mark. Er zückt jenes Jagdmesser, welches die Ermittler später in seinem Wagen sicherstellen würden, und sticht zu. Er lässt John Altinger neben den ursprünglich dafür gedachten Plastikplanen ausbluten. Der Teil seines Plans hat nicht funktioniert; das Blut läuft von den Planen auf den Boden. Nun muss er die Leiche loswerden. Eins nach dem anderen: Zuerst schneidet er John Altingers Hose auf und schmeißt sie in das große Stahlfass, welches er extra dafür besorgt hat. Darauf folgt Johns Oberteil. Nachdem er den Toten weitestgehend entkleidet hat, beginnt er, dessen Körper sorgfältig zu zerteilen. Seine Auswahl an Werkzeugen hatte er bewusst für diesen Moment zusammengestellt. Das Messer gleitet durch das Fleisch als wäre es nichts. Es blutet kaum noch. Kein Wunder, schließlich war ein Großteil des Bluts bereits auf dem Garagenboden verteilt. Entgegen Marks Erwartungen war das Zerteilen eines menschlichen Körpers alles andere als aufregend. Um den Prozess für sich etwas amüsanter zu gestalten, singt er dabei, spricht mit sich selbst und denkt über Werkzeuge nach, die er für die Zerteilung seines nächsten Opfers besorgen würde.

Nachdem er den zerstückelten Körper feinsäuberlich in Plastiktüten gesteckt hat, beseitigt er die Blutspuren und Fingerabdrücke in der Garage mit reinem Ammoniak. Die Tage darauf verbringt er mit seiner Frau Jess und ihrer gemeinsamen Tochter. Schließlich ist Thanksgiving. Doch Sonntagmorgen muss er sich dann wieder um wichtigere Dinge kümmern. Zunächst macht Mark Twitchell sich auf den Weg zu der Wohnung seines Opfers. Dort angekommen, verschafft er sich Zutritt in das kleine Apartment, um seine Spuren zu verwischen: Er löscht Johns Dating-Profil und entscheidet sich kurzerhand, den Laptop seines Opfers mitzunehmen. Er will das Gerät verschwinden lassen. Als nächstes muss er Johns Körper entsorgen. An seinem „Kill-Room" angekommen, manövriert Mark Twitchell die mit Johns Überresten gefüllten Plastiktüten in seinen Wagen. Mit den Leichenteilen im Kofferraum kommt er kurz darauf an dem Haus seiner Eltern an, wo er an dem Versuch, Johns Überreste in einem großen Stahlfass zu verbrennen, scheitert. Trotz einer beachtlichen Menge Benzin und einer noch größeren Stichflamme gestaltet sich das Verbrennen des menschlichen Körpers schwieriger als vermutet. Plötzlich hört Mark Polizeisirenen und verfällt in Panik. Er löscht das Feuer und überlegt sich eine effektivere Methode, um die Leiche loszuwerden. Letztendlich entscheidet er sich, die Überreste in dem Kanalschacht zu versenken, den er zwei Jahre später auf der ausgedruckten Google-Maps Karte markiert, um die Ermittler zu Johns Leiche zu führen. Erledigt.

Nachdem der Staatsanwalt die letzten Sätze des Manuskriptes vorgelesen hat, breitet sich eine erdrückende Stille in dem Gerichtssaal aus. In einem letzten Versuch, sich zu retten, äußert Mark Twitchell sich zu den Anschuldigungen - er habe in Notwehr gehandelt. John Altinger habe ihn attackiert, er *musste* sich wehren. Das von ihm geschriebene „SKConfessions"-Dokument würde zwar auf dieser Begegnung beruhen, wäre jedoch ausgeschmückt und nachträglich von ihm verändert worden.

Der Behauptung, dass der Angriff auf John ein PR-Gag darstellen sollte, der schief ging, glaubt die einberufene Jury nicht. Zu grauenvoll und zu makaber sind die in dem Manuskript niedergeschriebenen

Schilderungen. Doch neben dem schriftlich festgehaltenen Tathergang legt die Staatsanwaltschaft weitere, schwerwiegende Beweise vor, die gegen den Angeklagten sprechen: Die in Marks Wagen gefundenen Blutrückstände stammen nachweislich von dem Getöteten. Das Jagdmesser, das in Marks Wagen gefunden wurde, wies DNA-Spuren von John Altinger auf, womit es sich mit hoher Wahrscheinlichkeit um die Mordwaffe handelt. Forensiker konnten mithilfe des Blutidentifizierungsmittels Luminol große Blutflecken unter Schwarzlicht sichtbar machen, die zuvor in Mark Twitchells angemieteter Garage entfernt worden waren. Im Laufe des Prozesses blitzt wiederholt das vermutete Motiv des jungen Filmproduzenten hervor: Mark Twitchells obsessives Interesse an der Fernsehserie „Dexter". Verschiedene von ihm abonnierte Fan-Seiten und ein eigens angelegtes Facebook-Profil verdeutlichen Mark Twitchells persönliche Identifikation mit der Hauptfigur Dexter Morgan, einem selbstjustizlerischen Serienmörder. Von der Presse wird der Angeklagte daher der „Dexter-Killer" getauft.

Am 12. April 2011 wird Mark Twitchell alias der „Dexter-Killer" des Mordes ersten Grades an John Altinger für schuldig befunden und zu lebenslanger Haft verurteilt. Die Möglichkeit auf Bewährung erhält er erst nach frühestens 25 Jahren. Für den Mörder bedeutet das, dass er erst ab dem Jahr 2036 einen Antrag auf vorzeitige Entlassung stellen kann. Derzeit sitzt der Verurteilte seine Haftstrafe in einer Strafvollzugsanstalt in Saskatchewan, Kanada ab und vertreibt sich die Zeit mit seinem selbsterworbenen Fernseher. Mittlerweile hat er jede „Dexter"-Folge nachgeholt, die er seit seiner Verurteilung verpasst hat.

»Ein Barbar bin ich hier, weil ich von keinem verstanden werde.«

- Ovid (43 v.Chr.- 17 n.Chr.)
antiker römischer Dichter-

KAPITEL 8

Bus 1170

(von Laura Regenauer / Eyes in the Dark - der Podcast)

Es ist der 30. Juli 2008, als der 22-jährige Tim McLean den Greyhoundbus mit dem Ziel Winnipeg betritt. Im Bus ist es warm und stickig, was Tim jedoch nicht im Geringsten stört – er ist lange Busreisen und die damit verbundenen Umstände gewöhnt. Als Sitzplatz wählt er die vorletzte Reihe auf der rechten Seite. Dort setzt er sich ans Fenster, um während der Fahrt wenigstens ein wenig schlafen zu können. Die Erholung wird er brauchen, denn die Fahrt von Edmonton nach Winnipeg beläuft sich auf eine Strecke von über 1.300 km und dauert, inklusive einiger Pausen, rund 24 Stunden. Doch auch mit der Länge der Fahrt hat Tim keinerlei Probleme, die Vorfreude darauf seine Familie und Freunde wiederzusehen überwiegt ganz eindeutig. Noch dazu kann man, während einer solchen Busreise, viele und vor allem interessante Leute kennenlernen.

Gegen 18 Uhr erreicht Bus 1170 einen weiteren Stopp auf der Liste: Erickson in Manitoba. Zu diesem Zeitpunkt dauert die Busfahrt für Tim schon 18 lange Stunden. Immer wieder betreten neue Fahrgäste den Bus, so auch in Erickson. Der neu zugestiegene Fahrgast trägt, trotz der späten Uhrzeit, eine Sonnenbrille auf der Nase und ein schwarzes T-Shirt. Im Gegensatz zu Tim wählt er einen Sitz im vorderen Teil des Busses. Dort bleibt er ruhig sitzen und blickt durch das Fenster nach draußen, bis um 19:00

Uhr eine Pause in Brandon eingelegt wird. Der Bus hält dort etwas länger als an den bisherigen Haltepunkten, um den Fahrgästen die Möglichkeit zu geben, sich etwas die Beine zu vertreten und sich mit einer Mahlzeit für die Weiterfahrt zu stärken.

Um 19:30 Uhr ist die Pause vorbei und die Fahrt geht weiter, Tim sitzt wieder auf seinem vorherigen Platz am Fenster. Der in Erickson zugestiegene Gast, Vincent Li, hingegen entscheidet sich seinen Sitzplatz zu wechseln. Er beginnt langsam durch den Bus zu laufen und sich umzuschauen, Tim schaut zu ihm auf und sagt „Hi, wie geht's?". Der 40-jährige Vincent entscheidet sich kurz darauf den Platz neben Tim einzunehmen. Als er dies tut schläft sein neuer Sitznachbar schon wieder tief und fest.

Der Bus rollt ruhig über den Highway, im Inneren ist es dunkel. Das einzige Licht ist das des Fernsehers, in dem gerade der Film „Die Maske des Zorro" läuft. In der Reihe direkt gegenüber von Tim und Vincent sitzt ein Pärchen, welches in regelmäßigen Abständen einen Blick in Richtung der zwei Männer wirft. Dabei sehen sie, wie Vincent in der einen Hand eine Klopapierrolle und in der anderen eine Flasche Eistee hält. Sobald er einen Schluck Eistee zu sich nimmt, klemmt er die Klopapierrolle zwischen Kinn und Brust. Anschließend nimmt er sie wieder in die Hand. Außerdem beobachten sie, wie Vincent ab 20:00 Uhr auf seinem Sitz hin und her wippt, während er etwas vor sich her nuschelt. Was genau der Mann sagt, verstehen die beiden jedoch nicht, denn es ist eine ihnen unbekannte Sprache.

Gegen 21:00 Uhr befindet sich der Bus 10 Kilometer entfernt von Portage La Prarie. Nur noch 45 Minuten, bis Tim sein lang ersehntes Ziel Winnipeg erreicht; sein zu Hause. Er wuchs in der Nähe von Winnipeg auf einer Farm in Eli auf. Tim ist von Beginn an ein sehr abenteuerlustiger Junge, dessen Traum schon immer das Reisen ist. Stillsitzen zählt dabei definitiv nicht zu seinen Stärken, ganz im Gegenteil – je mehr Action desto besser. Ständig ist er auf der Suche nach neuen Unternehmungen und Abenteuern. Was ihm dabei sehr nützlich ist, ist seine offene und herzliche Art – er kommt schnell mit fremden ins Gespräch und hat keinerlei Probleme, überall neue Kontakte zu knüpfen.

Im Sommer 2007 klingelt sein Handy, am anderen Ende der Leitung ist Tiffany, eine enge Freundin von Tim. Sie kennt ihn gut, weiß also, wie spontan er ist. Daher fragt sie ihn, ob er denn schon etwas für den Sommer geplant habe – Tim verneint. Mit einer anderen Antwort hat sie auch nicht gerechnet. Dann steht ihrem Plan nichts mehr im Weg – sie sagt Tim, er solle seine Sachen packen, mindestens für eine Woche, vermutlich werden sie aber länger unterwegs sein.

Gemeinsam suchen sie sich einen Job als Schausteller auf einer Kirmes, die durch das ganze Land reist. Einen besseren Sommer können sich die beiden nicht vorstellen, ein toller Job, coole Leute und dabei auch noch reisen – für sie scheint das der Jackpot zu sein. Ihre Erwartungen werden nicht nur erfüllt, sondern sogar noch übertroffen. Das Ganze Team ist wie eine große Familie; tagsüber wird gearbeitet und abends dann gefeiert was das Zeug hält. Es gefällt ihnen so gut, dass sie sich entscheiden, ihre Jobs auf ein Jahr zu verlängern. Ein weiterer Pluspunkt ist das Geld; manchmal kommen sie pro Person auf 1000 Dollar die Woche. Sparen kommt ihnen jedoch nicht in den Sinn, in diesem Jahr geht es einzig und allein darum, ihr junges Leben zu genießen und gebührend zu feiern.

Während seiner Reisen filmt Tim so viel mit, wie er kann, um seinen Freunden und seiner Familie einen Einblick in seine Welt liefern zu können. Sein liebstes Fortbewegungsmittel ist dabei schon immer der Bus – nicht nur auf Grund der günstigen Preise, sondern hauptsächlich, weil er hier die Möglichkeit hat, neue Leute zu treffen. Tim ist niemand der beim Reisen Wert auf Luxus legt – der Spaß und die Erfahrungen stehen bei ihm im Vordergrund.

Der nächste Stopp der Kirmes, auf welcher Tim und Tiffany arbeiten, ist nach der Stadt Edmonton nun Regina. Doch in Regina muss es von jetzt an ohne Tim weiter gehen – denn er befindet sich auf dem Heimweg. Zu Hause in Winnipeg möchte er einige Dinge erledigen – um sich schnellstmöglich um seinen Umzug zu kümmern. Tim möchte sich in British Columbia niederlassen, dort eine Frau kennenlernen und eine Familie gründen. Um alles zu regeln, was es zu regeln gibt, plant Tim zu Hause eine Woche ein. Um ihm die Reise etwas zu erleichtern, bieten ihm seine Schausteller Kollegen und Kolleginnen an, Geld für ihn zusammen zu legen, um ihm ein Flugticket zu kaufen. Doch Tim lehnt dankend ab und kauft sich stattdessen ein Busticket.

Es ist der 30. Juli 2008. Kurz nach 21:00 Uhr wird der Bus 1170 von markerschütternden Schreien erfüllt. Es sind die Schreie des 22-jährigen Tim McLean. Vincent Li ist über ihn gebeugt und sticht wieder und wieder auf den jungen Mann ein. Der Fahrgast, welcher in derselben Reihe auf der anderen Seite des Busses sitzt, schreit dem Busfahrer zu, dass er anhalten soll – doch sie befinden sich noch mitten auf dem Trans Canada Highway, was es dem Busfahrer schwieriger macht, einen passenden Platz zum Halten zu finden.

Währenddessen versucht Tim vor seinem Angreifer zu fliehen, indem er über ihn klettert. Doch dabei fällt er zurück auf den Boden und Vincent hat die Möglichkeit weiter auf ihn einzustechen. Wie ein Roboter, ohne Emotionen. Da ist keine Wut in seinem Blick, keine Aggression.

Der Bus schafft es zu halten und die Menschen fliehen panisch nach draußen. 3 der insgesamt 37 Passagiere saßen hinter Tim und seinem Angreifer, was ihnen die Flucht im ersten Moment unmöglich macht. Der Fahrgast, der den Busfahrer auf die Attacke aufmerksam gemacht hat, kehrt noch einmal zurück, um den dreien zu helfen. Gemeinsam schaffen sie es, unversehrt aus dem Bus zu gelangen. Von außen können die Passagiere nun voller Entsetzen beobachten, was sich im Inneren des Busses abspielt. Insgesamt 40-50-mal sticht Vincent Li auf sein arg und wehrloses Opfer ein, bis Tim sich nicht mehr regt. Doch scheinbar reicht das dem Angreifer noch lange nicht, denn der Horror geht weiter.

Mit seinem großen Jagdmesser in der Hand beginnt der Täter Tim den Kopf vom Körper abzutrennen. Nun hält er in der einen Hand das Messer und in der anderen den abgetrennten Kopf. Langsam läuft er damit den Gang in der Mitte des Busses auf und ab. Plötzlich dreht er sich mit dem Kopf in der Hand zur Scheibe und hält ihn so nach oben, dass die Mitreisenden ihn deutlich sehen können.

Ein LKW-Fahrer fährt an jenem Tag ebenfalls diese Strecke entlang, bis er plötzlich den Bus am Straßenrand entdeckt. Er beobachtet die panischen Leute und ahnt, dass dort irgendetwas Furchtbares vor sich geht. Kurz darauf wird er in seiner Annahme bestätigt – denn einer der am Rand stehenden Fahrgäste ruft ihm zu, dass sie dringend Hilfe brauchen; dass hier gerade ein Mann getötet wurde. Der LKW-Fahrer zögert nicht lange, sondern hält an, nimmt sich eine große Metallstange aus seinem Wagen und bewegt sich langsam auf den Bus zu.

Der Plan ist es, den Angreifer zunächst direkt zu konfrontieren und so begibt sich der LKW-Fahrer zu dem Bus. Als er jedoch sieht, was genau der Angreifer mit Tims Körper angestellt hat, hält er die Konfrontation nicht mehr für seine beste Idee. Stattdessen versuchen sie, den Mann an der Flucht zu hindern und 3 Männer stemmen sich gegen die Tür. Für kurze Zeit blicken sie Vincent Li in die Augen, sein Blick ist ausdrucklos, komplett ohne Emotionen. Es wirkt fast so, als wüsste er gar nicht, was er gerade getan hat.

Als Vincent merkt, dass er den Bus nicht durch die Tür verlassen kann, versucht er den Bus zu starten, um mit diesem davon zu fahren. Doch glücklicherweise hatte der Busfahrer entsprechende Vorkehrungen getroffen, indem er die Wegfahrsperre aktivierte, und so missglückt auch dieser Fluchtversuch.

Immer mehr Polizisten tauchen vor Ort auf. Doch niemand macht Anstalten den Bus zu betreten, stattdessen warten sie auf das Eintreffen des SWAT-Teams. Damit wollen sie verhindern, dass noch weitere Menschen verletzt werden. Vincent ist nun stundenlang mit Tims leblosem Körper allein im Bus und schändet ihn immer weiter. Er fängt an, den Körper zu zerteilen und einige Körperteile sogar zu verzehren.

Knapp fünf Stunden nach der Tat, gegen 01:38 Uhr, bewegt sich Vincent zum hinteren Teil des Busses, schlägt dort eine Scheibe ein und versucht zu entkommen. So bekommt die Polizei nun endlich die Möglichkeit ihn zu schnappen und festzunehmen. Vincent verhöhnt die Ermittler, indem er ihnen den Kopf seines Opfers vor die Füße wirft. Die Zeugen werden nun zu verschiedenen Polizeistationen gebracht, während die Polizisten den Bus näher in Augenschein nehmen.

Die Bilder, welche sie dort sehen, werden sich auf ewig auf ihre Netzhaut einbrennen. Tims Körper ist im gesamten Bus verteilt, doch damit nicht genug. Seine Augen und ein Stück seines Herzens können nie gefunden werden, was darauf schließen lässt, dass der Täter diese gegessen hat. In der Jackentasche des Täters finden die Polizisten Tims Nase, seine Lippen und einige andere Körperteile.

Ganz Kanada ist zutiefst erschüttert von dieser grausamen Tat und alle Nachrichtensender berichten ununterbrochen darüber. Während die Nachrichten laufen, ist Tims Mutter Carol gerade auf der Arbeit. Sie ist als Köchin in einem Seniorenheim tätig. Schon zur Mittagszeit erfüllt sie ein ungutes Bauchgefühl, was sie aber nicht einordnen kann. Am Abend befindet sie sich im Seniorenheim, um dort das Abendessen vorzubereiten. Gemeinsam mit den Senioren betet sie für die Familie des Verstorbenen, ohne dabei zu wissen, dass es sich bei dem Getöteten um ihren eigenen Sohn handelt. Nachdem das Gebet gesprochen ist, sagt sie noch: „Das könnte auch mein Sohn gewesen sein“.

Am Abend wird Tim von seinem Vater, Tim McLean Senior, erwartet. Sein Sohn hatte zuvor bei ihm und seiner Frau Nadine gelebt. Um seinem Sohn eine Freude zu bereiten, besorgt er ihm sein Lieblingsessen: einen Eimer Brathähnchen. Als er mit dem Essen im Gepäck zu Hause eintrifft, wartet dort jedoch nicht sein Sohn auf ihn, sondern dessen Freunde. Sie fragen ihn, ob er bereits gehört habe, was passiert sei? Tims Vater verneint und stellt eine Gegenfrage; will wissen, was denn passiert sein soll.

Gemeinsam begleiten die Freunde den verwirrten Vater ins Haus und sagen Tim McLean Senior, dass er vor dem PC Platz nehmen soll. Sobald er sitzt, zeigen sie ihm die Schlagzeilen; zeigen ihm was mit seinem Sohn passiert ist. Ab diesem Moment ist alles anders und sein Leben wird von der einen auf die andere Sekunde auf den Kopf gestellt.

Gegen 19:30 Uhr ruft Tim McLean Senior seine Ex-Frau an und überbringt ihr die Nachricht, dass es sich bei dem Jungen aus dem Bus um ihren gemeinsamen Sohn handelt. Offiziell bestätigt ist es zu diesem Zeitpunkt noch nicht, aber doch wissen alle Bescheid. Carol kann und will nicht glauben, dass ihr Sohn nicht mehr am Leben ist. Sie schreit ihren Ex-Mann an; sagt ihm, er solle aufhören, so etwas zu sagen, er solle einfach aufhören. Nach dem Telefonat hat sie das Gefühl, sich übergeben zu müssen. Sie reißt die Haustür auf und lässt ihren Gefühlen freien Lauf, sie schreit; schreit den Schmerz mit voller Kraft heraus. Das alles kann nicht real sein. Kurze Zeit später wird dann seitens der Polizei offiziell bestätigt, dass es sich bei dem getöteten tatsächlich um Tim McLean handelt.

Nun heißt es warten, warten auf den Prozess gegen den Mann, der Tim McLean viel zu früh aus dem Leben gerissen hat. Doch wer ist Vincent Li überhaupt? Der Mann macht sich im Jahr 2001 gemeinsam mit seiner Frau Anna von China auf den Weg nach Kanada – in die Stadt Winnipeg. Insgesamt verbringen sie dort 5 Jahre. Trotz seines Abschlusses in Informatik hat Vincent Schwierigkeiten in der neuen Heimat eine Anstellung in diesem Bereich zu finden, stattdessen findet er nur eher schlecht bezahlte Jobs.

Zwischen Oktober und November 2004 begibt sich Vincent in die Grant Memorial Baptist Church in Winnipeg und hofft, vielleicht dort einen neuen Job zu finden. Seine Suche ist erfolgreich, er beginnt dort als Nachtwächter zu arbeiten und führt diesen Job für 6 Monate aus. Noch dazu lässt er sich dort taufen und geht zum Christentum über. Ab Sommer 2005 arbeitet Vincent dann als Gabelstaplerfahrer bei Midland Foods auf der Narin Avenue, ebenfalls in Winnipeg. Währenddessen jobbt seine Frau in einem Restaurant und besucht gemeinsam mit ihrem Mann regelmäßig die Grant Memorial Baptist Church.

Doch zwischen dem Ehepaar kommt es immer häufiger zu Streitigkeiten. Es folgt die Scheidung. Vincent selbst kehrt Winnipeg nun den Rücken und zieht nach Edmonton. Ein weiteres Jahr später erhält Vincent die kanadische Staatsbürgerschaft. Diese bekommt er, da er mindestens 3 Jahre ohne Zwischenfälle in Kanada gelebt und gearbeitet hat.

Nach der Trennung von Anna wechselt er seine Jobs wieder häufiger: einmal trägt er Zeitungen aus, ein anderes Mal arbeitet er als Kassierer in einem Lebensmittelgeschäft. Bei seinen Kollegen und Kolleginnen fiel Vincent häufiger als etwas verwirrt auf, war dabei jedoch nie aggressiv.

Am 29. Juli 2008 betritt er mit einigen Taschen und seinem Computer im Gepäck einen Bus nach Winnipeg. Doch statt die Reise an seinem geplanten Ziel zu beenden, verlässt Vincent den Bus bereits in Erickson, setzt sich dort auf eine Bank, auf der er die kommende Nacht verbringt.

Während er die Zeit auf der Bank verbringt, entscheidet er sich dazu, seinen Laptop für 600 Dollar (519 Euro) zu verkaufen und bastelt ein entsprechendes Schild, welches auf sein Angebot aufmerksam machen soll. Sein Plan zeigt Wirkung und schnell bekundet ein Teenager Interesse an dem Computer. Direkt zu Beginn merkt er jedoch an, dass er nicht die geforderten 600 Dollar aufbringen kann. Vincent fragt ihn, wie viel Geld er denn bei sich habe und als der Junge mit „60 Dollar!“ (rund 51 Euro) antwortet, zögert Vincent nicht lange, sondern verkauft dem Jungen seinen Computer für 60 Dollar.

Am Abend des 30. Juli 2008 steigt er dann in den Greyhound Bus 1170, um seine Reise fortzusetzen und so kreuzen sich die Wege von Täter und

Opfer. Ganz Kanada fragt sich, welches Motiv den Täter angetrieben hat. Tim McLean kannte seinen Mörder nicht und er hatte auch während der Busfahrt nichts getan, was seinen Sitznachbarn in irgendeiner Art und Weise hätte provozieren können. Diese Frage kann nur Vincent selbst beantworten und genau das macht er auch; ganz offen und ehrlich.

Er beginnt über die Stimmen in seinem Kopf zu erzählen. Stimmen im Kopf, die ihn vor bösen Menschen warnen und eine dieser Stimmen kann er ganz genau zuordnen: es ist die Stimme von Gott. Dieser habe ihm die Anweisung gegeben, den Bus in Erickson zu verlassen und dort zu warten. Er sagt, dass er der böse Sohn eines boshaften Gottes sei, der ihn als Killer und Tim als Opfer ausgewählt habe. Die Frage, warum ausgerechnet er ausgewählt worden ist, kann er nicht beantworten. Er weiß nur, dass Gott alle Menschen kontrollieren würde. Die Gründe dafür wisse nur Gott selbst. Gott war es, der ihm den Auftrag gab, Tims Körper zu zerteilen. Würde er das nicht tun, würde Tim wieder zum Leben erwecken und ihn töten. Vincent möchte die volle Verantwortung für seine Tat übernehmen. Zwar hat Gott ihm gesagt was er tun muss, doch waren es seine Hände, durch die Tim McLean starb. Er möchte für sich selbst die Todesstrafe, denn das sei die einzig gerechte Strafe. Als er erfährt, dass es die Todesstrafe in Kanada nicht gibt, wird er wütend.

Vincent Li erhält die Diagnose Schizophrenie. Für ihn selbst ist die Feststellung des Psychiaters keine Überraschung, denn die psychische Erkrankung wurde ihm bereits im Jahr 2005 diagnostiziert. Er ließ die Krankheit zum damaligen Zeitpunkt jedoch unbehandelt. Am 05. August 2008 steht Vincent das erste Mal in Portage La Prairie vor Gericht, die Anklage lautet auf Mord zweiten Grades. Am 05. März 2009 fällt in Winnipeg das Urteil. Vincent wird nicht strafrechtlich für den Mord verantwortlich gemacht; Verteidigung und Staatsanwaltschaft sind sich über seinen Geisteszustand einig und halten ihn für nicht schuldfähig. Richter John Scurfield sagt, Vincent habe nicht gewusst, dass er moralisch falsch handle, er dachte, er würde in Selbstverteidigung agieren. Statt in einem Gefängnis wird er nun im Selkirk Mental Health Centre untergebracht.

Carol, Tims Mutter, reicht vor dem Zivilgericht eine Klage gegen den Täter, die Busgesellschaft, die kanadische Polizei und die kanadische Regierung ein. Sie sagt, der Täter hätte mit der Waffe niemals den Bus betreten dürfen. Zudem ist sie bis heute über das Verhalten der Polizisten vor Ort schockiert. Sie kann nicht fassen, dass die Polizisten zuließen, dass Vincent Li Teile ihres Sohnes aß. Der Verlust sei schlimm genug, aber zu wissen, dass niemand auch nur versucht hat ihn aufzuhalten, mache das alles noch schlimmer zu ertragen.

Bis heute wird die Familie von Albträumen heimgesucht. Es ist nicht in Worte zu fassen, wie sehr Tim ihnen fehlt. Sein Vater lässt sich ein Bild seines Sohnes auf die Brust tätowieren, um ihn immer bei sich zu haben.

Auch an den diensthabenden Polizisten, die an diesem Tag vor Ort anwesend waren, ging die Tat nicht spurlos vorbei. Im Jahr 2014 nimmt sich einer der Polizisten auf Grund einer Posttraumatischen Belastungsstörung das Leben. Die Menschen, die mit Vincent und Tim im Bus 1170 saßen, haben ebenfalls noch heute mit den Folgen aus jener Nacht zu kämpfen. Manche von ihnen sind paranoid und in sich gekehrt. Sie meiden Menschenmassen und haben Schwierigkeiten damit, sich zu öffnen. Sobald sie die Augen schließen, werden sie von Albträumen heimgesucht; Tims Schreie werden sie nie vergessen können. Wenn sie sich in Menschenmassen aufhalten, schauen sie sich dauernd um: es könnte auch hier wieder einen Menschen geben, der einfach ohne Grund durchdreht und vielleicht diesmal sie attackiert.

2016 kommt es zu einer, für Tims Familie, unbegreiflichen Entscheidung. Vincent Li wird aus der Psychiatrie entlassen, erhält einen neuen Namen und sein Vorstrafenregister bleibt ohne Einträge. Zu Beginn muss er sich regelmäßigen Kontrollen unterziehen, bei denen geprüft wird, ob er seine Medikamente täglich einnimmt.

Laut dem Gericht stellt Vincent Li keinerlei Gefahr mehr für die Öffentlichkeit dar und daher muss er sich mittlerweile an keine Auflagen mehr halten. Carol hat für die Entscheidung des Gerichts keine Worte. Sie hat sich bis zum Schluss dafür eingesetzt, dass Vincent nicht auf freien Fuß kommt. Vergeblich.

»Man sollte niemals zu einem Arzt gehen, ohne zu wissen, was dessen Lieblingsdiagnose ist.«

- Henry Fielding (1707-1754), englischer Romanautor, Satiriker, Journalist und Jurist -

KAPITEL 9

Wilde Träume

Joana hört seine Schritte. Sie weiß genau, wann er es ist, und wann jemand anderes. Mamas Schritte und die ihrer Geschwister sind schnell und tapsig. Außerdem gehen sie an ihrem Zimmer vorbei, entweder auf die Toilette am Ende des Ganges, oder die Treppen herunter, wo sich die Küche befindet. Doch er setzt seine Füße langsam und schwer voreinander und stoppt vor ihrer Tür. Dann folgt Stille, ein paar Sekunden lang, bevor er ihre Tür leise öffnet, eintritt und sie sanft hinter sich schließt. Er spricht kein Wort, wenn er zu ihr kommt. Bis zu ihrem Bett sind es genau fünf Schritte. Wenn Joana sich darauf konzentriert, sie zu zählen, bemerkt sie den Pieks der Spritze gar nicht mehr, die ihr Stiefvater ihr verabreicht. Und auch seinen großen, stämmigen Leib, der sich an ihrem 14-jährigen Kinderkörper reibt, seine Masse auf ihrem zarten Gewicht, das Zerreißen der Kondomverpackung und alles, was er danach tut, spürt sie nur noch durch einen Tunnel.

„Süßes oder Saures!" Candice verkrampft und knirscht mit ihren Kiefern, als eine Gruppe kniehoher Geister, Hexen und düster verkleideter Monster vor ihr stehen. Es ist Halloween 1992. Seit Tagen ist es kalt und dunkel, sogar die ersten Minusgrade machen sich im Oktober bereits bemerkbar. Aber in der jungen, hübschen Mutter mit dem sonst freundlichen Lächeln... lodert eine Wut, die so heiß ist, dass sie das erste Glatteis des Jahres ohne Mühe zum Schmelzen bringen könnte. Doch tapfer zieht die dunkelblonde Frau ihre Mundwinkel zu einem Lächeln nach oben. Schließlich können die Kinder aus dem 1.000-Seelen-Dorf Kipling, Saskatchewan, nichts für ihren ganz persönlichen Horror – sie feiern Halloween, ein Fest, das auch sie einst geliebt hat, und das auch ihre eigene Tochter in ein paar Jahren, wenn sie groß genug ist, feiern wird. „Ihr wisst aber, dass das hier eine Tankstelle ist?“, fragt sie grinsend in die Gruppe. „Und an der Tankstelle gibt es die besten Süßigkeiten aller Zeiten!“, kreischt ein Dinosaurier ihr entgegen, so aufgeregt, dass seine Dinosaurierkrone auf und ab hüpft. Candice greift schmunzelnd und großzügig in die Boxen mit den Reese's Schokoriegeln und den Skittles. Das wird sie sich wohl später von ihrem Lohn abziehen müssen, aber der Spaß der Kinder hat sie aufgeheitert – und das ist nach einem Abend wie diesem schier unbezahlbar.

Nachdem die Kinderbande die Tankstelle verlassen hat, kreisen Candice Gedanken um ihren neuen Freund, Danny. Alles fing mit der Geburt ihrer Tochter vor knapp einem Jahr an. Der eigentliche Vater der kleinen Jade trägt diesen Titel nur auf dem Papier. Er hat sich direkt aus dem Staub gemacht, als Candice ihm von ihrer Schwangerschaft erzählt hat. Damals brach für sie eine Welt zusammen. Alleinerziehende Mutter mit 22 Jahren – so hatte sie sich ihr Leben ganz bestimmt nicht vorgestellt. Doch sie brauchte nicht lange Zeit, um zu realisieren, dass man nichts im Leben wirklich planen kann. Als sie ihre kleine Jade zum ersten Mal in ihren Armen hielt, blieb die Welt einen Moment lang stehen. Alle Gedanken an den biologischen Kindsvater waren vergessen, es zählte nur noch das kleine, perfekte Bündel, dessen Leben von Candice abhängt. Heute ist das Mutterglück der jungen Frau zwar nicht das klassische – Candice ist nicht verheiratet, lebt nicht in einem Haus mit Garten und hat auch keinen Hund -, doch es ist echt. Jade ist der Grund, warum sie jeden Morgen früh aufsteht, so viel Zeit wie möglich mit ihrem Baby verbringt und an Abenden und Nächten auf der Tankstelle Geld verdient. Während sie arbeitet passen ihre Eltern auf Jade auf.,. Sie haben ihre Tochter von Anfang an unterstützt und sind ihr nicht von der Seite gewichen. Und dann ist da noch Danny. Candice war so glücklich, als sie ihn einige Monate nach Jades Geburt kennengelernt hat. Er war charmanter als jeder andere Mann, den sie je getroffen hat. Eine Schwangerschaft verändert den Körper. Sie litt anfangs sehr unter diesen Veränderungen. Wenn sie in den Spiegel schaute, sah sie schlaffe Brüste, einen speckigen Hängebauch und eine blasse Haut, die jegliche Spannkraft verloren hat. Doch durch Dannys Augen fühlte sie sich wieder schön, weiblich und begehrenswert. Er ist nicht viel älter als sie, wohnt einen Ort weiter und hat die schönsten braunen Augen überhaupt. Auch mit der kleinen Jade ging er stets liebevoll um. Für einige Monate schwebte Candice auf Wolke Sieben. Doch nun stellt sich heraus, dass auch Danny getrost in die Schublade „Schweine“ gesteckt werden kann. Scheinbar haben für ihn Worte wie „die Einzige“, „für immer“ und „nur Du“ eine andere Bedeutung als für sie selbst. Freunde von Candice haben in der Vergangenheit schon mehrmals beobachtet, wie Danny anderen Frauen schöne Augen machte und sie umgarnte. Obwohl Candice das verletzt, war sie bisher immer in der Lage, sein Verhalten mit einem koketten „Männer…“ abzutun. Doch jetzt ist er endgültig zu weit gegangen. Er hat eine andere Frau zum Essen eingeladen. Die beiden wurden zusammen in einem Restaurant gesehen, lachend, flirtend. Ein richtiges Date. Bereits am Telefon hat Candice ihn angeschrien und beleidigt. Emotionale Kontrolle gehört nicht zu ihren Stärken, und ganz besonders nicht in Bezug auf Danny. Alles hätte so schön sein können. Doch scheinbar zog sie verantwortungslose und bindungsunfähige Männer wie ein Magnet an. Am Telefon hat Danny noch versucht, sich zu rechtfertigen, und beteuert, er möchte nach Candice Schicht an der Tankstelle vorbeikommen, um über alles zu reden. Sie schließt die Kasse ab, löscht das Licht und zieht das Gitter vor die Eingangstür. Dannys schwarzer Van steht schon auf dem Parkplatz.

Eine halbe Stunde später laufen ihr Tränen heiß über die Wangen und hinterlassen schwarze Spuren aus Wimperntusche und Kajalstift. Candice Bauch brennt wie Feuer. Das Gefühl ist so stark, dass sie glaubt, es würde ihre Innereien zerreißen. Sie bringt keinen klaren Gedanken zustande, steht hilflos und verloren vor der Tankstelle an der Straße. Es stimmt, Danny hat sich in eine andere verliebt. Candice solle ihm „ein bisschen Freiheit“

lassen, dann würde alles wieder gut werden. Zu ihrer unbeschreiblichen Wut gesellt sich das Gefühl der Enttäuschung, und auch Selbstzweifel klopfen an. Vielleicht liegt es an ihr, wahrscheinlich ist sie nicht gut genug, sie und ihr schlaffer, hängender Bauch. Candice ist trotz des emotionalen Chaos, das sie in dieser Halloweennacht durchlebt, klar, dass sie in ihrer jetzigen Verfassung nicht nach Hause gehen kann. Sie ist nicht mehr alleine, sondern trägt die Verantwortung für das Leben ihrer kleinen Tochter. Sie denkt an ihre Freundin Marie, die im Kipling Medical Center als Krankenschwester arbeitet. Vielleicht kann sie ihr helfen, entweder durch ein Gespräch oder mit einem Beruhigungsmittel.

Carry ist eine robuste Frau. Sie ist genau die richtige für den Job am Empfang des Kipling Medical Centers, und sie arbeitet bereits seit zehn Jahren dort. Zahlreiche Notfälle und Schwerverletzte hat sie in ihrer Laufbahn schon gesehen. Doch die junge Frau, die in dieser Nacht vor ihr steht, berührt sie auf eine ganz eigene Art. Ihr hellbraunes Haar ist dicht und voluminös, aber es steht ihr zerzaust vom Kopf ab. Ihre braunen, ausdrucksstarken Augen versprühen unter normalen Umständen eine starke Aura, doch jetzt sind sie rot und geschwollen. Ihre Haut ist gebräunt und sichtbar rein, wenn kein verschmiertes Make-Up sie verdeckt. Carry erkennt, dass Candice eine Schönheit ist. Es tut ihr leid, sie in diesem aufgelösten, verzweifelten Zustand zu sehen, und ihr dann auch noch sagen zu müssen, dass ihre Freundin Marie heute nicht im Dienst ist. Carry verspürt das dringende Bedürfnis, Candice zu helfen. Das mindeste, was sie tun kann, ist ihr eine Untersuchung bei dem Arzt anzubieten, der heute die Nachtschicht übernimmt. Scheinbar beruhigt dieser Vorschlag die junge Frau tatsächlich. Sie sagt, Dr. Schneeberger habe bereits ihre Tochter Jade zur Welt gebracht.

Candice schätzt Dr. Schneeberger. Er hat sie während ihrer Schwangerschaft begleitet und Jade schließlich auch auf die Welt gebracht. Dr. John Schneeberger ist einer dieser Männer, zu dem sich alle Köpfe umdrehen, wenn er einen Raum betritt, und der dann diesen Raum komplett für sich einnehmen kann. Er ist groß und von einer sportlichen Statur. Seine dunklen Haare sind dicht, womit nicht alle seiner Altersgenossen gesegnet sind. Mit Mitte 30 hat er schon einiges erreicht. Candice weiß davon, weil er ihr während der Untersuchungen davon erzählt hat. Er ist als weißer Mann im heutigen Sambia, Südafrika, geboren und aufgewachsen. Dieser sonnige Ort hat sich auch auf sein Gemüt übertragen. Er lächelt oft und zeigt dabei eine Reihe strahlend weißer, gerader Zähne. Nach seiner Ausbildung auf den besten Privatcolleges vor Ort hat er umgehend eine Anstellung in Kipling gefunden. Seine Medizinerkarriere ist in vollem Gange, und während der Beruf für die meisten Ärzte Erfüllung genug ist, engagiert Dr. Schneeberger sich lokal und sozial. Mit einem Fond, den er ins Leben gerufen hat, konnte in Kipling ein Schwimmbad eröffnet werden. Doch auch ohne Aktionen wie diese wäre er bei den Einwohnern der kleinen Stadt beliebt. Er unterhält sich gerne mit jedem, den er auf der Straße trifft und begegnet allen stets freundlich und interessiert. Natürlich spielt auch sein gutes Aussehen eine Rolle dabei, dass besonders die Frauen des Ortes gerne in ein Gespräch mit dem erfolgreichen Arzt verwickelt werden. Doch sein Herz ist bereits vergeben. Die Glückliche heißt Lisa, und gilt spätestens seit letztem Jahr als meist beneidete Frau Kiplings, denn nun ist sie nicht nur Dr. Schneebergers Partnerin, sondern trägt auch einen goldenen Ehering am Finger. Lisa ist eine attraktive und ebenfalls freundliche Frau, die bereits zwei Kinder aus einer früheren Ehe mit in die Beziehung gebracht hat. Die zwei gemeinsamen Töchter mit John komplettieren ihre Bilderbuchfamilie – eine Familie, die perfekt in eine friedliche Kleinstadt wie Kipling passt. Candice ist erleichtert, als Dr. Schneeberger das Behandlungszimmer betritt. Sie weiß, dass sie schrecklich aussieht. In dem Zimmer hängt ein Spiegel an der Wand über dem kleinen Waschbecken in der Ecke. Dort hat sie einen Blick auf ihr aufgequollenes Gesicht erhascht, die verschmierte Schminke und die roten Augen. Doch Dr. Schneeberger lässt sich nichts anmerken. Freundlich und charmant wie immer, bittet er sie zu berichten, was passiert ist. Und Candice erzählt. Immer wieder füllen sich ihre Augen dabei mit frischen Tränen, und sie schämt sich dafür. Ihr Arzt unterbricht sie nicht ein einziges Mal, nickt nur hin und wieder verständnisvoll. Am Ende ihrer Geschichte ändert sich sein Blick jedoch. Candice erkennt Sorge und Ernst in seinen sonst leuchtenden Augen. Er hört sie mit einem Stethoskop ab und misst ihren Blutdruck. Dieser sei etwas erhöht, und auch ihr Puls ginge zu schnell. Ansonsten sei sie körperlich unversehrt, zum Glück, doch vorsichtshalber würde er ihr eine Spritze geben. Ein Beruhigungsmittel, damit sich ihr Herzschlag normalisiere und sie sich beruhigen könnte. Candice denkt an Jade, und möchte ihrem Arzt zustimmen. Doch dieser versteht seinen Vorschlag scheinbar nicht als solchen, sondern als Entscheidung. Er ist bereits aufgestanden und aus dem Zimmer verschwunden. Nach wenigen Minuten kommt er zurück, schließt die Tür und setzt die Spritze an ihrem Oberarm an. Candice möchte noch fragen, was genau er ihr da verabreicht, doch ihr Mund kann keine Worte mehr formen. Ihr wird schwummrig, und sie fühlt sich als stünde sie in einem Tunnel.

Am nächsten Morgen wacht Candice in einem Krankenbett auf. Völlig desorientiert schaut sie von links nach rechts, hebt und senkt ihren Kopf, doch diese Bewegungen lösen heftigen Schwindel in ihr aus. „Wo bin ich?“, murmelt sie immer wieder, doch niemand hört sie. Erst nach langen Minuten fügen sich die Bruchstücke in ihrem Kopf zu einem Gesamtbild zusammen. Die schneeweißen Wände, die ebenso helle Bettwäsche mit dem sterilen Geruch und der Linoleumboden – sie ist noch immer im Krankenhaus. Candice fühlt sich schwach, hat außerdem unerklärliche Schmerzen im Unterleib. Sie weiß, dass sie sich von Danny getrennt hat und im Kipling Medical Center von Dr. Schneeberger untersucht wurde. Doch wollte er ihr nicht eigentlich nur ein Beruhigungsmittel spritzen, damit sie entspannt und sicher nach Hause gehen kann? Warum liegt sie nicht in ihrem eigenen Bett, mit ihrer Tochter in der Wiege direkt daneben? „Reiß Dich zusammen“, spricht sie sich innerlich Mut zu. Trotz Schwindel und Schwäche mobilisiert sie ihre Kräfte und schwingt die Beine aus dem Bett. Gerade, als sie aufstehen und eine Krankenschwester suchen will, öffnet sich ihre Zimmertür. Dr.

Schneeberger wünscht ihr einen guten Morgen und schenkt ihr sein breites Lächeln. Doch für Candice ist es kein guter Morgen, ganz und gar nicht. Instinktiv spürt sie, dass etwas Schreckliches mit ihr passiert ist. „Was haben Sie mir gestern gespritzt?“, fragt sie ihren Arzt direkt. Dieser antwortet ihr mit einem Lachen. Als Candice nicht mit einstimmt, fragt er zurück: „Warum fragst Du? Hast Du etwa wilde Träume davon bekommen?“

Die frische Luft tut ihr gut. Candice fühlt, wie mit jedem Atemzug ihre Energiereserven aufgetankt werden. Als sie erst einmal aus dem Bett aufgestanden war, fühlte sie sich schnell besser und stark genug, das Krankenhaus zu verlassen. Sie erinnert sich. Sie weiß zwar nicht mehr genau, was passiert ist, doch sie ist sich sicher, dass ihr gestern Nacht etwas Schlimmes angetan wurde. Zu Hause angekommen empfangen sie ihre Eltern, ihre liebe Mutter und ihr herzensguter Vater, die schon krank vor Sorge waren – wo war sie in der letzten Nacht nur abgeblieben? Candice vertraut sich den beiden an. „Dr. Schneeberger. Er hat mich missbraucht.“

Candice erzählt ihren Eltern die ganze Geschichte. Von den Kindern, die in der Tankstelle „Süßes oder Saures“ gespielt haben, von ihrer Trennung mit Danny und dem Aufenthalt im Kipling Medical Center. Dass Dr. Schneeberger ihr eine Spritze gegeben hat, die kein Beruhigungsmittel enthielt, sondern etwas anderes. Eine Substanz, die sie K.O. gehen ließ. Doch die Erinnerungen sind zurückgekommen, erst langsam, und dann mit voller Wucht. Candice stand nach der Spritze neben sich, wurde zur Beobachterin des grausamen Spektakels, in der ihr regungsloser Körper selbst die Hauptrolle spielte. Ihr Arzt rieb seinen Körper an ihrem, zog dann ein Kondom hervor und drang in sie ein. Dr. Schneeberger hat sie vergewaltigt. Der Mann, dem sie die Geburt ihrer Tochter anvertraut hat, missbrauchte ihr Vertrauen, ihren Körper und ihre Seele. Während sie erzählt, hören ihre Eltern schweigend zu, doch ihre Gesichter sprechen Bände. Natürlich glauben sie ihrer Tochter und sind entschlossen, in dieser schwierigen Zeit an ihrer Seite zu stehen, wieder, wie damals während ihrer Schwangerschaft.

Doch ausgerechnet Dr. Schneeberger? Der liebe, freundliche Arzt und Familienvater, der sich so vorbildlich in der Stadt engagiert und überall grenzenlose Beliebtheit genießt?

Candice sitzt auf der Rückbank des Wagens ihres Vaters. Er und ihre Mutter fahren sie nach Regina, dem nächsten Ort. Dort möchte sie sich im Krankenhaus untersuchen lassen. Sie kann dafür nicht in das Kipling Medical Center zurückkehren. Doch sie braucht den Beweis schwarz auf weiß. Candice vertraut sich, und sie vertraut ihren Eltern. Sie schätzt es sehr, dass die beiden wie immer an ihrer Seite stehen und nichts gesagt haben. Doch sie hat ihn in ihren Gesichtern gesehen, diesen winzigen Hauch eines Zweifels. Und sie kann es ihnen nicht verübeln. Dr. Schneeberger ist in Kipling unantastbar. Die nächsten fünf Stunden kosten Candice erneut all ihre Kräfte. Sie muss sich komplett entkleiden. Haar- und Blutproben werden genommen, dazu Abstriche aus all ihren Körperöffnungen. Doch am Ende der Prozedur hat sie den Beweis. In ihrer Vagina und an ihrem Slip haftet Sperma. Mit Danny hat sie das letzte Mal vor mehreren Wochen geschlafen.

Die Ermittler kennen Dr. John Schneeberger. Ein netter Mann, überall beliebt. Er hat sich bestens in ihre Gemeinde eingelebt und führt eine harmonische Ehe. Seine Kinder sind gut in der Schule und engagieren sich in den Sportvereinen der Stadt. Es ist ihnen peinlich, den Arzt ins Präsidium zu bestellen. Doch natürlich müssen sie der Anzeige der jungen Frau nachgehen. Jetzt sitzt ihnen Dr. Schneeberger gegenüber, in Jeans und Kaschmirpullover. Falls er sich beleidigt fühlt oder verärgert über die Vorladung ist, so lässt er sich nichts anmerken. Freundlich lächelnd blickt er sie über seinen Brillenrand hinweg an, die Beine überkreuzt, die Hände offen auf den Tisch gelegt. Candice Vorwürfe gegen ihn seien selbstverständlich völlig haltlos. Die junge Mutter sei mitten in der Nacht in einem besorgniserregenden Zustand bei ihm aufgetaucht. Verheult und in Rage, über die sie selbst keine Kontrolle mehr hatte. Deshalb verabreichte er ihr eine Spritze mit Dormicum, einem

Nachfolgemittel von Valium. Es hat eine beruhigende Wirkung, geht aber häufig mit Halluzinationen einher. Der sexuelle Übergriff sei also reine Einbildung, eine Nebenwirkung der Spritze. Außerdem waren doch überall Krankenschwestern im Dienst – auf dem Gang, am Empfang, in den Zimmern. Wenn Candice Anschuldigungen stimmten, hätten sie sicher etwas davon mitbekommen. Einer Blutprobe stimmt er natürlich trotzdem sofort zu, er würde sich direkt im Krankenhaus darum kümmern. Schließlich will er seinen Ruf nicht gefährden. Und tatsächlich: Die DNA des Spermas in Candices Slip und Vagina stimmt nicht mit der von Dr. Schneebergers Blut überein.

In einer Kleinstadt wie Kipling verbreiten sich Neuigkeiten wie ein Lauffeuer. Die Einwohner sind empört über die Vorwürfe gegen ihren geschätzten Dr. Schneeberger. Das ganze Dorf, inklusive der Polizisten, stehen hinter ihm. Auch seine Frau Lisa weicht ihm nicht von der Seite. Sie erklärt sich Candices Verhalten mit Eifersucht. Ihr Ehemann ist äußerst attraktiv und erfolgreich. Diese junge Frau ist sicher nicht die erste unglücklich Verliebte, aber durchaus die Erste, die zu solch skrupellosen Mitteln greift, um die Familie Schneeberger zu zerstören.

Candice steht vor dem Kinderbettchen und betrachtet ihre schlafende Tochter. Jade in einem solch friedlichen Zustand zu sehen, erfüllt sie selbst mit Ruhe. Dr. Schneebergers DNA stimmt nicht mit der des Spermas überein. Das ganze Dorf hält sie für eine liebeskranke, verzweifelte Irre, die es auf den beliebten Arzt abgesehen hat. Kurz keimt ein Zweifel in ihr auf. Hat sie sich vielleicht doch getäuscht? In Sekundenschnelle verfliegt dieser Gedanke wieder. Sie weiß genau, dass sie mit Danny seit Wochen keinen Geschlechtsverkehr mehr hatte. Es muss Dr. Schneeberger gewesen sein. Er muss seine Blutprobe mit einer anderen vertauscht haben. Vielleicht steckt sogar das ganze Krankenhauspersonal unter einer Decke.

Candice kämpft, doch der Widerstand ist groß. Der beliebte Frauenarzt genießt die volle Rückendeckung Kiplings, seiner Frau und der Polizei. Für die war die Sache bereits nach der Blutprobe abgeschlossen. Die Welt um sie herum dreht sich weiter, ihre Tochter wird ein Jahr älter. Sie gibt nicht auf, und im August 1993 stimmt die Polizei schließlich zu, Dr. Schneeberger zu einer zweiten Blutprobe aufzufordern. Denn die Beamten müssen zugeben, dass sie beim ersten Mal nicht dabei waren. Nicht sie haben dem Arzt das Blut entnommen, sondern er selbst, und es wurde direkt im Kipling Medical Center ausgewertet. Dieses Mal wird dem Arzt das Blut in Anwesenheit der Ermittler entnommen, direkt vor ihren Augen. Eine Stunde später liegt das Ergebnis vor. Sie entschuldigen sich bei Dr. Schneeberger für die Unannehmlichkeiten, wünschen ihm einen schönen Tag und legen den Fall ad acta.

Candice ist fassungslos. An Aufgeben ist nicht zu denken, denn sie ist sich sicher. Sie erkennt, dass ihr Steine in den Weg gelegt werden - große, schwere Felsbrocken, die sie alleine nicht aus dem Weg rollen kann, um an ihr Ziel zu gelangen. Daher sucht sie Hilfe von jemandem, dem mehr Mittel als die eigenen Hände zur Verfügung stehen und engagiert einen Privatdetektiv. Larry O'Brien glaubt der jungen Frau jedes Wort. Während seiner langen Laufbahn als Privatermittler hat er schon einige oberflächlich betrachtet perfekte Familienväter mit lupenreiner Weste und Prestige kennengelernt, die mehr als nur eine Leiche im Keller verstecken. Auch die Polizeiarbeit ist ihm nicht fremd. Von ihrer Seite aus haben sie alles in ihrer Macht Stehende getan, um den Vorwürfen des vermeintlichen Opfers nachzugehen. Doch die Beweise sind eindeutig, Dr. Schneeberger ist unschuldig. Larry weiß, dass es rein gar nichts heißen muss, dass eine Blutprobe nicht mit einer anderen DNA übereinstimmt. Er beobachtet den Arzt ein paar Tage lang, doch erkennt nichts Auffälliges. Als er eines Nachmittags im Krankenhaus arbeitet, bricht Larry unbemerkt in sein Auto auf dem Parkplatz des Kipling Medical Centers ein – Jackpot. Er findet einen Lippenbalsam und einen Kamm, in dem sich Haare verfangen haben.

Auf eigene Kosten und mit Larrys Hilfe lässt Candice den Lippenbalsam und die Haare im Labor untersuchen. Die Haare stellen sich als unbrauchbar heraus, da sie keine Wurzeln enthalten. Doch die DNA der Hautschüppchen, die sich auf dem Lippenbalsam befinden, stimmen mit der DNA des Spermas überein.

Candice fühlt sich wie bei einem Marathon, bei dem sie auf dem ersten Platz voranschreitet, nur um kurz vor der Ziellinie zu stürzen. Die Beweise sind, durch den Einbruch von Larry in Dr. Scheebergers Auto, unrechtmäßig. Außerdem stellt sich die Frage, ob der Arzt tatsächlich regelmäßig den Lippenbalsam benutzt. Doch Candice gibt weiterhin nicht auf. Sie erhebt Klage vorm Zivilgericht zur Entziehung von Dr. Schneebergers Lizenz. So sitzt der Arzt am 20. November 1996 erneut im Polizeipräsidium, dieses Mal läuft eine Kamera mit. Als die Krankenschwester ihm Blut aus seinem Fingern entnehmen möchte, beharrt Dr. Schneeberger freundlich lächelnd darauf, stattdessen seinen Arm zu nehmen – er bekäme schnell Hämatome an den Händen, und die braucht er als Arzt schließlich. Nachdem Dr. Schneeberger den Raum verlassen hat, schaut sich die Krankenschwester die Blutprobe zögernd an, hält sie gegen das Licht, schwingt sie hin und her. Auf Nachfrage derPolizeibeamten erklärt sie: „Das Blut sieht irgendwie merkwürdig aus, so als sei es nicht frisch."

Tatsächlich kann das Blut nicht ausgewertet werden. Der Fall wird wieder ad acta gelegt.

Lisa Schneeberger hätte Candice fast vergessen. Seit einem halben Jahr herrscht endlich wieder Ruhe und Frieden in ihrer Familie. Doch der Schein trügt. Der 25. April 1997 versetzt ihre Welt nicht nur zurück in Aufregung und Ärger, sondern legt es dieses Mal in Trümmer. Sie ahnt noch nichts davon, als sie fröhlich in der Küche steht und ein Salatdressing für das Abendessen vorbereitet. John arbeitet heute Nacht, doch ihre Kinder sind alle zu Hause. Sie freut sich auf die gemeinsame Zeit. „Möchtest Du mir helfen, mein Schatz?", fragt sie vergnügt, als ihre 15-jährige Tochter Joana die

Küche betritt. Zunächst bemerkt sie ihr bedrücktes Gesicht nicht. Erst, als eine Träne über Joanas Wange läuft, legt Lisa das Salatbesteck ab und nimmt ihre Tochter in den Arm. Kurz darauf wimmert ihr kleines, zerbrechliches Mädchen: „Mama, er hat es auch mit mir getan."

Während Joanas Erzählung befindet Lisa sich in einem Schwebezustand. Sie weiß, dass sie im Zimmer ihrer Tochter auf ihrem Bett sitzt, ihr Kind fest im Arm. Doch sie fühlt sich so hilflos, fragt sich, wie es so weit kommen konnte. Warum hat sie als Mutter die ganze Zeit über nichts davon mitbekommen. Aber sie glaubt ihrer Tochter sofort jedes Wort, welche Mutter würde auch daran zweifeln? Joana zeigt ihr ein silbernes, quadratisches Tütchen. Eine Kondomverpackung. Mehrmals pro Woche komme John nun schon seit knapp zwei Jahren nachts in das Zimmer seiner Stieftochter und verabreiche ihr Spritzen, die sie gefügig machen. Vielleicht hat sich ihr Körper an das Mittel gewöhnt, denn irgendwann konnte Joana sich am nächsten Morgen daran erinnern, was passiert ist. Und ein paar Wochen später bekam sie alles mit, wie durch einen Tunnel, als Zuschauerin. Nur, dass sie keine Zuschauerin war, sondern das Opfer zahlreicher Vergewaltigungen.

Weinend und innerlich zerbrochen kratzt Lisa ihre Kräfte zusammen. Für das Wohl ihrer Kinder, spricht sie sich Mut zu. Sie reißt Johns Kleidung aus dem Kleiderschrank im Schlafzimmer und stopft alles stoßweise in Koffer und Reisetaschen. Doch einer der Koffer kommt ihr schwerer vor als die anderen, er ist bereits gepackt. Lisa findet in ihm eine Reihe an Spritzen, flüssige Substanzen in Glasbehältern und unzählige Kondome. Der Anblick dieser Gegenstände verursacht lebhafte Bilder in ihrem Kopf, von ihrem Ehemann, im Bett mit ihrer 15-jährigen Tochter. Angewidert, hasserfüllt und voller Selbstvorwürfe lässt sie alles stehen und liegen und ruft die Polizei. Nachdem diese Joanas Aussage aufgenommen und den Medizinkoffer sichergestellt haben, nehmen sie Dr. John Schneeberger noch während seiner Nachtschicht im Kipling Medical Center fest. Unter den misstrauischen und ungläubigen Blicken des Krankenhauspersonals führen sie den Arzt ab.

Im Präsidium angekommen ist von dem freundlichen Dr. Schneeberger nichts mehr zu sehen. Eine Zornesfalte bildet sich zwischen seinen sonst so hellen, offenen Augen. Mit fest aufeinandergepressten Lippen und verschränkten Armen sitzt er den Beamten gegenüber und spricht kein Wort. Er wolle sich nicht weiter zu den Anschuldigungen äußern. Die Polizisten bemerken, dass sie ihn dieses Mal ertappt haben. Jetzt entnehmen sie dem Arzt Blut aus seinen Fingern und verwenden Haarproben. Wenige Stunden später liegt das Ergebnis vor, und die Polizisten kontaktieren postwendend Candice. Sie hat nicht gelogen, und sich auch nichts eingebildet. Dr. Schneebergers DNA stimmt eindeutig mit der DNA des Spermas überein, das damals in ihrem Slip und in ihrer Vagina festgestellt wurde.

Bis zu seinem Prozessbeginn im November 1999 schweigt der Angeklagte Mediziner. So lange müssen sich die Ermittler, Candice und Lisa für eine Antwort auf die alles entscheidende Frage gedulden: Wie kann es sein, dass ihn nicht schon die ersten drei Blutproben überführen konnten?

Dr. Schneeberger präsentiert vor Gericht seine Variante der Geschichte. Diese ist so unfassbar, dass die Geschworenen ihm zunächst keinen Glauben schenken. Er habe sich eine Kapsel mit dem Blut eines anderen Patienten in den Arm implantiert, um die Proben zu verfälschen. Der Wahnsinn des Arztes ist wahr. Auf den Videoaufzeichnungen der dritten Blutprobe ist ganz deutlich eine Erhebung in seinem Arm zu sehen, und auch die Anmerkung der Krankenschwester, dass das Blut merkwürdig und nicht frisch aussieht, stützen die Theorie. Nach dem Prozesstag, der die Wahrheit ans Licht gebracht hat, wird dem Angeklagten die Kapsel umgehend entfernt. Am nächsten Tag liegt sie als Beweismittel auf dem Tisch vor dem Richter, der Dr. Schneeberger die Frage nach dem warum stellt. Wie kommt ein kluger, allseits beliebter, engagierter Familienvater und Arzt dazu, sich selbst eine Kapsel mit dem Blut eines Fremden zu implantieren? Dr. Schneeberger plädiert auf Selbstschutz. Candice sei eine seiner zahlreichen Verehrerinnen, die allerdings zu weit gegangen ist. Sie sei bei ihm zu Hause eingebrochen, habe ein benutztes Kondom aus dem Müll gestohlen und ihn damit erpresst. Sie habe behaupten wollen, dass er das Kondom mit ihr benutzt hat, um seine Familie zu zerstören. Niemand in den Zuschauerrängen oder auf der Richterbank glaubt ihm. Er wird zu sechs Jahren Haft verurteilt. Sieben Jahre hat es für Candice gedauert, die Wahrheit zu erkämpfen.

Lisa spürt nach der Urteilsverkündung Erleichterung. Sechs Jahre sind jedoch nichts gegen ein Menschenleben. Denn das Trauma, das ihr Noch-Ehemann ihrer Joana und Candice angetan hat, wird die beiden Frauen wahrscheinlich für den Rest ihres Lebens begleiten. Am Tag nach Johns Inhaftierung reicht sie die Scheidung ein und verbietet ihm über ihren Anwalt den Kontakt zu den beiden gemeinsamen Töchtern.

John nimmt das Kontaktverbot nicht hin. Er lässt Lisa über seinen Anwalt darüber informieren, dass er trotz seiner Taten ein Recht dazu hat, seine Kinder zu sehen. Zu Rehabilitationszwecken unterstützt das kanadische Recht den Umgang von Kindern mit ihren straffälligen Eltern. Lisa lässt die Belehrung von Johns Anwalt am Telefon über sich ergehen. Er habe ihr auch einen Brief für ihre Unterlagen zukommen lassen, in dem sie die rechtliche Grundlage und den Sachverhalt zusammengefasst finden würde. Lisa legt auf, und ihr ist klar: Niemals wird sie noch weitere ihrer Kinder gefährden, indem sie sie in die Nähe des Sexualstraftäters lässt, der einst ihre große Liebe war.

Nach der ersten Geldstrafe über 2.000 Dollar, die Lisa wegen des unrechtmäßigen Kontaktverbotes erhält, beginnt sie ihren Kampf. Sie klagt gegen das Urteil, für zehn lange Wochen. Doch sie verliert. Gesetz ist Gesetz, und auch ihr Fall stellt keine Ausnahme dar. Sie muss ihrem Exmann von nun an jeden letzten Sonntag im Monat einen Besuch von ihren beiden gemeinsamen Mädchen ermöglichen.

Im Mai 2001 steht Lisa mit den beiden gemeinsamen Kindern vor dem Gefängnis, in dem ihr Exmann einsitzt. Die sechs- und siebenjährigen Mädchen klammern sich an jeweils einer Hand ihrer Mutter fest. Lisa spürt, dass sie Angst haben. Ein Gefängnis ist kein Ort für Kinder. Nach der starken und über die Landesgrenzen hinaus reichenden Medienpräsenz des Falles haben sich vor dem Eingang hunderte Menschen versammelt, um ein Zeichen zu setzen. Sie blockieren symbolisch die Tore. Unter den friedlichen Demonstranten befinden sich allerdings keine Einwohner Kiplings – diese stehen ihrem beliebten Arzt nach wie vor loyal zur Seite. Lisa hält einige Sekunden lang ehrfürchtig inne. Sie ist gerührt von so viel Solidarität. In diesem Moment denkt sie mit einem unangenehmen Ziehen im Bauch an Candice, die junge Frau, der sie über Jahre genau diese Hilfe verwehrt hat. Es tut ihr schrecklich leid. Sie konnte Joana nicht beschützen, hat Candice nicht geglaubt, und auch jetzt kann sie ihren beiden jüngsten Töchtern die Besuche bei ihrem Exmann nicht ersparen. Hilflos schreitet sie mit langsamen Schritten voran, Richtung Eintritt. Doch bereits in der Eingangshalle fangen die kleinen Mädchen an ihrer Hand an zu weinen. Sie klammern sich fest um ihre Beine und schluchzen, dass sie nach Hause möchten. Der Anblick ihrer beiden jüngsten Mädchen bricht Lisa das Herz. Wie soll sie ihnen erklären, dass es hier in Kanada Gesetze gibt, gegen die sie auch als Mutter nicht ankommt? Doch bevor sie eine Antwort geben muss, die niemals ausreichend sein wird, schreitet eine Sozialarbeiterin ein. Sie kann nicht verantworten, dass die Mädchen unter diesen Umständen zu einem Besuch gezwungen werden. Die Familie darf nach Hause gehen.

Ein paar Tage nach dem Vorfall entdeckt Lisa einen Umschlag aus dem Gefängnis in ihrem Briefkasten. Es ist ein Brief von John, der ihr mitteilt, dass er auf weitere Besuche seiner beiden Töchter verzichtet.

2003, nach vier Jahren in Haft, wird John auf Bewährung entlassen. Seine Medizinerlizenz ist ihm unwiederbringlich entzogen. Er lässt sich in Regina, Kiplings Nachbardorf, nieder und arbeitet für eine Baufirma. Doch die zarten Anfänge seines neuen Lebens finden nach ein paar Monaten in Freiheit ein jähes Ende. Die Behörden stellen fest, dass er bei seiner Beantragung der kanadischen Staatsbürgerschaft 1993 gelogen hat. Bei der Frage, ob er einer Straftat bezichtigt oder wegen eines Deliktes verurteilt wurde, setzte er sein Kreuz bei „nein“. Candice zeigte ihn bereits im November 1992 wegen sexuellen Missbrauchs an. Diese Falschinformation reicht aus, um Dr. Schneeberger nach Südafrika zurückzuschicken.

Im Juli 2004 landet Johns Flugzeug in Sambia. Er zieht zu seiner Mutter und arbeitet einige Jahre in einer Cateringfirma. Heute bildet er bei der Durban Wine Academy neue Sommeliers aus. Seine Exfrau Lisa verbringt viel Zeit mit ihren heute erwachsenen Kindern. Kontakt zu ihrem Vater suchen die beiden gemeinsamen Töchter nicht.

Candice ist glücklich verheiratet und arbeitet als Assistentin in einer Suchtberatung. Sie liebt ihren Job. Jahrelang fühlte sie sich selbst als verlorene Seele, unverstanden und alleine. Doch heute helfen ihre Erfahrungen den Patienten und machen ihnen Mut: Gebt niemals auf, am Ende siegt die Gerechtigkeit.

»Mobbing ist ein seelisches Verbrechen auf Raten.«

*- Franz Schmidberger (*1942),*
deutscher Publizist -

KAPITEL 10

Unter der Brücke

(Von Lisa Bielec / Mordgeflüster der Podcast)

Es ist schon ziemlich kalt an diesem Morgen des 14. November 1997.. Aber alleine durch ihre Aufregung wird Reena warm. Reena gehört nicht zu den Teenagern, die viele Freunde haben. Ganz im Gegenteil, eigentlich findet sie nie Anschluss. Neue Menschen kennenzulernen fällt ihr wahnsinnig schwer. Deswegen ist es nicht verwunderlich, wie sehr sie sich darüber freut, Teil einer Einheit zu sein. Es ist nicht irgendeine Clique, es ist diese Art von Gruppe, mit der jeder befreundet sein will. Sie hat es geschafft. Der Freitagabend ist dabei das Highlight der Woche. Hier treffen sich die Teenager so gut wie jede Woche. Heute ist es wieder soweit.

Die Clique besteht aus einer ganzen Menge von Jugendlichen, die sich regelmäßig entweder an der örtlichen Schule oder an der Craigflower Brücke treffen. Diese Bande ist eine von jenen, vor der Eltern ihre Kinder warnen, mit denen man auf keinen Fall Ärger haben und am liebsten die Straßenseite wechseln möchte.

Auch Reena hat sich verändert, seitdem sie ein Teil von ihnen ist. Sie ist rebellisch geworden; beginnt Alkohol und Drogen zu konsumieren. Dieses Verhalten ist für ihre konservativen Eltern nur schwer zu ertragen. Ihr Vater ist ein Einwanderer aus Indien, ihre Mutter ist Indokanadisch. Die Familie konvertiert nach der Ankunft in Kanada vom Hinduismus zu den Zeugen Jehovas.

Die Zeugen Jehovas leben nach strengen Regeln. So ist es den Mitgliedern nicht erlaubt, Sex vor der Ehe zu haben, sie lehnen die Behandlung mit Bluttransfusionen komplett ab und feiern keine Geburtstage oder andere christliche Festtage. Auch führen sie ein eher konservatives Leben- alles andere als das, was einem Teenager vorschwebt.

Reena würde dieser Lebensweise gerne trotzen. Sie will leben wie alle anderen Gleichaltrigen es auch tun. Um das zu erreichen, trifft Reena im Jahr 1996 eine folgenschwere Entscheidung. Um ihrer Familie zu entfliehen und sich ein lockereres Leben zu ermöglichen, zeigt Reena ihren Vater aufgrund von sexuellem Missbrauch an. Sie wird in die Obhut des Staates genommen und hofft in eine Pflegestelle zu kommen. Schnell merkt sie jedoch, was sie ihrer Familie angetan hat und lässt die Anzeige wieder fallen. Das Mädchen kehrt wieder nach Hause zurück.

Reena aber möchte der Einsamkeit endlich entkommen und Akzeptanz erfahren, nachdem sie jahrelang ein Opfer von Mobbing gewesen ist. Ständig hatte sie Ablehnung aufgrund ihres Gewichtes oder ihrer Unsicherheit von Gleichaltrigen erfahren. Aus diesen neuen Freundschaften erhofft Reena sich eine Menge.

Es gab aber bereits auch nicht so gute Zeiten. Erst vor kurzem hatte sie noch starke Probleme gehabt. Man hatte ihr vorgeworfen, das Telefonbuch von Nicole Cook geklaut zu haben, um dann Anrufe an Nicoles Freunde zu tätigen und Gerüchte zu verbreiten. Außerdem soll sie sich an den Freund einer Mitschülerin ran gemacht haben. Die Mädchen, die ihr das vorwerfen, gehören auch zu der Gruppe. Aber scheinbar hat sich das Problem mittlerweile gelöst. Oder?

Über all das Geschehene möchte sie heute nicht mehr nachdenken. Heute will sie die Glücksgefühle behalten, die sie bereits nach dem Aufstehen gehabt hat. Reena zählt die Stunden, bis sie sich endlich auf den Weg machen kann. So lange hat sie darauf gewartet endlich Freunde zu finden. Auch wenn es an diesem Tag sehr kalt ist, dann zieht sie sich eben etwas Dickeres an.

Am späten Nachmittag macht sich Reena also auf den Weg in Richtung Shoreline School in View Royal, wo sich die Teenager immer im Feld hinter dem Schulgebäude treffen.

Reenas Zuhause befindet sich in Saanich, in der Provinz British Columbia. Die kanadische Provinz liegt direkt an der Küste des pazifischen Ozeans und glänzt durch seine Natur. Hier gibt es atemberaubende Seen, die blauer und schöner nicht sein könnten. British Columbia bietet Naturkulissen, die wie gemalt aussehen. Saanich ist eine mittelgroße Stadt. Man findet hier alles was man braucht, aber es ist nicht so dörflich, dass jeder jeden kennt. Bekannt ist Saanich für seinen kleinen ruhigen Hafen.

Als Reena aus der Türe heraustritt, atmet sie tief die kalte, winterliche Luft ein. Beim Ausatmen malt sich ihr Atem ab. Das Durchschnaufen tut ihr gut. Es ist eine gute Idee gewesen, die Jacke noch überzuziehen, denkt sich Reena, als sie losmarschiert.

Vorbei geht es an Modegeschäften und an den Supermärkten. Von weitem kann sie den Hafen sehen. Sie beobachtet einige Menschen auf ihrem Weg; sieht Pärchen durch die Straßen schlendern, andere Passanten stehen vor den Schaufenstern.

Die Stunden waren so langsam vergangen, wie immer, wenn man sich auf etwas besonders freut. Ein Glücksgefühl macht sich breit, je näher sie dem Treffpunkt kommt.

Am Feld angekommen, ist kaum richtig Zeit allen ‚hallo' zu sagen, da die Polizei recht schnell eintrifft. Das passiert freitags immer häufiger. Für die Teenager ist das allerdings kein Problem, sie ziehen einfach weiter zur Craigflower Bridge, die nicht allzu entfernt ist.

Unter der Brücke ist man eh etwas windgeschützter. Für Reena zählt sowieso nur, dass sie dabei sein kann. Ob es nun auf einem Feld oder unter einer Brücke ist. Gleich nach der Ankunft wird Alkohol getrunken und Drogen konsumiert. Reena fühlt sich wohl, sie genießt das Zusammensein mit den anderen Teenagern. Genießt es, endlich ihre Freitagabende nicht mehr allein verbringen zu müssen. Endlich kann sie wie jeder andere Jugendliche auch sein. Dieses Gefühl von Freiheit beflügelt sie. Wie mag es wohl im Sommer sein, wenn die Temperaturen auch noch mitspielen. Sie merkt, dass ihr eine gute Zeit bevorsteht.

Nach der Ankunft an dem Plätzchen unter der Brücke, bricht plötzlich Chaos aus. Nicole, das Mädchen, über das Reena die Gerüchte verbreitet haben soll, geht unmittelbar auf sie los. Sie drückt einen Zigarettenstummel an Reenas Stirn aus. Schnell bildet sich eine Menschentraube um sie. Nicht nur Nicole, sondern auch sechs weitere Mädchen und ein Junge greifen sie an.

Damit rechnet Reena nicht. Sie geht zu Boden, liegt jetzt zu den Füßen ihrer Angreifer im Schlamm.

Sie wird immer und immer wieder geschlagen und getreten. Mehrfach auch gegen ihren Kopf. Sie blutet. Sie entschuldigt sich, für das was sie getan haben soll. So viele Teenager stehen um die Gruppe herum und schauen dabei zu, wie Reena von ihren Peinigern gequält wird. Niemand leistet Hilfe, obwohl sie diese offensichtlich benötigt. Die Szene gleicht einem Film, einem ziemlich schlechten Film.

Irgendwann lassen die Teenager von ihr ab, nachdem ein anwesendes Mädchen die Gruppe dazu bewegen kann, mit der Prügelei aufzuhören. Reena kann sich taumelnd auf die Brücke retten. Was um Himmels Willen war da gerade passiert? Sie hatte sich doch so sehr auf den Abend gefreut und nun das. Mit so einer Wendung hat sie nicht gerechnet.

Reenas gesamter Körper schmerzt. Sie hat das Gefühl, sie könne jeden Millimeter spüren. Ihre Muskeln schmerzen, ihre Haut brennt und sie blutet. Sie will einfach nur nach Hause.

Oh Gott, nach Hause. Wie erklärt sie nur ihren Eltern, was passiert ist? Die lassen sie bestimmt nie wieder raus. Reena wird ganz schwer zu mute. Reena kann nicht begreifen, wie die Stimmung so schnell kippen konnte und wie die anderen der Gruppe so brutal vorgehen konnten.

Es ist nur ein kurzer Augenblick, Reena ist noch in Gedanken und taumelt vor sich hin, als sie erneut angegriffen wird. Zwei der Angreifer sind ihr gefolgt. Die 15-jährige Kelly Ellard und der 16-jährige Warren Glowatski gehen wieder auf sie los. Sie zerren sie zu der gegenüberliegenden Straßenseite. Dort zwingen sie das Mädchen, ihre Klamotten auszuziehen. Dann beginnen Warren und Kelly damit, Reena erneut mehrfach zu schlagen.

Auch die Tatsache, dass Reena vor Schmerzen stöhnt und die beiden immer wieder bittet, von ihr abzulassen, hält die beiden nicht ab. Wann hört das alles endlich auf? Immer und immer wieder bittet sie die beiden Teenager, sie in Ruhe zu lassen.

Dann wird ihr Kopf fest gegen einen Baum geschlagen. Reena wird bewusstlos.

Nun wird es ganz still auf der Brücke. So still, dass es fast unheimlich ist. Keine Schmerzenslaute mehr. Kein Flehen. Nur das Rauschen des Wassers und die entfernten Geräusche der anderen Teenager, die durch die Dunkelheit hallen.

Ein Plan muss her. Sie können das regungslose Mädchen nicht hier liegen lassen. Was passiert ist, muss vertuscht werden.

Um Reena los zu werden, werfen Warren und Kelly sie dann in den Gorge Waterway, dessen Temperaturen im November alles andere als mild sind. Damit besiegeln die beiden Reenas Todesurteil. Als wäre nichts weiter passiert, kehren sie zurück zu der restlichen Gruppe, die sich immer noch unter der Brücke befindet. Sie vereinbaren, dass niemand etwas gesehen hat und alle den Mund halten sollen.

Mitgehangen, mitgefangen. Sie setzen den Abend fort.

Reena kehrt an diesem Abend nicht wieder nach Hause zurück. Ihre Eltern machen sich bereits nach kurzer Zeit große Sorgen. Zwar ist ihre Tochter aktuell rebellisch und wenig zuverlässig, aber das sieht ihr nicht ähnlich. Sie wenden sich an die Polizei, die dann umgehend mit der Suche beginnt.

Gerüchte über einen Mord verbreiten sich allerdings rasant und so ist es das Nummer eins Gesprächsthema am Montag in der Shoreline Middle School. Reena war Schülerin der nahegelegenen Colquitz Middle School. Mehrere unbeteiligte Schüler und auch Lehrer erfahren von diesem Gerücht, aber niemand meldet es der Polizei.

Die Polizei durchkämmt in der Zwischenzeit Wälder, sie befragen außerdem Teenager, die sich am Abend an dem besagten Platz aufgehalten haben. Auch der Gorge Waterway wird noch einmal von den Polizeibeamten abgesucht.

Acht Tage nach der Tat, am 22. November 1997, finden Polizeitaucher Reenas halbnackte Leiche und können diese aus dem See bergen.

Umgehend wird ihr Körper in die Gerichtsmedizin gebracht und genau untersucht. Schnell wird klar, dass das junge Mädchen Opfer eines Gewaltverbrechens geworden ist. Unzählige Verletzungen zieren ihren Körper.

Man sieht mehrere Verbrennungen, die durch Zigarettenstummel verursacht wurden. Zudem bemerkt der Gerichtsmediziner, dass man versucht haben muss, Reenas Haare in Brand zu stecken. Überall erkennt man verkohlte Stellen an ihrem Kopf. Außerdem entdeckt der Mediziner Blutergüsse am Kopf und am Bauch des Teenagers.

Der Gerichtsmediziner kommt nach seiner Obduktion zu dem Schluss, dass Reena ertrunken ist. Allerdings hält er fest, dass Reenas Kopfverletzungen so stark gewesen waren, dass sie ohnehin daran verstorben wäre.

Mögliche Täter können aufgrund von Zeugenaussagen schnell ausfindig gemacht werden und so werden im Februar 1998 sechs der Mädchen und Warren angeklagt. Sie müssen sich vor Gericht für ihre Tat verantworten.

Da es sich in diesem Fall um Teenager handelt, soll ihre Identität bewusst geschützt werden. Dies besagt das Jugendstrafjustizgesetz. Die Mädchen sollen rehabilitationsfähig bleiben, da sie zum Tatzeitpunkt so jung gewesen sind. Die Gruppe der Mädels wird von da an die ‚Shoreline Six' (zu Deutsch etwa: „Die Sechs von der Küstenlinie") genannt. Nur die Initialen werden öffentlich gemacht.

Drei der Täterinnen bekennen sich der Körperverletzung schuldig. Kelly und Warren werden, aufgrund der Schwere der Tat, vor ein Erwachsenengericht gestellt.

Neben Warren und Kelly werden noch, Nicole Cook, Missy Grace Pleich, Nicole Patterson, Courtney Keith und Gail Ooms angeklagt. Ein Mädchen der Gruppe begeht einen Selbstmordversuch. Sie ist nicht in der Verfassung, in ein Gefängnis überführt zu werden.

Vor Gericht werden die Lebensumstände der angeklagten Jugendlichen ausgeführt. Alle Teenager könnten unterschiedlicher nicht sein.

Warren stammt aus schwierigen Verhältnissen. Seine Mutter ist alkoholkrank und die meiste Zeit nicht anwesend. Zum Tatzeitpunkt lebt er bei einem Freund. Sein Vater lernt eine Frau in Los Angeles kennen und zieht letzten Endes dorthin. Warren möchte in Saanich bleiben und wohnt von da an in einem Wohnwagen. Er lebt von dem Geld, das ihm sein Vater zukommen lässt. Warren Glowatski wird zu einer lebenslangen Haftstrafe verurteilt. Sein Berufungsersuch wird 2001 zurückgewiesen.

Warren übernimmt während seiner Haft die Verantwortung für seine Tat. Er nimmt an Programmen zur restaurativen Gerechtigkeit teil und unterstützt Programme, die Täter und Opfer von Straftaten gegenüber der indigenen Bevölkerung zusammenführen soll. Er selber erfährt in Haft, dass er Metis ist. Das bedeutet, dass er Teil der indigenen Gesellschaft ist. Bei einem dieser Treffen lernt Warren dann auch Reenas Eltern kennen. Er bereut die Tat und entschuldigt sich bei den Virks. Reenas Eltern können ihm vergeben und zum Ende des Treffens weinen beide Seiten und umarmen sich sogar.

2010 unterstützen die Virks Warrens Bewährungsantrag. Er kann vollständig rehabilitiert werden. Der ehemalige Häftling ist der Beweis, dass Menschen sich ändern können.

Kelly stammt hingegen aus guten Verhältnissen, sie hat ein stabiles familiäres Umfeld, das sie auch während des Prozesses unterstützt. Allerdings wird offenbart, dass die 15-jährige soziopathische Züge zeigt. Eine Jury befindet sie 2000 wegen Mordes zweiten Grades für schuldig. Die Verurteilung wird allerdings vom obersten Gerichtshof Kanadas aus technischen Gründen aufgehoben. 2004 kommt es dann zu einem zweiten Prozess, bei dem Kelly auf ihre Unschuld besteht. Sie beteuert immer wieder, dass sie kein Monster sei. Das führt dazu, dass die Jury festgefahren ist und es erneut zu einem Fehlverfahren kommt. Bei einem dritten Prozess im Jahr 2005 kommt es dann zu einer Verurteilung. Diese Verurteilung wird im Berufungsverfahren beim Obersten Gerichtshof bestätigt und somit rechtsgültig. Kelly Ellard wird zu einer lebenslangen Haftstrafe verurteilt.

Die ersten Jahre hält Kelly an ihrer Unschuldsbekundung fest. Im Gefängnis nimmt sie weiterhin Drogen und verstößt wiederholt gegen die Regeln. Nachdem ihr Freund sie in Haft besucht, wird Kelly Ellard schwanger. Sie ändert ihren Namen in Kerry Sim und bringt das Baby 2016 zur Welt. 2020 wird sie dann erneut, von demselben Partner, schwanger. Mittlerweile ist sie Ende dreißig. Im Rahmen eines Wiedereingliederungsverfahrens erhält sie von da an Bewährung.

Nicole Cook, das Mädchen, über das Reena die Gerüchte verbreitet haben soll, ist zwar nicht direkt an dem Mord beteiligt, dennoch ist sie der Grund, warum die ganze Situation überhaupt eskaliert war. Nicole und Missy Grace Pleich kehren nach dem Mord an den Tatort zurück, um die Klamotten von Reena abzuholen. Im Anschluss daran zwingen die beiden eine jüngere Mitbewohnerin namens Stephanie, die Klamotten in ihrem Schrank zu verstecken. Außerdem nötigen die beiden das Mädchen dazu, Anrufe bei Reenas Eltern zu tätigen.

Nach Jahren der Trauer entscheiden sich die Virks dazu, vielen der Täter und Täterinnen zu vergeben. Sie wollen nach vorne schauen und brauchen die Vergebung, um mit ihrem eigenen Heilungsprozess weitermachen zu können.

Außerdem starten sie eine Anti-Mobbing-Kampagne, die die Öffentlichkeit sensibilisieren soll, gegen Mobbing und Gewalt an Teenagern vorzugehen. Ihnen ist es zu verdanken, dass die Regierung von British Columbia mehrere Anti-Mobbing-Programme in Schulen etabliert. Sie erreichen außerdem, dass Mobbing zu einem Gesprächsthema wird und veranstalten Treffen, an denen tausende Kinder, Lehrer und Angehörige der Strafverfolgungsbehörden teilnehmen. Die Virks werden 2009 wegen ihres Beitrages zur Verbrechensprävention und zur Sicherheit der Gemeinschaft geehrt.

Suman Virk stirbt am 16. Juni 2018 im Alter von 58 Jahren aufgrund eines Erstickungsanfalls während dem Essen in einem Café in Victoria.

Noch heute steht der Fall um Reena Virk für eine Änderung im System. Mobbing wird zu einem großen Thema, gerade in der Gemeinde von Saanish, das die Bevölkerung in Schockstarre versetzt hatte. Mittlerweile gibt es einige Projekte rund um den Fall. So wurden bereits Theaterstücke aufgeführt, Bücher geschrieben und Reportagen über den Mord an Reenas produziert. Denn eines ist klar: Reena Virk darf niemals vergessen werden und jeder Mensch sollte sich bewusstwerden, dass Mobbing Menschenleben zerstört.

»Die Welt ist viel zu gefährlich um darin zu leben - nicht wegen der Menschen, die Böses tun, sondern wegen der Menschen, die daneben stehen und sie gewähren lassen.«

- Albert Einstein (1879-1955),
deutscher Physiker -

KAPITEL 11

Überlebt

(von Chenoa und Saskia / Überdosis Crime)

Die Haustür bricht auf. Ein lauter Knall. Der Besitzer des Farmhauses sieht im Türrahmen die Silhouette eines Mannes mit einem Gewehr stehen. Er weiß nicht, was gerade vor sich geht. Haben seine Ehefrau und er doch eben noch auf der Bettkante gesessen, das Baby geschaukelt und sich bereit für den neuen Tag gemacht. Die Uhr zeigt 6:00. Wären einige Spezialisten und Mediziner nicht zu optimistisch gewesen, was die Genesung ihres Patienten angeht, hätte womöglich Schlimmeres verhindert werden können.

Mit Victors Geburt wirkt das Familienglück perfekt. Er ist das fünfte Kind von Robert und Stella Hoffman. Sieben sollten es später insgesamt noch werden. Doch egal, wie viele Geschwister der kleine Victor noch bekommen hätte, er wäre mit Sicherheit aus der Masse herausgestochen.

Eigentlich sind die Hoffmans eine ganz durchschnittliche Farmerfamilie, die 70km entfernt von Saskatoon in Kanada auf ihrem eigenen Stück Land eine gemischte Landwirtschaft betreibt. Der Anbau von Nutzpflanzen und die Viehzucht ist das täglich Brot von Familie Hoffman.

Bald jedoch sollten Stellas und Roberts Gedanken nicht um ihre Farm, sondern ausschließlich um ihren Sohn kreisen.

Während Victor Hoffman aufwächst, wirkt er wie all die anderen Kinder in seinem Alter. Er ist gesund, schüchtern und kann sich sehr gut mit sich selbst beschäftigen.

Als Victor 6 Jahre alt ist, beginnt für ihn die Schule und schnell findet er auch einen Freund. Ein weiterer sollte nicht mehr dazukommen.

Um diese Zeit herum, so wird er später sagen, sieht der kleine Junge zum ersten Mal „den Teufel". Die Gestalt ist gänzlich schwarz, ungefähr 1,82 m groß und hat einen langen Schweif. Victor hört nun auch vermehrt Klopfgeräusche, nachts, nachdem die Sonne untergegangen ist. Es scheint, als würde das Klopfen immer schneller und lauter werden. Für ihn fühlt es sich so an, als würde er einen Kampf zwischen Gott und dem Teufel höchstpersönlich mitbekommen.

Im Alter von 10 Jahren verspürt Victor tagtäglich das Verlangen zu töten. Immer wenn er einen neuen Menschen kennenlernt, hat er den Gedanken und sogar das Bedürfnis, diesem etwas anzutun.

All das, was in seinem Kopf stattfindet, wenn er ganz allein ist, behält der kleine Junge für sich. Nicht einmal seine Eltern wissen von seinen Gedanken und Fantasien.

Es ist schwer für Eltern in die Psyche ihres Kindes zu schauen, wenn dieses nicht preisgeben will, was in den Gedanken vor sich geht. Und so beginnt Victor nun, seine Impulse vorerst an Tieren auszulassen. Zuerst sind es Katzen, die er fängt und auf jede erdenkliche Weise quält. Später sind es Hunde, Eichhörnchen und so gut wie alle anderen Tiere, die Victor in die Finger bekommt. Mehrere Hundert Eichhörnchen habe er getötet.

Die Tiere reichen Victor nicht. Er attackiert einen kleinen Jungen und zwingt ihn dazu, seinen Eltern nichts zu erzählen.

Seinen eigenen Eltern aber ist Victor eine große Hilfe auf der Farm. Er besitzt die Fähigkeit, Probleme zu lösen, wie keines seiner anderen Geschwister es kann.

Von seinen Eltern unbemerkt bleibt jedoch weiterhin die Tatsache, dass Victors Psyche zunehmend erkrankt.

Eines Tages, als er gerade frühstückt, hört er eine Stimme zu sich sprechen. Der Teufel, er ruft ihn. „Victor, Victor!" Als er das Haus verlässt, sieht er eine nackte, fast 2 Meter große Kreatur vor sich stehen. „Irgendwie ähnelt sie einem Schwein", denkt er sich.

Es sei der Teufel gewesen, der ihm sagte, er könne ihn reich machen, wenn er sich ihm nur füge.

Victor beschreibt, dass der Teufel von ihm verlangt, vor ihm zu knien. Victor tut dies, jedoch nur mit einem Knie. Er denkt nämlich, so würde er wenigstens die Hälfte von dem bekommen, was der Teufel ihm verspricht.

Es war vorauszusehen, dass Victor nicht reich werden würde. Er selbst aber ist der festen Überzeugung, dass dies deshalb so ist, weil er nicht tat, was der Teufel von ihm forderte. Dies ist nur eine von insgesamt 20 Begegnungen, die Victor glaubt, mit dem Teufel gehabt zu haben.

Später sieht er Engel, meistens Frauen, berichtet er. Doch sie sprechen mit ihm, wie der Teufel es tat.

Als Victor die 9. Klasse nicht schafft und sie wiederholen muss, setzt der Schuldirektor ein Gespräch mit seinen Eltern an, in dem er ihnen mitteilt, dass es bis zu diesem Zeitpunkt nie Probleme mit Victor gegeben hätte.

Den Ärger, den er in der Schule nicht macht, hebt er sich für seine Freizeit auf. Schon als Junge ist er besessen von Waffen. Als er 15 Jahre alt ist, bricht er in ein Geschäft ein und stiehlt Schusswaffen. Kurz darauf, so beschreibt er, hört er das Klopfen deutlicher und lauter. Wie Morsezeichen aus einer übernatürlichen Dimension.

Als er ein Jahr später, im Alter von 17 Jahren, genau denselben Laden erneut ausraubt, wird er dabei erwischt, landet für 24 Stunden hinter schwedischen Gardinen und bekommt zusätzlich eine 2-jährige Bewährungsstrafe.

In seinen 20ern wird alles noch schlimmer. Er fällt regelmäßig in Ohnmacht und bekommt Wutausbrüche.

Den Teufel sieht er nun noch öfter. Er will ihn überreden, ihm seine Seele zu verkaufen. Wenn er dies nicht täte, würde er Millionen Mal den Prozess des Sterbens durchmachen müssen.

An einem Punkt, so sagt Hoffman, hätte ihm Gott angeboten, den Teufel zu töten. Wenn er dies täte, würde er in den Himmel aufgenommen werden.

Victor versucht mehrere Male den Teufel zu töten, ob mit einem Messer oder einer Schusswaffe.

Die Kontrolle über sein Leben und seine Gefühlswelt hat Victor zu diesem Zeitpunkt bereits gänzlich verloren.

Als Victor 21 Jahre alt ist, beginnt auch seine Familie zu merken, dass mit der Psyche ihres Sohnes etwas nicht stimmt.

Im ersten Moment ist Victor ruhig und bedacht, im nächsten aggressiv und in Rage, dann lacht er laut drauf los und wird kurz darauf wieder sehr ruhig.

Es ist der 27. Mai 1967 und ein gewöhnlicher Samstag auf der Farm der Hoffmans, jedenfalls scheint es vorerst so. Stella Hoffman ist ganz still und horcht. „Sind das Schüsse?", fragt sie sich. Als sie nachschauen geht, sieht sie, wie ihr Sohn Victor auf einem der Felder steht und mit einer Waffe wild um sich schießt. Sie läuft ihm entgegen, schreiend, er solle die Waffe weglegen. Er habe den Teufel erschossen, sagt Victor ihr.

Stella schafft es, ihm die Waffe aus den Händen zu manövrieren und sie in ihre Obhut zu nehmen.

Als Victor kurz darauf das Grundstück der Familie verlässt und mit dem Auto fortfährt, sammeln seine Eltern im Haus alle möglichen Waffen zusammen und verstecken sie.

Doch Victor, der nach einigen Stunden wieder zuhause ist, gefällt das gar nicht. Er betont vehement, dass niemand verletzt werden würde, wenn sie sie ihm wiedergeben würden.

Stella und ihr Ehemann beordern den zuständigen Pastor, bei ihnen vorbeizuschauen und sich mit Victor über seine Gedanken und Gefühle zu unterhalten.

Stella versucht zu lauschen, was ihr Sohn dem Pastor erzählen würde, kann es aber nicht genau verstehen. Als der Pastor gerade dabei ist, das Gespräch mit Victor zu beenden und zu gehen, hört sie ihren Sohn zu ihm sagen: „Ich würde gern Mutter töten."

Nun endlich versteht seine Familie die vollen Ausmaße seiner Krankheit. Sie kümmern sich umgehend um einen Therapieplatz in einem psychiatrischen Krankenhaus.

In North Battleford wird Victor als schizoid eingestuft, was unter anderem bedeutet, dass er in zwischenmenschlichen Beziehungen einen eingeschränkten Gefühlsausdruck zeigt, wodurch oft eine Gleichgültigkeit resultiert.

In den Ausmaßen, die die Krankheit bei Victor schon annimmt, bedarf es einer stationären Betreuung in der geschlossenen Psychiatrie. Bei der Einweisung geht es vorerst zwar nur um die psychischen Beeinträchtigungen, nebenbefundlich sind es aber Bauchkrämpfe und Verbrennungen, an denen Victor leidet. Diese physischen Belastungen, wie die Verbrennungen, kommen am ehesten von den aggressiven, auf der Farm benutzten Chemikalien. Während der Untersuchungen zeigt sich Victor überraschend kooperativ, weist aber im Verlauf der Behandlung zunehmend zurückgezogene, apathische und gleichgültige Verhaltensweisen auf.

Auf Fragen gibt Victor nur kurze Antworten. Er erzählt den Spezialisten von seinen Interaktionen mit dem Teufel und der Kreatur mit dem Schweinekopf. Auch sagt er, dass er mit seinen Geschwistern nicht sonderlich gut klar komme. Sie hätten gelacht, als er von seinen Begegnungen mit dem Teufel erzählt habe.

Er würde sich gerade fragen, ob er ein Junge oder ein Mädchen sei, denn „der Teufel hätte sein Gehirn mit dem eines Mädchens namens Denise vertauscht." Es würde sich anfühlen, als ob Denise seinen Körper stehlen würde.

Der Psychiater stuft seine Erfahrungen als Halluzinationen ein. Victor verneint dies, denn die Begegnungen wären so realistisch und echt gewesen, dass sie es auch wirklich sein müssten.

Dem Mediziner fällt ebenfalls auf, dass Victors Klinikalltag durch Sex gezeichnet ist. Er masturbiert tagtäglich. Obwohl er schwach ist, ist er nicht in der Lage, in der Nacht ein Auge zuzumachen.

Der Experte stellt die Diagnose chronischer Schizophrenie, die sich in unkontrollierten Symptomen und einem sozialen Handicap äußern. Der klassische Therapieplan der 1960er besteht aus Antipsychotika, Gesprächstherapie und einer Abfolge von 12 Elektroschock-Sessions. Nach der zweiten Anwendung soll er schon bemerkbare Veränderungen gezeigt haben. Er sei weniger zurückhaltend und präsenter. Die Wahnvorstellungen bleiben aber nicht aus. Nach der fünften Session wird es wohl erneut besser, jedoch ist er nun davon überzeugt, Superkräfte zu haben. Nach der neunten Elektroschock-Therapie habe sich, psychologisch gesehen, weiter nichts geändert.

Victors Vater Robert ist der Meinung, Victor wäre psychisch wieder auf dem Standard wie früher. Mit „früher" ist womöglich die Zeit gemeint, in der der junge Victor bereits beeinträchtigt war, seine Eltern es aber noch nicht herausgefunden haben.

Zum Schluss nach der zwölften und letzten Elektroschock-Therapie leugnet Victor die Geschichten über den Teufel und die Engel, sehen würde er den Teufel aber hin und wieder schon noch. Victor merkt an, dass, wenn er wieder entlassen werden würde, er den Teufel wieder versuchen wolle zu bekämpfen.

Ein paar Tage später, wieder ein Stimmungswandel. Nun sagt er, seine Begegnungen waren nicht echt gewesen, dabei bestand er doch immer vehement darauf, dass dies keine Halluzinationen gewesen seien. Obwohl er immer wieder betont, frei vom Teufel und von Halluzinationen zu sein, denkt Victor noch oft ans Töten. Jedoch nicht den Teufel, die Kreatur oder die Engel, sondern seine Eltern, Geschwister und Freunde.

Später erzählt er den Psychiatern, dass weder seine Freunde noch seine Familie ihn verärgert hatten und er gar keinen Grund dazu habe, er wolle es aber dennoch tun. Er ist nun einen Monat stationär im psychiatrischen Krankenhaus, als der Psychiater mit seinem Vater telefoniert und ihm prognostiziert, dass Victors mentale Gesundheit schon in einem Jahr wieder zur Normalität zurückkehren könnte.

An diesem Tag darf Victor aber erstmal wieder nach Hause. Seine Schizophrenie sei wohl „nicht mehr so schlimm." Also bewaffnet der Psychiater Victors Vater mit allerlei Antipsychotika und entlässt den jungen Mann am 26. Juli 1967 aus dem Krankenhaus in North Battleford.

Die erste Zeit wieder zuhause schläft Victor untypisch viel. Seine Eltern aber sehen das als gutes Zeichen, so würde er ausreichend Ruhe bekommen und könnte seine mentale Krankheit besser handhaben.

Aber Victor geht es ganz und gar nicht gut. In ihm brodelt langsam, aber sicher ein Sturm vor sich hin. Er sagt, er habe Visionen, bei denen er schon weit im Voraus sehe, was passieren würde. In seinen Träumen, wenn er schläft, oder auch in seinen Tagträumen, denkt er nun häufiger daran, Menschen zu töten.

Zwei Wochen, nachdem er wieder zuhause eingezogen ist, am 08. August 1967, stoppt Victor heimlich und aus eigenem Willen die Einnahme seiner vom Krankenhaus verschriebenen Medikation.

Die ersten beiden Tage, so sagt er, fühlt er sich sehr gut. Bereits am dritten Tag beginnt er aber wieder, in seine alten Verhaltensmuster zu fallen. Er weiß, es ist kein langer Weg mehr, bis er wieder in der geschlossenen Psychiatrie oder gar im Gefängnis landet. Er sagt, er würde lieber sterben, als nochmal zurück ins psychiatrische Krankenhaus zu gehen. Hauptsächlich aufgrund der Elektroschocktherapie. Die ersten Sitzungen hatte er aufgrund seines mentalen Zustandes nicht wirklich mitbekommen, aber nachdem es ihm immer besser erging und er stabiler war, waren die Prozeduren für ihn nicht auszuhalten.

Jeden Tag nach der Elektroschocktherapie fantasierte Victor darüber, zu töten.

Am 12. August 1967 kommt Victor der Gedanke, dass, jemandem etwas anzutun, dem Teufel seine Fähigkeiten unter Beweis stellen würde.

Nun ist es zwei Tage später, der 14. August 1967 und Victor kann wieder mal nicht schlafen, ist unruhig und wälzt sich nur im Bett herum. Er steht auf und macht sich auf den Weg zur Garage, wo er einen Hund erblickt. Sein erster Gedanke ist, den Hund zu töten, doch er tut es nicht.

Über eine Stunde hält er sich dort auf, bis er einen starken Schmerz in der rechten Hirnhälfte spürt. Es fühlt sich an, als würde sein Körper gerade in der Mitte durchgeschnitten werden. Dieser Schmerz löst einen starken Impuls aus. Für den 21-jährigen steht fest – heute wird jemand durch seine Hand sterben.

Victor tankt sein Auto, lädt sein Gewehr und fährt davon. Die hellen Rückleuchten des Autos verschwinden in der Dunkelheit der Nacht.

40 km nordwestlich seines Heimatdorfes liegt die Gemeinde Shell Lake. Das ist ein sehr kleines Örtchen mit etwas über 250 Wohngebäuden, einem Hotel, einem kleinen Café und einem Pub. Durchzogen wird der Ort von einer schmalen, unbefestigten und eher dreckigen Straße.

Familie Peterson aber nennt diesen Ort einfach nur ihr „Zuhause". Der 47 Jahre alte Familienvater James Peterson und seine 42-jährige Ehefrau Evelyn Peterson sind sehr gläubige Menschen, die sonntags immer die Kirche besuchen. Sie leben mit ihren neun Kindern, die im Alter zwischen 9 und 18 Jahren sind, in einem Farmhaus, welches mit fünf Zimmern ausgestattet ist. Die älteste Tochter, Cathy, wohnt nicht mehr zuhause bei ihren Eltern. Sie hat vor Kurzem geheiratet und lebt nun mit ihrem Ehemann zusammen in British Columbia. Die Petersons besitzen ca. 195 Hektar Land und Vater James arbeitet hart, um die Familie zu versorgen.

Am Morgen des 15. August 1967 ist die Familie schon früh wach und macht sich bereit für den Tag, als Victor mit seinem Gewehr auf dem Beifahrersitz die Straße entlang fährt. Mit jedem Haus, an dem Victor Hoffman vorbeifährt, wächst seine Lust, jemanden zu töten.

Der junge Mann sieht ein Haus an der Seite der Straße, von dem er denkt, dass er es vorher schon in einer seiner Visionen gesehen hat. Er ist sich sicher, dass dies ein Zeichen ist. Also fährt Victor die Auffahrt der Farm entlang.

Es ist 6:00 Uhr am Morgen. Im Haus sitzen James und Evelyn auf der Bettkante und machen sich fertig für den neuen Tag, als sie draußen vor ihrem Haus eine Autotür zuschlagen hören.

Überrascht vom frühen Besucher ruft James: „Wer ist da?", doch als Antwort bekommt er nur das laute Aufbrechen der Haustür. Familienvater James eilt die Treppen hinunter, um nachzuschauen, was dort unten vor sich geht.

Im Türrahmen steht der 21-jährige Victor Hoffman, der sich soeben ohne weitere Mühe Zutritt zum Haus verschafft hat; in seiner Hand sein Kaliber .22 Gewehr. Seine Familie vor der Gefahr, die gerade in sein Haus eindringt, schützen wollend, rennt James Peterson auf Victor zu. Vier Schüsse. Alle treffen in James' Bauch. Als dieser zu Boden geht und bewegungslos dort liegt, steigt Victor über ihn herüber. Victor hört Schreie aus jedem Raum des Hauses kommen.

Im Wohnzimmer liegt die 11-jährige Dorothy. Als Victor auf sie zukommt, schließt sie die Augen. Das kleine Mädchen hat Angst. Er zielt auf ihr Gesicht und betätigt den Abzug.

In einem der Räume befinden sich sechs der Peterson Kinder. Mary, Pearl, Jean, William und Collin werden in einem Kugelhagel erschossen. Victor wird später sagen, dass eines der Kinder schrie: „Bitte töte mich nicht, ich will nicht sterben." Für ihn, so sagt er später, sahen alle Bewohner des Hauses nicht aus wie Menschen; sie hatten den Kopf eines Schweines.

Die Wände sind in Blut getränkt. Die 4-jährige Phyllis, die sich ebenfalls im Zimmer befindet, sich aber versteckt, sieht der Mörder nicht.

Evelyn ist im Schlafzimmer und hält noch, völlig verängstigt, den Säugling im Arm während unten ihr Mann auf dem Boden liegt und stirbt. Evelyn versucht mit ihrem Baby zusammen aus dem Fenster zu fliehen. Sie hatte es gerade geschafft aus dem Fenster zu steigen, als Victor sie hört und auf sie schießt. Sie stürzt, noch mit dem Baby im Arm, vom Fenster aus zu Boden.

Als Victor wieder ins Haus zurückgeht und noch einmal in das Kinderzimmer schaut, findet er die kleine Phyllis, wie sie zwischen den Leichen ihrer beiden Schwestern kauert. Doch sie lässt er am Leben, denn dieses Mädchen unterscheidet sich von den anderen Kindern, denkt Victor. Phyllis habe das Gesicht eines Engels. Der Mörder hört nun das Schreien eines Babys. Er sieht Baby Larry in den Armen seiner toten Mutter. Victor fragt sich, was nun mit dem Säugling passieren würde, wenn er keine Familie mehr habe. Also entscheidet er sich dazu, obwohl er sich in diesem Moment selbst für diese Entscheidung verachtet, auch das kleine Kind zu töten und schießt auf den kleinen Körper.

Für Victor war das ganze Szenario eben gerade wie ein Deja Vu. Er hatte all dies schon mal in einem Traum erlebt. Langsam beginnt die Panik bei dem 21-jährigen einzusetzen. Er sucht die Patronenhülsen seines Gewehrs zusammen und stiehlt sieben Dollar aus den Portemonnaies der Familie.

Victor steigt wieder in sein Auto und tritt die Fahrt nach Hause an. Was er hinterlässt, sollte bis heute der tragischste Massenmord Saskatchewans bleiben.

Auf dem Heimweg überkommt Victor der Gedanke, sich nun auch selbst das Leben zu nehmen. Als er aber um 7:30 Uhr heile zuhause ankommt, konfrontiert ihn sein Vater mit der Frage, wo er herkomme.

Victors Gefühle spielen verrückt. Wieso fühlt er sich jetzt so schlecht, wenn es sich doch eben alles richtig angefühlt hat?

Zur gleichen Zeit in Shell Lake ist gerade ein Nachbar auf dem Weg zum Haus der Petersons. Mr. Lang wartet draußen vor dem Haus auf James, mit dem er sich eigentlich verabredet hat.

Um etwa 9:00 Uhr entscheidet sich Mr. Lang nachzuschauen, da ihn die unübliche Stille im Haus stutzig macht. Direkt am Eingang findet der Nachbar die Leiche von James Peterson vor. Weiter muss er ins Haus der Familie nicht eintreten, um zu wissen, dass hier etwas Schreckliches passiert ist. Er fährt zu einem nahegelegenen Münztelefon und setzt einen Notruf ab.

Mr. Richards ist Officer der RCMP (Royal Canadian Mounted Police) und ist einer der Ersten am Tatort. Als er das Haus betritt und die Leichen der Familienmitglieder sieht, ist er sichtlich überrascht, dass die kleine Phyllis, die noch immer zwischen ihren beiden Schwestern liegt, unverletzt und vor allem am Leben ist.

Im Schlafzimmer findet er den 5-jährigen William, die 13-jährige Mary und den erst 2 Jahre alten Collin auf der Matratze vor. Jean und Pearl sind ebenfalls tot, doch zwischen ihnen kauert die 4-jährige Phyllis unverletzt, aber unter Schock. Der Officer der Royal Canadian Mounted Police nimmt die Kleine hoch und bringt sie vorerst zum Haus des Nachbarn, damit sie sicher ist und sich nicht weiter an dem Tatort aufhalten muss, bei dem sie als einzige Überlebende hervorgeht.

Wieder in Shell Lake angekommen, fordert der Officer Verstärkung an und kehrt dann wieder zum Haus der Petersons zurück.

An der Rückseite des Farmhauses, unter einem offenen Fenster liegend, findet er die Leichen von Evelyn Peterson und Baby Larry vor. Die Körper aller Opfer weisen Brandmarken auf. Brandmarken von Brandgasen, die eine Feuerwaffe verursacht. Diese sogenannten „powder burns" (zu Deutsch: „Pulver-Verbrennungen") entstehen nur, wenn sich das Opfer nah am Abschuss der Waffe befindet. Stünde die angeschossene Person weiter vom Lauf der Waffe weg, würden diese Gase schnell verfliegen und keine Brandmarken verursachen.

Familie Peterson hat keine Feinde. Eltern Evelyn und James arbeiten immer hart, um ihren Kindern ein sorgenfreies Leben zu ermöglichen.

Vor einer geringen Anzahl von Hinweisen steht die Polizei nun, aber diese gilt es, so schnell wie möglich miteinander zu verknüpfen. Zum einen sind dort die unverwechselbaren, blutigen Fußabdrücke auf dem Linoleum. Der Täter trug Schuhe, die von der Unterseite eine sehr spezifische Prägung aufwiesen. Dies war zum einen ein Diamant auf der Sohle und am Hacken eine V-förmige Abbildung.

Zum anderen finden die Ermittler noch 22 Patronenhülsen. Der Täter hat diese möglicherweise im Zeitdruck übersehen.

Derweil berichten die Medien über den Vorfall im Peterson Haus, was die Bewohner von Shell Lake und der näheren Umgebung in Panik versetzt. Schließlich ist der Mörder noch auf freiem Fuß und noch gänzlich unbekannt. Die eigene Familie könnte die nächste sein, die ausgelöscht wird.

Die besorgten Bewohner Shell Lakes schlafen ab diesem Zeitpunkt nur noch mit brennendem Licht und ihren Waffen neben den Betten, falls der Mörder eines Nachts wieder das Bedürfnis verspüren sollte, zu töten. In den Medien wird die Nacht der Tat als „Night of Fear" (zu Deutsch: „Nacht der Angst") bekannt.

Die RCMP steht unter einem enormen Druck. Sie wollen keine Zeit verlieren und so schnell es geht, mit den Ermittlungen beginnen, damit die Bevölkerung endlich wieder aufatmen kann. Die Polizei lässt Straßensperrungen errichten und sucht mit 75 Polizeihunden den Bereich um das Haus der Petersons ab. Sie bitten alle umliegenden Familien, ihnen auffällige Dinge oder Situationen umgehend zu melden. Die Schuhabdrücke vom Tatort werden für forensische Untersuchungen nach Regina geschickt. Nach Überprüfung der Patronenhülsen stellt sich heraus, dass diese zu drei verschiedenen Waffenmodellen passen würden. Da außer der kleinen Phyllis keiner der Familienmitglieder entkommen konnte, wird zunächst angenommen, es hätte mehrere Schützen gegeben. Keine Feinde, keine Anzeichen für einen Raub oder für einen sexuellen Übergriff lassen darauf schließen, dass der Täter jemand aus der Gegend sein muss, der in der Tatnacht herumfuhr und sich willkürlich ein Haus herauspickte.

Zwei Tage später, am 17. August 1967, betritt ein Farmer das Shellbrooke RCMP mit den Worten: „Der Sohn meines Nachbarn kam vor Kurzem erst aus der Psychiatrie, mag Waffen und ist ein guter Jäger." Er gibt den Ermittlern einen Namen: Victor Ernest Hoffman.

Die Ermittler der RCMP machen sich schleunigst auf den Weg zum Anwesen der Hoffmans, um ihren einzigen Verdächtigen zur Tatnacht zu befragen.

Schon als sie zum Hauseingang des Farmhauses schreiten, der erste Hinweis. Die Schuhe, die vor der Tür stehen, sehen identisch zu denen aus, die der Täter getragen haben muss. Die RCMP beschlagnahmt diese sofort und schickt sie zum Abgleich mit den Fußabdrücken vom Tatort ein.

Als Victors Vater den Ermittlern die Tür öffnet, möchten sie von ihm wissen, ob die Familie in Besitz einer Kaliber .22-Waffe wäre. Robert Hoffman bejaht diese Frage. Und so wird auch die Waffe in die Obhut der RCMP genommen, um die Patronenhülsen mit denen vom Tatort zu vergleichen.

Es dauert keine 24 Stunden, bis die Ermittler die Nachricht erhalten, dass sowohl die Schuhe als auch die Patronenhülsen mit denen aus der Tatnacht übereinstimmen. An den Schuhen befindet sich zur Zeit der Beschlagnahmung ebenfalls Blut, welches einen Zweifel an der Täterschaft Victors gänzlich ausschließt.

Er war es gewesen, der die 9-köpfige Familie am Morgen des 15. August 1967 attackiert und auslöscht. Auf dem Grundstück der Hoffmans werden zudem zwei leere Geldbörsen gefunden. Beide gehören Familie Peterson.

Am 19. August 1967, vier Tage nach dem Massaker, wird Victor Hoffman festgenommen und zum Verhör aufs Revier der RCMP gebracht, wo er nach gerade einmal 15 Minuten jeden einzelnen Mord gesteht.

Er bereue es, das Haus nicht niedergebrannt zu haben. So wären vielleicht die Patronenhülsen nicht gefunden und er nicht überführt worden.

Der Ermittler fragt Victor, ob er schon einmal das Bedürfnis hatte, so eine Tat zu begehen. „Nein, als ich ein paar Minuten da war, kam es mir einfach in den Sinn. Glauben Sie, ich hätte die Gedanken loswerden können? Nein, ich habe es dann einfach gemacht“, so Victor.

Als er gefragt wird, ob er noch etwas dazu sagen möchte, entgegnet er mit den Worten: „Nein, nur dass ich krank im Kopf bin. Ich kann nie wieder jemanden töten, da bin ich mir sicher."

Victor wird noch am selben Tag verhaftet.

Bei der Beerdigung der neun Opfer der Peterson-Familie kommen über 500 Menschen aus Shell Lake und Umgebung zusammen, als die Opfer in einem Massengrab beigesetzt wird. Die einzigen beiden Familienmitglieder, die diese Attacke überleben, sind die 19-jährige Cathy, die mit ihrem Ehemann in British Columbia lebt, und die 4-jährige Phyllis, die verschont blieb, weil sie „ein engelsgleiches Gesicht“ hat. Zuerst kommt die kleine Phyllis in ein Kinderheim, denn nun ist sie ein Waisenkind. Später aber holen Cathy und ihr Ehemann sie zu sich und ziehen sie gemeinsam groß.

Trotz des schlimmen Ereignisses kann das kleine Örtchen Shell Lake und deren Bewohner nun aufatmen. Der Täter wurde gefasst und wird nie wieder einem Menschen etwas antun können.

Am 21. August 1967, zwei Wochen nach dem Massaker, wird Victor in die Obhut des University Psychiatric Hospital in Saskatoon übergeben, um ein Gutachten über seinen mentalen Zustand zu erstellen. Zwei Tage dauert die Untersuchung im psychiatrischen Krankenhaus.

Victor gibt dem ermordeten James Peterson eine Mitschuld: „Wenn er ruhig geblieben wäre und mir erklärt hätte, dass ich falsch liege, wäre alles okay gewesen. Er hätte mir helfen können und ich hätte ihn nicht getötet, aber er hat versucht, mich aufzuhalten." Victor hätte etwas Angst gehabt, als er James erschoss, leid hätte es ihm aber nicht getan.

Auch die Psychiatrie in North Battleford beschuldigt er. Sie hätten ihn nicht schon nach 3 Wochen entlassen dürfen. „Hätte ich jemanden zum Reden gehabt, hätte ich keinen Mord begangen. Als ich die Psychiatrie verließ, wusste ich, dass ich jemanden umbringen würde. Ich werde wohl nie wieder die Außenwelt sehen können. Ich weiß nicht, wie das alles angefangen hat. Ich weiß nicht, wie ich begonnen habe. Mein Kopf war leer. Da war nur: „Töte, töte, töte!"

Dann ist es der Teufel, der mit verantwortlich für die Tat sei. Die Kreatur in seinem Kopf hätte ihn getäuscht und er konnte keine rationale Erklärung finden, warum der Teufel gerade ihn auswählte. Victor wünscht sich jetzt zu sterben.

Ihm wird erneut eine Schizophrenie diagnostiziert. Trotz dessen bleibt der Termin für seinen Gerichtsprozess bestehen. Victor wird nach der Untersuchung zurück ins Prince Albert Gefängis gebracht.

Das Gericht stellt Victor Hoffman für seinen Prozess einen Pflichtverteidiger. Dieser hat 18 Jahre Erfahrung auf dem Gebiet des

Strafrechtes, jedoch wenig mit psychischen Erkrankungen, weshalb er sich viel dazu anliest und die Einsicht in Victors Krankenakte beantragt.

Es wird bestätigt, dass Victor zum Zeitpunkt der Tat unter einer extremen psychischen Erkrankung litt.

Victors Anwalt plant, mehrere qualifizierte Ärzte hinzuzuziehen, die sich mit dem Krankheitsbild der Schizophrenie auskennen. Und diese findet er. Victors Anwalt wird auf einen Arzt namens

Dr. Abraham Hoffer aufmerksam, der ganz vorn in der Forschung von Schizophrenie mit dabei ist. Zudem ist Hoffer auch Mitbegründer des sogenannten „Hoffer-Osman-Diagnostic-Test". Hier werden verschiedene Fragen dazu genutzt, um die Ebene der Schizophrenie der Patienten zu differenzieren. Der Durchschnittliche Wert bei einem Menschen mit dieser Krankheit liegt bei 65. Als Dr. Hoffer Victor für seinen Prozess testet, ist bei ihm der Score von 99 auffällig.

Während den Untersuchungen erzählt Victor Dr. Hoffer, er fühle sich nicht schuldig. Er tat nur das, was der Teufel von ihm verlangte. Und Gott wäre auch nicht böse auf ihn. Mehr Reue würde er für den Waffendiebstahl in seiner Jugend verspüren, als für das Auslöschen der Peterson-Familie. Für Dr. Hoffer ist Victor ein ganz besonderer Fall. In seiner Karriere als Arzt war ihm bisher noch kein Patient untergekommen, der so viele unterschiedliche Wahrnehmungen seiner Umgebung hat wie Victor.

Es ist der Tag von Victors Verhandlung.

Dr. Hoffer wird in den Zeugenstand gerufen, um eine Einschätzung von Victors Krankheit zu geben. Wichtig dabei ist, der Jury eine Vorstellung davon zu vermitteln, wie es im Kopf eines an paranoider Schizophrenie erkrankten Menschen aussieht. „Victor tat das, was er tun musste, in Anbetracht der Wahnvorstellungen, unter denen er zu diesem Zeitpunkt litt. Er hatte ein Bewusstsein für sein Handeln und fühlte sich berufen."

Andere hinzugezogene Personen und Experten sind sich einig, dass Victor nicht vollkommen hinter seiner Tat stand. Er hätte zu diesem Zeitpunkt nicht gewusst, ob es falsch ist, was er tut. Auf diesen Gedanken sei er nicht gekommen. Es sei unbestreitbar, dass Victor eine Familie erschossen habe, aber die Suche nach einem Motiv sei vergeblich.

Victor sei bis drei Wochen vor der Tat noch in psychiatrischer Behandlung gewesen und galt zu diesem Zeitpunkt als geistig gesund.

Im kanadischen Strafgesetzbuch steht geschrieben, dass niemand für eine Tat verantwortlich gemacht werden kann, wenn er geistig erkrankt ist. Dass Victor die Tat begangen hat, steht außer Frage. Nur das Strafmaß muss noch bestimmt werden, und auch dafür ruft die Verteidigung eine Vielzahl von Experten und Expertinnen in den Zeugenstand.

Nach dreieinhalb Stunden der Beratung befindet ihn die Jury für den Mord an der Peterson-Familie für nicht schuldig.

Victor zeigt keine Emotionen, als entschieden wird, dass er jedoch trotzdem in eine psychiatrische Einrichtung kommen soll. Nur wenig später wird Victor in das Penetanguishene Mental Health Center in Simcoe County, Ontario eingeliefert, wo er nun für die nächsten drei Jahre bleiben wird.

1992 führt der Buchautor Peter Tadman ein Interview mit ihm, in dem Victor ihm erzählt, dass er noch immer von seiner Nemesis, dem Teufel, gejagt und verfolgt werden würde.

Am 21. Mai 2004 verstirbt Victor Earnest Hoffman im Alter von 56 Jahren an den Folgen einer Krebserkrankung.

Die einzige Hinterbliebene, die in der "Night of Fear" anwesend war, ist Phyllis Peterson. In einem Interview in den 90er-Jahren gibt sie später preis, dass die Zeit nach der Tat für sie eine leere und einsame Zeit war. Sie vermisst ihre Familie schmerzlich. Erinnern kann sie sich an die Tat selbst nicht mehr. „Es gibt wirklich wenig, woran ich mich erinnere. Ich weiß noch, dass dort überall Polizisten waren, aber als Kind habe ich nicht verstanden, was genau vor sich ging", so Phyllis.

Cathy und ihr Ehemann ziehen zusammen mit Phyllis wieder zurück nach Shell Lake, um den Bekannten nahe zu sein.

"Ich musste mich entscheiden. Würde ich mein Leben leben oder Victor „gewinnen" lassen. Er hat das Leben meiner Familie genommen. Ich lasse ihn nicht auch noch meines nehmen", so Phyllis über die Macht, die Victor auch noch in der Anstalt über sie hatte.

...Heute ist Phyllis 54 Jahre alt und lebt mit ihrem Ehemann und ihrem Sohn immer noch in dem kleinen Örtchen, in dem 1967 ihre gesamte Familie ermordet wurde.

»Welchen Weg mußte nicht die Menschheit machen, bis sie dahin gelangte, auch gegen Schuldige gelind, gegen Verbrecher schonend, gegen Unmenschliche menschlich zu sein! Gewiß waren es Männer göttlicher Natur, die dies zuerst lehrten.«

- Johann Wolfgang von Goethe (1749-1832),
deutscher Dichter -

KAPITEL 12

Ein Messer und Knoblauch

Hinter dem flatternden, gelb-schwarzen Absperrband der Polizei liegen zahlreiche, farbenprächtige Blumenbuketts. Gebunden aus rosafarbenen Gerbera, gelben Lilien und orangen Chrysanthemen ruhen sie neben schlichten Sträußen aus weißen Rosen. Die meisten Gebinde sind noch in Cellophan gewickelt. Sanft fallen Schneeflocken vom Himmel auf die Sträuße herab und bedecken allmählich die bunten Pflanzen. Hier und da ragen durch Folie geschützte Briefe und Bilder zwischen den Sträußen hervor. Mitten in dem Blumenmeer sitzt neben zahlreichen Teddybärchen ein Stoffhund. Der nasse Schnee hat das Fell der Kuscheltiere schon ganz durchweicht. Unvereinbar erscheint dem Betrachter das rosafarbene Paar Ballettschuhe und seine Aufschrift- mit schwarzem Filzstift hat jemand „R.I.P." (zu Deutsch: „Ruhe in Frieden") darauf geschrieben. Hier am Seitenstreifen einer Straße im Ortsteil Brentwood, gelegen im nordwestlichen Quadranten der Stadt Calgary, scheint die Zeit still zu stehen. Immer wieder treten Bürger an die Gedenkstelle und halten inne. Die Trauernden umarmen und trösten sich gegenseitig, während Tränen über ihre kältegeröteten Wangen laufen. Der ein oder andere Besucher hingegen kann nur ungläubig mit dem Kopf schütteln. Die Fassungslosigkeit scheint den Menschen in ihr Gesicht gemeißelt zu sein. Nur wenige Meter vom Ort des Seelenschmerzes entfernt, haben sich zahlreiche, ernst dreinblickende Einsatzkräfte positioniert. Sie beobachten die Menschen genau, die an das Blumenmeer treten. Hin und wieder bitten die Polizisten höflich Einzelne der versammelten Bürger, sie zu einem ihrer Streifenfahrzeuge zu begleiten. Die Beamten sind auf der Suche nach Zeugen, die ihnen mit ihren Beobachtungen vielleicht helfen können, das grausame und bis dahin einmalige Ereignis in der kanadischen Kriminalgeschichte zu rekonstruieren.

Matthew De Grood ist ein ruhiger und höflicher Teenager. Zwar hat er in seiner Jugend Drogen konsumiert- doch das hat nie strafrechtliche Konsequenzen für ihn nach sich gezogen. Als er sein Studium an der Unversität Calgary beginnt, findet er schnell Anschluss bei seinen Kommilitonen, die den jungen Mann sehr schätzen. Matthew ist ein fleißiger Student. Doch schlagartig ändert sich das Verhalten des einst zuvorkommenden De Grood. Matthew beginnt, verstörende und immer verrückter werdende Beiträge in sozialen Netzwerken zu posten. Freunden und seiner Schwester, die mit ihm auf diesen Plattformen vernetzt sind, bleiben die seltsamen Posts von De Grood nicht verborgen. Aber auch der Inhalt der Textnachrichten, die der dunkelhaarige Mann über sein Handy an seine Kontakte verschickt, werden von Mal zu Mal bedrohlicher. Die Mutter des 22-jährigen nimmt all ihren Mut zusammen und spricht ihren Sohn auf die verstörenden Textnachrichten an. Sie probiert Matthew zu erklären, dass ihr die Formulierungen der Nachrichten und seine unberechenbaren Wutausbrüche Angst machen. Doch die Frau dringt nicht zu ihrem Kind durch. Auch der Vater des Studenten beginnt, sich Sorgen um seinen Zögling zu machen. Vielleicht nimmt er wieder Drogen? Es muss doch einen Grund geben, warum sich sein ruhiger und empathischer Junge allmählich in einen paranoiden und distanzierten Fremden verwandelt. Die verzweifelten Eltern bitten De Groods Großvater, seinen Enkel auf dessen Wesensveränderung anzusprechen. Der alte Mann ist eigentlich der engste Vertraute von Matthew- doch auch er dringt nicht zu dem Jungen durch.

Es ist der 15. April 2014. Der launische April macht seinem Namen alle Ehre- das Wetter ist kalt und unbeständig. Wie jedes Jahr am Ende des Wintersemesters feiern die Studenten eine Abschlussparty. Kaitlin freut sich schon seit langem auf den geselligen Nachmittag und das leckere Barbecue am Abend. Die Studentin, die ihre Freunde auch Kaiti nennen, legt noch flugs ein dezentes Makeup auf, bevor sie sich auf den Weg zu der Feier macht, die bei ihrem Kommilitonen zu Hause stattfinden soll.

Vom Beginn des Nachmittages bis gegen 21:00 Uhr halten sich die etwa dreißig Studenten im großen Hinterhof des Hauses auf. Sie versammeln sich abwechselnd an einer Feuerstelle, um der Kälte zu trotzen; trinken Bier und Softdrinks. Die Studenten lachen und amüsieren sich. Sie unterhalten sich über Investment und Politik zu gedämpfter Musik. Im Hof liegen zwei mit Graffiti besprühte Matratzen, die zum gemütlichen Verweilen einladen. Doch gegen 21:00 Uhr ist es den Studenten zu ungemütlich, um draußen weiter zu feiern; sie begeben sich in das Haus der Familie ihres Kommilitonen.

Am Tag der Abschlussfeier geht Matthew seit 14:00 Uhr seinem Nebenjob in einem Lebensmittelgeschäft nach, als ihn eine SMS seines alten Jugendfreundes Ryan* erreicht. Ob er nicht auch zu der Party kommen wolle? Matthew will. Obwohl der junge Mann eigentlich erst um 22:00 Uhr Feierabend hat und bis dahin noch eine ganze Stunde Zeit ist, verlässt er ohne ein Wort des Abschieds seinen Arbeitsplatz. Zuvor steckt Matthew sich aber noch ein Cuttermesser in seine Jackentasche und schiebt ein paar Zehen Knoblauch in seine Socken, bevor er in seiner Arbeitskluft den Laden verlässt. Das Verschwinden bleibt seiner Arbeitskollegin nicht verborgen und so schickt sie ihm eine SMS, wo De Grood denn einfach hingegangen sei? Doch die Frau erhält als Antwort nur kryptische Textnachrichten von ihrem Kollegen zurück.

An einer Tankstelle trifft Matthew sich mit seinem langjährigen Kollegen Ryan. Gemeinsam machen sich die beiden Studenten auf den Weg zur Partylocation, die nur wenige Gehminuten von ihrem Treffpunkt entfernt ist. De Grood wirkt sehr aufgeregt auf seinen Jugendfreund.

Gegen 00:30 Uhr zieht es einige der Partygäste wieder nach draußen auf den Hof zu der Feuerstelle, in der weiterhin die verbrennenden Holzscheite knistern und das lodernde Feuer eine heimelige Wärme abgibt. Plötzlich bemerkt Charly* aus dem Augenwinkel, wie Matthew sein Handy auf die Klinge einer herumliegenden Axt platziert. Den Stiel des Werkzeuges in der Hand befördert er sein Mobiltelefon mit einem Ruck in die emporsteigenden Flammen. Reflexartig greift Charly nach dem Gerät, dessen Plastikgehäuse droht, in den lodernden Flammen zu schmelzen. Vergeblich versucht der junge Mann das Telefon zu löschen. Doch Matthew setzt dem Versuch ein jähes Ende, als er beginnt, mit der Axt auf das am Boden liegende, glühende Handy einzuschlagen. Einige Axthiebe später ist das Mobiltelefon völlig zerstört. Matthew greift danach und schleudert es weg. Lautstark beschwert er sich während seines Wutausbruches darüber, dass seine Eltern glauben, er würde verrückt werden. Ständig würden sie ihm auf die Nerven fallen, zetert der Student; er solle sich doch Hilfe suchen und Medikamente einnehmen. „Pah!“, ruft der junge Mann aufgebracht in die Nacht hinein. Die um das Feuer stehenden Gäste schauen erschrocken und peinlich berührt in die Richtung von Matthew.

Irgendwann zu dieser Zeit erhält Frau De Grood eine alarmierende SMS von ihrem Sohn. „Ich komme nicht mehr nach Hause zurück“, liest sie. Panik durchfährt die Frau; hat Matthew etwa gerade angekündigt, sich das Leben zu nehmen? Aufgewühlt weckt die Mutter den Vater ihres Sohnes und berichtet ihm von der beunruhigenden Textnachricht. Der Mann springt aus dem Bett heraus, schlüpft in seine Hose und streift sich ein Hemd über. Schnell greift er noch zu seinem Handy und tippt: „Junge, tu nichts Unüberlegtes! Wir lieben dich!“, bevor er das Handy in seine Hosentasche schiebt und aus dem Haus hastet, um sich auf die Suche nach seinem offensichtlich verzweifelten und lebensmüden Kind zu machen.

Ryan, der Matthew zu der Party eingeladen hat, verlässt gegen 1:00 Uhr in der Früh, gemeinsam mit drei anderen Freunden die Fete, um sich bei einer bekannten Fastfood-Kette mit einer kleinen Stärkung zu versorgen. Nach etwa 20 Minuten kehrt die kleine Gruppe satt und gut gelaunt, mit Proviant in den Händen, zurück. Doch als sie die Auffahrt zum Haus ihres

Kommilitonen hochschlendern, versetzen sie die markerschütternden Schreie einer Frau in Alarmbereitschaft. Kaiti. Nur den Bruchteil einer Sekunde später fliegt die Haustür auf und Joshua stürmt aus dem Wohngebäude. „Er hat ein Messer! Rennt!“, brüllt der Student seinen verdutzt dreinblickenden Kollegen entgegen, während er auf sie zuläuft. Die jungen Männer sind so perplex, dass niemand in der Lage ist, sich auch nur zu rühren. Es kommt erst wieder Bewegung in die Gruppe, als ihr Freund sie mit glasigen, vom Schreck geweiteten Augen anblickt, bevor er blutend im Vorgarten des Hauses zusammen bricht. Drei der Freunde versuchen ihm das Leben zu retten. Sie reden ihm gut zu und drücken ein Kleidungsstück auf die klaffende Wunde. Aus dem Augenwinkel nehmen die Helfer eine Gestalt wahr, die aus dem Hauseingang stürmt.

Während die jungen Männer versuchen, das Leben ihres Freundes zu retten, stürmt Ryan instinktiv dem Phantom hinterher. In seiner rechten Hand hält der Fliehende ein Messer, dessen blutbeschmierte Klinge im Mondschein aufblitzt. Abrupt bleibt die Gestalt keuchend stehen. Ryan kommt nur wenige Schritte hinter dem Anderen zum Abbremsen. Adrenalin durchströmt die Adern des jungen Studenten, als der Unbekannte sich langsam zu ihm umdreht. Ryan fährt der Schreck in die Glieder, als er erkennt, wer der Angreifer ist- für den Bruchteil einer Sekunde starren die beiden Männer sich fest in die Augen. Dann wirft Matthew seinem Freund das blutbesudelte Messer vor die Füße und spurtet wieder los. Ryan wirft nur einen kurzen, fassungslosen Blick auf die rotgefärbte Klinge, bevor er Matthew weiter hinterherjagt. Nach nur wenigen Metern hat der junge Mann seinen Freund fast eingeholt, als dieser erneut stehen bleibt, und sich zu seinem Verfolger umdreht. Unvermittelt greift Matthew in seine Hosentasche und zieht ein Cuttermesser heraus. Mit der ausgefahrenen Klinge bewegt sich Matthew keuchend auf Ryan zu. „Hör auf, mir hinterherzulaufen. Sonst bist du der Nächste!“, zischt der junge Mann. Um seiner Drohung Nachdruck zu verleihen, fuchtelt er mit dem Cuttermesser, nur wenige Zentimeter von Ryans Gesicht entfernt, herum. „Wir sind doch Blutsbrüder“, flüstert Matthew mit einem verschmitzten Grinsen im Gesicht, während er seine freie, blutige Hand an der Jacke seines entsetzten Gegenübers abwischt. Dann dreht sich Matthew um und rennt in die Nacht. Sein zurückbleibender Freund entscheidet sich, dass es sicherer für ihn ist, zum Haus seines Kommilitonen zurückzukehren.

Während Ryan versucht, Matthew zu stellen, gehen bei der Polizei mehrere Notrufe ein. Es vergehen nur 5 Minuten, bevor die ersten Streifenwagen am Ort des Geschehens eintreffen. Den Beamten bietet sich eine schockierende und unübersichtliche Szenerie: Studenten laufen panisch am Tatort hin und her, während drei junge Männer probieren, einer auf dem Rasen liegenden Person erste Hilfe zu leisten. Die Einsatzkräfte versuchen sich möglichst schnell einen Überblick in dem Chaos zu verschaffen. Aus der Ferne hört man die rotierenden Rotorblätter eines sich nähernden Hubschraubers, der bald darauf über Brentwood kreist und mit seinem Suchscheinwerfer das Dunkel der Nacht erhellt.

Die Einsatzkräfte am Boden bekommen bei der Suche nach dem Flüchtigen tierische Unterstützung eines Diensthundes der Hundestaffel. Das geschulte Tier erschnüffelt die Fährte des Gesuchten und nimmt auf Kommando laut bellend die Verfolgung auf. Schnell kommen sie dem Flüchtenden immer näher. Das bleibt auch Matthew nicht verborgen- er dreht sich um und stellt sich seinen Jägern entgegen. Der Beamte berichtet später, es schien so, als habe der Tatverdächtige versucht, einen „Suicid by Coop“ (zu Deutsch: „Suizid durch Polizisten“) herbeizuführen. Doch der Beamte erkennt schnell, dass sein Gegenüber unbewaffnet ist und schießt deshalb nicht auf den jungen Mann. Der Polizist gibt ein Kommando und schon stürmt der Hund auf Matthew zu. Das Tier springt an dem Verdächtigen hoch und verbeißt sich in seinem Arm. Doch das kann den aufgebrachten Jungen nicht zum Aufgeben bewegen. Er wirbelt seinen Arm samt Hund durch die Luft; probiert den Diensthund abzuschütteln. Doch das Tier hat sich in Matthews Muskelfleisch festgebissen. Gegen die

Einsatzkräfte und ihren Diensthund kann der tobende Student dann letztlich doch nichts ausrichten- die Beamten machen den Mann gegen 2:00 Uhr am Morgen, nur wenige Blocks von der Partylocation entfernt und nicht mal eine Stunde nach der Messerattacke dingfest. Nur wenige Minuten nach der erfolgreichen Festnahme trifft ein Rettungswagen am Ort des Geschehens ein. Die Rettungssanitäter versorgen die blutigen Bisswunden am rechten Oberarm des Mannes, bevor sie ihn auf eine Bahre bugsieren und festschnallen. Das grell-weiße Licht im Krankenwagen blendet Matthew. Auf dem Weg ins Krankenhaus schließt der Verwundete erschöpft seine Augen.

Drei junge Männer verlieren den Kampf um ihr Leben, noch bevor sie in ein Hospital gebracht werden können. Die Bestatter rollen ihre toten Körper auf Bahren, verhüllt mit schwarzen Vinylabdeckungen, aus dem Haus heraus. Zwei weitere Opfer kommen mit Blaulicht in ein nahegelegenes Krankenhaus. Ein Wettlauf mit der Zeit. Doch die junge Studentin und ihr Kommilitone versterben schon bald an ihren schweren Verletzungen.

Die Beamten können rasch die Identität des Festgenommenen feststellen. Bei dem jungen Mann handelt es sich um den 22-jährigen Studenten Matthew De Grood. Den Polizisten läuft ein eiskalter Schauer den Rücken herunter, als sie den Namen des mutmaßlichen Täters lesen. Ein Ermittler schlägt die Hände über dem Kopf zusammen. Wie zur Hölle sollen sie ihrem ehemaligen Vorgesetzten Douglas, einem hochrangigen und erfahrenen Polizeibeamten, nur beibringen, dass der Täter des grausamen Massakers sein eigenes Fleisch und Blut ist?

Die Polizisten sperren den Tatort weiträumig mit gelbem Flatterband ab, auf dem in dicken schwarzen Lettern „Do not cross“ (zu Deutsch: „Nicht übertreten“) prangt. Aufgeschreckt durch das große Polizeiaufgebot in dem sonst so ruhigen und beschaulichen Stadtteil versammeln sich nach und nach ein Dutzend Schaulustige und Pressevertreter an der Polizeiabsperrung. Schon bald wird die Arbeit der Spurensicherung vom Blitzlichtgewitter fotografierender Journalisten begleitet und von filmenden Reporterteams auf Kameras festgehalten. Im Gras entdecken die Tatortspezialisten ein blutbesudeltes Messer- die Tatwaffe. Mehr als 100 Polizisten sind in den kommenden Tagen und Wochen mit der Ermittlungsarbeit beschäftigt. Spuren müssen gesichert und ausgewertet, Zeugen befragt und Hinweise auf das Motiv gesammelt werden.

Am Tag nach den schrecklichen Morden gibt der Polizeichef Rick Hanson eine Pressekonferenz. Es handle sich bei der Tat um das schlimmste Massaker in der Geschichte Calgarys, bei dem fünf unschuldigen Studenten ihr Leben genommen wurde. Dem erfahrenen Ermittler versagt immer wieder die Stimme, während er zu den Pressevertretern spricht.

Im April 2014 finden die Beisetzungen der getöteten Opfer statt. Ein Ereignis, dass auch medial große Aufmerksamkeit bekommt. Hunderte Menschen begleiten die Ermordeten auf ihrem letzten Weg. Die Flaggen sind in der ganzen Stadt zu Ehren der Toten auf Halbmast gehängt.

Während eine ganze Stadt fassungslos ist und trauert, hat sich Matthew von seinen Bissverletzungen so weit erholt, dass er in eine Haftanstalt überführt werden kann. Seine Eltern besuchen ihren Sohn regelmäßig im Gefängnis, bis De Grood im September 2014 in eine psychiatrische Anstalt nach Süd-Alberta in Edmonton verlegt wird. Ein Sachverständiger kommt nach seiner Exploration zu der Beurteilung, dass der Inhaftierte in der Lage ist, an seinem Prozess teilzunehmen. Ob der Häftling zum Zeitpunkt der Morde allerdings zurechnungsfähig war- das muss während der Gerichtsverhandlung herausgearbeitet werden. Die Staatsanwaltschaft erhebt sogleich Anklage wegen fünffachen Mordes gegen De Grood.

Der Prozess gegen den Angeklagten beginnt im Mai 2015. Der mittlerweile 23jährige Matthew De Grood trägt an den Verhandlungstagen einen schlichten, schwarzen Anzug. Seine dunklen Haare sind kurz geschnitten. Der Gerichtssaal ist bis auf den letzten Platz mit Prozessbeobachtern und Angehörigen der Ermordeten gefüllt. Ab und zu nippt der Angeklagte verlegen an seinem Wasserglas. Dabei versucht er, jeglichen Blickkontakt mit den anwesenden Personen, vor allem mit den Verwandten seiner Opfer, zu vermeiden. Die Partygäste berichten dem Gericht unter Tränen, was sie durchleben mussten; von den grausamen Bildern, die sich auf ihre Netzhäute gebrannt haben und sie des Nachts nicht mehr schlafen lassen.

Während der Verhandlung kann mit Hilfe der Aussagen von Zeugen und Sachverständigen der Tatablauf rekonstruiert werden: Es ist gegen 1:00 Uhr in der Nacht, als der Angeklagte in die Küche des Hauses geht. In einem offenen Regal steht ein hölzerner Messerblock. Matthew fasst nach einem der schwarzen Messergriffe und zieht eine 21 cm langen, spitzen Klinge, heraus. Den Griff des Messers fest umklammert, dreht er sich um und sticht auf Zackariah Rathwell ein. Der ahnungslose Student bricht zusammen; doch sein Angreifer lässt nicht von ihm ab. Sieben Messerstiche versetzt De Grood dem Leib seines 21-jährigen Opfers. Nachdem er von Zackariah abgelassen hat, geht der Angreifer, die Tatwaffe noch immer in seiner Hand, in den Wohnbereich des Hauses.

Joshua, Kaiti und Jordan sitzen unterhalb eines großen Fensters auf einer gemütlichen Couch und sind in ein anregendes Gespräch vertieft. Und so bemerken sie nicht, wie Matthew sich Jordan nähert, bevor er unvermittelt zusticht. Dann wendet er sich zu Joshua und verletzt ihn lebensgefährlich mit mehreren Messerhieben. Kaiti, die während der Attacke neben den beiden jungen Männern sitzt, ist vor Angst wie gelähmt. Es dauert einige Sekunden, bis die junge Frau sich bewegen kann. Während Matthew weiter auf sein Opfer einsticht, springt Kaiti auf und versucht zu fliehen. Der Angreifer rennt ihr hinterher und holt sie nach wenigen Schritten ein. Dann drängt er Kaiti in die Ecke des Esszimmers. Und geht langsam, mit erhobenem Messer, auf sie zu. „Es tut mir leid", murmelt Matthew vor sich hin, bevor er immer und immer wieder auf die blonde Frau einsticht. Ihre gequälten Schreie sind bis nach draußen zu hören.

Das letzte Opfer des Angreifers ist der Student Lawrence Hong, der auf einer Couch eingeschlafen ist. Der junge Mann schläft so tief und fest, dass er nicht bemerkt, was um ihn herum geschieht und dass sein Leben in Gefahr ist. Matthew beugt sich über sein wehrloses Opfer und tötet auch ihn mit mehreren Messerstichen. Während der Angreifer mit dem Rücken zu ihm steht, rappelt sich der schwerverletzte Joshua hoch. Mit letzter Kraft schleppt er sich aus der Haustür heraus- direkt in die Arme von Ryan und seinen Freunden, die soeben einen Essensvorrat bei einer bekannten Fastfoodkette organisiert haben. Als Matthew bemerkt, dass der Student flieht, stürmt er ihm hinterher. Während Joshua im Vorgarten zusammen bricht und um sein Leben kämpft, flieht der Angreifer. Ryan zögert nicht lange und hängt sich an seine Fersen.

Auch die herbeigeeilten Sanitäter können den schwerverwundeten Studenten nicht mehr helfen; so groß ist der Blutverlust. Noch am Tatort stellen sie den Tod von Jordan, Lawrence und Zackariah fest. Joshua und Kaiti verlieren den Kampf ums Überleben auf dem Weg zur Notaufnahme. Nach der Obduktion bestätigt der Rechtsmediziner: die Todesursache aller fünf Mordopfer sind die zahlreichen, schweren Stichverletzungen.

Während des Prozesses berichtet einer der Beamten, was der Angeklagte entgegnete, als bei der Leibesvisitation Knoblauchzehen in einer seiner Socken gefunden wurden: er habe damit Vampire und Werwölfe abwehren wollen. Drei psychiatrische Sachverständige sagen während der Verhandlung aus, dass Matthew De Grood zum Zeitpunkt der Taten unter einer psychotischen Wahnvorstellung gelitten habe. Der junge Mann habe in seinem Wahn geglaubt, um Mitternacht würde die Welt untergehen und er müsse sich gegen seine Widersacher in Gestalt von Vampiren und Werwölfen- seine späteren Opfer- zur Wehr setzen. Die Experten stellen auch fest, dass die psychische Erkrankung des Angeklagten nicht plötzlich auftrat. Eine Psychose und Warnvorstellungen, eine Form der Schizophrenie, habe der Angeklagte bereits einige Wochen vor der Tat gehabt- scheinbar blieb die Dramatik der Erkrankung unbemerkt von seinem Umfeld. Der Richter entscheidet nach der Vernehmung der Sachverständigen, dass De Grood zum Zeitpunkt der

Morde wegen seiner psychischen Erkrankung nicht steuerungsfähig war- der junge Mann kann somit strafrechtlich nicht für seine Taten belangt werden. Die Unterbringung in die psychiatrische Abteilung des Alberta Hospitals in Edmonton wird angeordnet. Für die Angehörigen der Mordopfer ist die Entscheidung des Gerichtes nur schwer zu ertragen.

Matthew De Groods Verteidiger, der Anwalt Allan Fay, verliest nach dem Urteil eine Erklärung seines Mandanten: „Ich bedaure zutiefst, dass Ihre Lieben nicht mehr bei Ihnen sind. Sie haben es nicht verdient zu sterben. Ich werde daran arbeiten, das Vertrauen der Gesellschaft wiederzugewinnen."

Ein Familienangehöriger eines der Opfer erklärt hingegen: „Das Ende dieses Prozesses ist nicht das Ende dieser Reise für uns, wir sind weiterhin gebrochen."

Im Jahr 2017 erhält De Grood nach einer Überprüfung mehr Freiheiten und Privilegien. Unter Aufsicht darf er Spaziergänge auf dem Klinikgelände unternehmen und ärztliche Behandlungen bei externen Medizinern wahrnehmen. Es ist das Jahr 2019, als der Insasse weitere Lockerungen erhält. Matthew darf nun auch allein die Klinik verlassen und bis zu einer Woche außerhalb der Einrichtung übernachten. Aus Sicht der Gutachter habe De Grood sehr große Fortschritte gemacht.

Die Familien der Opfer hingegen sind sehr besorgt über die Lockerungen. Sie befürchten, De Grood könnte wieder eine psychotische Episode erleiden und so noch weiteren Menschen großes Leid zufügen. Im kanadischen Recht muss nicht De Grood beweisen, dass er kein Risiko mehr für sich und seine Mitmenschen ist, sondern der Staat muss Beweise vorlegen, dass der Insasse immer noch eine Gefahr für die Gesellschaft darstellt. Drei Mal im Jahr kann entschieden werden, ob der Verurteilte weiterhin in der sicheren Einrichtung verbleiben muss oder ob er entlassen wird. Die Hinterbliebenen bangen jedes Mal, wie der zuständige Gutachter wohl entscheidet.

Das Haus mit der tragischen Geschichte ist mittlerweile verkauft. Ein junger Mann erwirbt das kleine weiß-blau gestrichene Gebäude. Eine kleine Gedenkstätte im Freien zu Ehren der Opfer- fünf brennende Kerzen und fünf frische Blumensträuße- verspricht der neue Hausbesitzer zu erhalten. An dem Baum an der kleinen Gedenkstätte hängt ein laminierter, weißer Zettel mit den Bildern der Opfer und ihrer Namen samt eines Textes, der mit den Worten schließt: „…man werde sie nie vergessen und sie sollen Ruhe und Frieden finden." Direkt neben der Haustür des Hauses, in dem 2014 das schreckliche Massaker geschah, lehnt ein weiß angestrichenes Holzschild, auf dem mit roter Farbe vier große Buchstaben untereinander geschrieben sind- HOPE (zu Deutsch: „Hoffnung").

Einige Namen wurden geändert.

»Mag auch das Böse sich noch so sehr vervielfachen, niemals vermag es das Gute ganz aufzuheben.«

- Thomas von Aquin (1225-1274), italienischer Philosoph und Theologe -

KAPITEL 13

Genug ist genug

Karl fühlt sich beschwingt. Und das, obwohl er auf dem Weg zur Arbeit ist. Die Sonne ist an diesem 12. März 1982 zwar gerade erst aufgegangen, doch heute ist Freitag- das lang ersehnte Wochenende steht bevor. Selbst die frühe Morgenstunde kann der guten Gemütsverfassung des jungen Mannes keinen Abbruch tun. Fast schon hüpfenden Ganges und vor sich her pfeifend schlendert Karl die Straße entlang. Er genießt die frische, kühle Morgenluft; die ersten, wärmenden Sonnenstrahlen, die sein Gesicht küssen und die herrliche Ruhe der Umgebung. Auf dieser Straße trifft man um diese frühe Uhrzeit nur selten auf andere Fußgänger oder Autofahrer. Umso verwunderter ist Karl, als er aus der Ferne einen Wagen sieht, der am Straßenrand parkt. Je näher der Mann dem Auto kommt, desto langsamer wird sein Gang. Auf dem Asphalt ist eine große Blutlache zu erkennen. „Ist hier etwa ein Unfall passiert?“, murmelt er und blickt sich fragend um. Am Wagen angekommen späht Karl mit klopfendem Herzen durch das Fahrerfenster in das Innere des Jeeps. Geschockt wendet der Junge sich vom Fahrzeug ab, bevor er im nächsten Moment die Straße entlang sprintet- er muss schnell Hilfe holen.

Am 25. Januar 1949 kommt in der Vorstadtgemeinde Brooklyn, gelegen in der Grafschaft Queens County in der kanadischen Provinz Nova Scotia, ein kleines Mädchen zur Welt. Seine Eltern Morris und Gladys Hurshman taufen ihr zweites Kind auf den Namen Jane Marie. In den kommenden

Jahren folgen noch zwei weitere Nachkömmlinge. Die Tochter der Hursmans ist ein zierliches Kind, das stets höflich und freundlich zu ihren Mitmenschen ist. In der Schule glänzt sie mit ihrem Fleiß und ihrer Begeisterung für das Lesen. Und sie liebt es, sich sportlich zu betätigen. Das Mädchen mit der leisen und bedachten Stimme wächst zu einer cleveren und fleißigen, jungen Frau heran, die neben ihrer Muttersprache noch zwei weitere Fremdsprachen erlernt. Noch als Jane ein Kleinkind ist, tritt ihr Vater in die kanadische Armee ein, um im Korea-Krieg zu kämpfen. Nach Verrichtung seines Dienstes kehrt er im Jahr 1952 zu seiner Familie zurück. Doch dem Militär bleibt der Soldat treu und so werden die Hurshmans 1954 von der Armee in die Stadt Truro beordert. Einer von vielen Umzügen, die noch folgen sollen.

Zu dieser Zeit verfällt Vater Morris dem Alkohol. Der Mann beginnt immer exzessiver zu trinken. Schon bald machen sich die Folgen des Konsums bemerkbar: Der Kriegsrückkehrer wird zunehmend reizbar und seine Stimmung beginnt stark zu schwanken. Manchmal überkommt den Familienvater solch eine Wut, dass er regelrecht böse wird. Nicht nur, streitet er immerzu mit seiner Frau Gladys; häufig verschafft er seinem Zorn gegen die Mutter auch handgreiflich Luft. Nicht selten wacht Jane des Nachts wegen den lauten Streitereien ihrer auf. Das verängstigte Mädchen versteckt sich dann unter ihrer Decke und betet, dass die Auseinandersetzung schnell vorbei geht. Wachen ihre jüngeren Geschwister durch den Tumult auf, tröstet ihre große Schwester sie und redet ihnen Mut zu. Auch, wenn der Familienvater nie Hand an seine Kinder legt, traumatisieren die nächtlichen Streitigkeiten die Geschwister zunehmend. Für die Kinder gehört Gewalt und Alkohol schon bald zur Normalität: auch alle Freunde des Vaters trinken und raufen sich. „Männer scheinen wohl so zu sein“, denken seine Kinder sich.

Nachdem seit 1947 der Kalte Krieg zwischen den Westmächten und dem Ostblock tobt, beruft das Militär Morris im Jahr 1957, zusammen mit seiner Familie, nach Deutschland. Die Hurshmans kommen in einem

Wohngebäude unter, auf dessen gegenüberliegender Straßenseite eine Kneipe billig Bier verkauft. Der Familienvater hat nun keine Kontrolle mehr über seine Alkoholsucht. Der Mann verliert immer häufiger die Beherrschung. Die körperlichen und seelischen Misshandlungen seiner Frau werden brutaler. Und auch die Kinder fallen seine Schimpftiraden zum Opfer.

Es ist das Jahr 1964, als die Armee entscheidet, dass die Familie wieder nach Kanada übersiedeln soll. Diesmal verschlägt es die Hurshmans nach Winnipeg; Hauptstadt der Provinz Manitoba. Jane ist jetzt 15 Jahre alt. Nach so langer Zeit im Ausland macht den Teenager der Rückzug in ihr Heimatland einsam. Als eine befreundete Familie der Hurshmans vom Militär in Janes Geburtsprovinz Nova Scotia beordert wird, wittert das Mädchen ihre Chance, der Einsamkeit zu entfliehen. Sie bittet ihre Eltern, die andere Familie begleiten zu dürfen- nur den Sommer über. Morris und Gladys erlauben ihrer Tochter die Reise; sie ahnen nicht, dass ihr Mädchen nie wieder in ihr Elternhaus zurückkehrt.

Jane fühlt sich schon nach wenigen Tagen bei der anderen Familie nicht mehr wohl. Das Paar ist immerzu betrunken und bekriegt sich lautstark; ständig verprügelt der Mann seine Frau. Der Teenager hält es dort deshalb nicht mehr aus und kommt bei seiner Großmutter in Liverpool unter. Hier lernt die 15-jährige den 9 Jahre älteren Milford Whynot kennen. Milfie, wie seine Freunde ihn nennen, scheint sich für das junge Mädchen zu interessieren. Und der junge Mann ist nicht gewalttätig- das imponiert Jane. Kurz nach ihrem 16. Geburtstag erfährt Jane, dass sie von Milfie schwanger geworden ist. Der werdende Vater scheint Verantwortung übernehmen zu wollen. Jane verlässt die Schule, um ihren neuen Aufgaben als Hausfrau und Mutter gerecht werden zu können. Am 25. April 1965 läuten dann die Hochzeitsglocken. Das frisch vermählte Paar zieht in das Haus der Großeltern von Milford ein. Doch diese Entscheidung belastet die junge Ehe schon bald und so ziehen Jane und Milfie in ein eigenes, kleines Häuschen. Während ihrer gemeinsamen Zeit bringt Jane zwei gesunde Jungen zur

Welt: zunächst kommt Alan auf die Welt; 1972 folgt der kleine Jamie. Doch die Geburt ihres zweiten Sohnes ist für die junge Frau sehr traumatisch: sie verliert so viel Blut, dass sie gar eine Bluttransfusion benötigt. Nach ihrer Genesung raten die Ärzte der zweifachen Mutter dringend von einer weiteren Schwangerschaft ab- das Risiko sei zu hoch und die Konsequenzen womöglich lebensbedrohlich.

Milford trinkt immer häufiger, bis er eine Alkoholsucht entwickelt. Die Droge beherrscht bald seinen Alltag und der junge Familienvater verliert seinen Job. Je mehr ihr Ehemann abstürzt, desto ehrgeiziger wird Jane. Sie wünscht sich ein anderes, ein besseres Leben. Die 21-jährige belegt im September des Jahres 1970 einen Kurs, um ihren Schulabschluss nachzuholen und einen Schreibmaschinenkurs, um ihre Chancen auf dem Arbeitsmarkt zu verbessern.

Jane ist unglücklich in ihrer Ehe; auch die Geburt ihres zweiten Sohnes kann die Verbindung der Eltern nicht mehr kitten. Immer öfter denkt sie darüber nach, Milfie zu verlassen. Sie schöpft erst Kraft für eine Trennung, als sie sich mit dem großgewachsenen, bulligen Billy Stafford anfreundet; einem Kumpel von Milford. Der junge Mann bestärkt sie in ihrem Vorhaben, sich von dem Vater ihrer Kinder zu trennen.

Billy heißt mit bürgerlichem Namen eigentlich Lamont William; doch so nennen ihn nur die Polizisten und Richter. Stafford gerät häufig mit dem Gesetz in Konflikt. Offen droht er den Beamten, sie zu erschießen, würden sie es sich jemals wagen, auch nur ein Fuß in sein Haus setzen zu wollen. Lässt sich eine Gefährderansprache bei Stafford nicht vermeiden, sind die Polizisten angewiesen, immer mit zwei Mann bei Billy aufzutauchen. Ohne weiteres trauen die Schutzpolizisten dem berüchtigten Raufbold zu, dass er sie einfach abknallt, wenn ihm danach ist. Schon in seiner Kindheit ist der 34-jährige gewalttätig. Ein Freund aus Kindertagen sagt gar, Billy sei schon als kleiner Junge „sadistisch" gewesen. Stafford kam am 13. Februar 1941 als zweites Kind von Winnie und Lamont zur Welt. Im Laufe der Jahre bekam Billy noch drei weitere Geschwisterchen. Nachdem seine Eltern drei Mädchen und zwei Jungen das Leben geschenkt hatten, entschieden sie sich, einem Waisenkind ein Zuhause zu geben. Die Kinder wurden kompromisslos erzogen. So soll Lamont seinem Sohn Billy einmal die Hand verbrannt haben, um ihm beizubringen, dass man nicht stiehlt. Je älter der Junge, desto brutaler wird er. Der Grobian macht nun auch nicht mehr vor seinen Eltern Halt; vor allem sein Vater ist eingeschüchtert von dem stämmigen Jungen, der mit seinen 1,83 m bald 115 kg auf die Waage bringt.

Seine erste Ehefrau Pauline heiratet der 21-jährige Billy im Jahre 1962. Es dauert jedoch nicht lange, bis Stafford sein wahres Gesicht zeigt. Er traktiert die junge Frau, wann immer ihm danach ist- mit Bierflaschen, Besenstielen und mit den bloßen Fäusten schlägt er auf seine wehrlose Partnerin ein. Billy ist unberechenbar. Ob er betrunken ist oder nicht- von einer Sekunde auf die nächste kann der zuvor freundliche Mann sich grundlos in eine tobende Bestie mit hasserfüllten Augen und Schaum vor dem Mund verwandeln. Während der Ehe bringt Pauline fünf Kinder zur Welt. Auch sie leiden unter der Gewalttätigkeit ihres Vaters. Als ihre Mutter es schafft, sich endgültig von dem Haustyrannen zu trennen, sind dessen Nachkommen so schwer traumatisiert, dass sie verstummen und kein Wort mehr sprechen. Billy indes trauert seiner Familie nicht lange hinterher. Schon bald lernt er eine neue Frau kennen. Auch Faith befindet sich schnell in anderen Umständen. Sie bringt einen kleinen Jungen zur Welt, den sie Rodney nennt. Ihre Eltern brachten die junge Mutter schon vor der Geburt ihres ersten Kindes in eine andere Stadt, um sie vor dem gewalttätigen Stafford zu schützen.

Ganz Bangs Falls zittert, wenn Billy, der als Seemann seinen Lebensunterhalt verdient, in sein Auto steigt- nicht selten ist er dabei betrunken oder im Drogenrausch. Oftmals enden diese Fahrten in Unfällen, doch auch der mehrmalige Entzug des Führerscheins kann Stafford nicht stoppen, sich hinters Steuer zu setzen. Billy besitzt ein Arsenal an Waffen und gilt im Umkreis als versierter Hirschjäger. Einen Jagdschein besitzt er nicht.

Dennoch: Stafford hat immer ein Gewehr in seinem Truck. Jedes Mal, wenn er beim Umherfahren einen Hirsch sieht, erlegt er das Tier. Auch außerhalb der Jagdsaison und ohne die festgelegte Abschussquote zu beachten. Für ihn gelten keine Regeln und Gesetze.

Es ist das Jahr 1975, als Jane ihrem Ehemann ein Ultimatum stellt: entweder seine Frau und Söhne oder der Alkohol. Milford entscheidet sich für die Flasche. Jane packt ihre Sachen und zieht mit dem 3-jährigen Jamie aus. Der 10-jährige Alan möchte bei seinem Vater bleiben- auch wenn die Mutter die Entscheidung nicht gutheißt, stimmt sie dem Wunsch ihres Sohnes zu. Jane kommt mit Jamie vorübergehend in der Wohnung eines Freundes unter. In den kommenden Wochen drängt die Frau ihren Mann, endlich in die Scheidung einzuwilligen. Im Januar des Jahres 1976 ist es dann soweit: Milfie unterschreibt die Scheidungspapiere. Doch nicht, ohne seine Bedingung zu stellen: der Vater fordert, dass die Söhne Alan und Jamie bei ihm bleiben. Jane ist hin- und hergerissen. Sie glaubt jedoch mittlerweile, dass sie in Billy Stafford ihren Traummann gefunden hat. Er trägt die junge Frau auf Händen, macht ihr Geschenke und verspricht ihr, immer an ihrer Seite zu sein und sie zu beschützen. Der Seemann ist liebevoll und verständnisvoll zu der zierlichen Frau mit der leisen Stimme. All ihre Kraft und Zeit möchte sie nun in die neue Beziehung investieren- und so lässt sie ihre Kinder bei deren Vater zurück.

Das Pärchen zieht alsbald in ein kleines Häuschen und Jane nimmt Billys Nachnamen an- ohne jedoch formell verheiratet zu sein. Wie schon bei Staffords vorherigen Beziehungen schafft er es auch bei Jane nicht, sein wahres Ich lange zu verbergen. Es kommt zum Bruch, als der Mann die Antibabypille bei seiner neuen Freundin entdeckt. Jane probiert ihrem aufgebrachten Partner zu erklären, warum sie auf die Verhütung angewiesen ist: eine erneute Schwangerschaft könnte tödlich für sie enden. „Du spinnst wohl! Lass der Natur freien Lauf!“, brüllt er und feuert den Blister mit den Hormontabletten im hohem Bogen aus einem geöffneten Fenster. Danach ist das Thema Empfängnisabwendung für ihn beendet.

Nur wenige Wochen später stellt Jane erschrocken fest, dass sie neues Leben unter ihrem Herzen trägt. Je weiter die Schwangerschaft fortschreitet, desto ungehobelter verhält sich Stafford seiner Partnerin gegenüber. Er trinkt Unmengen an Alkohol und kränkt Jane bei jeder sich ihm bietenden Gelegenheit wegen ihrer schwangerschaftsbedingten Gewichtszunahme. Billy scheint sich zunehmend für seine Freundin zu schämen, denn er zeigt sich nicht mehr in der Öffentlichkeit mit ihr.

Es ist der Mai des Jahres 1976, als Jane einen Jungen zur Welt bringt, den sie Darren tauft. Die Geburt überlebt die Mutter nur knapp. Die Ärzte raten ihr, sich einer Sterilisation zu unterziehen, um zukünftige Schwangerschaften zu vermeiden. Gegen Billys Willen stimmt sie dem Eingriff zu. Neben der Enttäuschung, dass Jane ihm kein Mädchen geschenkt hat, bringt Stafford die Entscheidung seiner Partnerin, sich unfruchtbar machen zu lassen, zur Weißglut. Nicht ein einziges Mal besucht er die frischgebackene Mutter und seinen mittlerweile sechsten Sohn in der Klinik oder erkundigt sich, wie es seiner kleinen Familie geht. Jetzt, wo Jane nicht mehr schwanger werden kann, ist sie für Stafford nicht mehr interessant.

Nach einigen Tagen im Krankenhaus werden die Mutter und der kleine Säugling entlassen. Die Ärzte beschwören die Frau, sich die kommenden Wochen zu schonen und nicht schwer zu heben- andernfalls riskiert sie, dass die Operationsnähte aufreißen. Als Jane nach dem Klinikaufenthalt zurück nach Hause kommt, traut sie ihren Augen nicht. Billy hat während ihrer Abwesenheit in den Zimmern gehaust wie ein Tier und sämtliche Möbelstücke demoliert. Jane hat noch nicht mal ihre Jacke ausgezogen, die Reisetasche abgestellt und den kleinen Darren versorgt, da befiehlt Stafford ihr auch schon, sein Chaos zu beseitigen und gründlich zu putzen. Im Haus des Paares gibt es kein fließendes Wasser; der Putzeimer kann nur an einem Brunnen gefüllt werden. Billy weigert sich, der frischgebackenen Mutter seines Sohnes dabei zu helfen. Was die Ärzte Jane geraten haben, ist ihm egal.

Sobald Stafford wieder auf See ist, besucht Jane seine Eltern Lamont und Winnie. Sie klagt ihnen ihr Leid; berichtet, wie schlecht ihr Sohn sie behandle. Die Frau hat Hoffnung, dass Billys Mutter und sein Vater ihm vielleicht ins Gewissen reden. Doch Lamont wiegelt ab. Sie solle die Sache doch auch mal aus der Perspektive des sechsfachen Vaters sehen. Der müsse sich erst daran gewöhnen, die Aufmerksamkeit seiner Partnerin, die er lange für sich allein hatte, nun mit einem Säugling zu teilen. Sein Rat: sie solle seinem Sohn einfach etwas Zeit geben.

Einige Tage später macht sich Jane auf den Weg in die Klinik, um die Fäden der Operationsnaht ziehen zu lassen. Am selben Abend kehrt Billy von der See zurück und fordert direkt Sex von seiner Partnerin. Sie versucht zu erklären, dass die Ärzte ihr in den kommenden Wochen vom Geschlechtsverkehr abrieten, da die Narben noch nicht vollständig verheilt sind. Stafford interessiert auch jetzt nicht, was die Ärzte am besten für Jane halten. Er befiehlt ihr, sich auszuziehen. Als die Frau entblößt vor ihm steht, macht er sich über ihren von den Strapazen der Schwangerschaft und der Sterilisation gezeichneten Körper lustig. Mit seinen riesigen Pranken packt Billy nach Janes empfindlichen Brüsten und beginnt sie fest zwischen seinen Fingern zu kneten, bevor er probiert, mit aller Kraft etwas Muttermilch heraus zu drücken, um davon zu trinken. Die schmerzerfüllten Seufzer seiner Partnerin interessieren ihn nicht. Er stößt sie auf das Ehebett, bevor er sie brutal vergewaltigt.

Es ist der August des Jahres 1977, als der Vermieter Jane und Billy samt dem 4 Wochen alten Baby Darren aus seinem Haus wirft. Zu allem Übel verliert der Familienvater auch noch seine Arbeitsstelle, weil er seinen Kapitän nach einem Streit verprügelte. Doch die Familie hat Glück im Unglück: einer ihrer Freunde besitzt ein Grundstück. Darauf steht eine kleine Waldhütte, die er der obdachlosen Familie überlässt. Einige Tage später erfährt Stafford, dass er auch mit der Prügelattacke auf den Schiffsführer ungeschoren davon kommt. Zwar stellt die Polizei Nachforschungen an, doch möglichen Zeugen verweigern ihre Aussagen- zu groß ist die Angst vor dem brutalen Seemann Billy.

Stafford bezieht jetzt Arbeitslosenunterstützung und erlaubt Jane daher, sich einen Job zu suchen, um den Lebensunterhalt für die kleine Familie aufzubessern. Die junge Mutter findet eine Anstellung als Köchin in einem Altenheim. Ihren verdienten Lohn, den die Familie nicht für den täglichen Bedarf braucht, krallt sich Billy und hat das Geld auf den Kopf. Wenn Jane von ihrem Gehalt etwas für sich behalten möchte, rastet Stafford aus.

In den kommenden Wochen steigert sich Billys Aggressivität immer weiter- bis er seine Partnerin das erste Mal verprügelt. Im November 1977 glaubt er beobachtet zu haben, dass Jane mit seinem Freund Richard geflirtet habe. Der Rowdy reißt an ihren Haaren und beschimpft sie als Hure. Er ist wie von Sinnen, als er auf die zierliche Frau eindrischt und sie mit Faustschlägen und Fußtritten traktiert. Getrieben von seiner Eifersucht wiederholen sich die Prügelattacken auf Jane immer öfter. Billy betrachtet die Frau als seinen Besitz; befiehlt ihr, was sie zu tun und zu lassen hat und beobachtet sie auf Schritt und Tritt. Im Drogenrausch foltert er seine Partnerin über drei Tage hinweg, indem er sie an einen Stuhl bindet, seine Geisel mit einer geladenen Schusswaffe bedroht und auf die wehrlose Frau uriniert. Doch nicht nur die tätlichen Angriffe des bulligen Mannes steigern sich immer weiter: Jane muss sich von ihm demütigen lassen, in dem er sie seinen Urin trinken lässt, ihr ein Hundehalsband umlegt und sie immer wieder vergewaltigt.

Doch nicht nur Jane leidet unter Staffords Gewalttätigkeit auch ihr Sohn Darren muss seit seinen frühsten Lebensmonaten regelmäßig die Prügel und Demütigungen seines Vaters einstecken. Er misshandelt den Jungen so schwer, dass Darren regelmäßig blaue Flecke und blutige Wunden hat. Einmal schlägt Billy das Kind so heftig, dass es sich einkotet. Stafford drängt Darren, so schnell er kann, Lebensmittel in sich hineinzustopfen, bis er sich übergeben muss- dann zwingt Billy ihn, sein Erbrochenes zu essen. Selbst mit Messern und Schusswaffen bedroht er das Kleinkind. Staffords Sohn hat gelernt, die Qualen der Misshandlungen zu ertragen, ohne einen Laut von sich zu geben. Er weiß, dass jeder Schmerzensschrei seinen Erzeuger dazu animiert, noch fester auf ihn einzuschlagen. Wenn Stafford sich an dem Kleinkind abreagiert hat, verbietet er Jane, den Jungen zu trösten. Wenn die Mutter doch den Mut findet und in das Geschehen eingreifen will, verprügelt Billy auch sie. Der Grobian empfindet für kein Lebewesen Empathie oder Mitleid. Selbst die beiden Familienhunde werden von ihrem Herrchen gequält und geschlagen, wann immer sich ihm die Möglichkeit dazu bietet.

All die Grausamkeiten, die sich im Hause Stafford zutragen, bleiben den Nachbarn, Bekannten und Verwandten nicht verborgen. Doch niemand traut sich, Jane und ihrem kleinen Sohn zu helfen, aus Angst, den Zorn von Billy Stafford auf sich zu ziehen.

Janes Söhne aus erster Ehe leben derweil immer noch bei ihrem Vater Milfie. Doch der 15-jährige Alan, mitten in der Pubertät, beginnt zu rebellieren. Es ist der Oktober des Jahres 1980, als der Teenager eine Bewährungsstrafe erhält, weil er in ein Haus eingebrochen ist. Milford ist mit der Erziehung des Rebellen so überfordert, dass der Junge fortan bei seiner Mutter und ihrem brutalen Lebensgefährten wohnt.

Alan kommt auf eine Schule, die sich auf die Förderung von verhaltensauffälligen Kindern und Jugendlichen spezialisiert hat. Im August 1981 sind die Lehrer mit dem Sozialverhalten und den schulischen Leistungen des Teenagers so zufrieden, dass er wieder eine Regelschule besuchen kann. Der Junge zieht zurück zu seinem leiblichen Vater. Doch der Frieden währt nicht lange. Schon bald begeht Alan die nächste Straftat. Die Jugendfürsorge bittet Jane erneut, ihren Sohn bei sich aufzunehmen, doch die Mutter lehnt ab. Es ist der gewalttätige Billy, der sich dafür einsetzt, dass der Rebell wieder zu den Staffords zieht. Was der Junge von der Entscheidung hält, kann man nur erahnen. Eines Tages jedenfalls stiehlt der Teenager ein Auto und plant, sich das Leben zu nehmen, in dem er über den Hafenkai in die kalte See fährt. Aber die Polizei kommt ihm des Diebstahles auf die Schliche und vereitelt damit unwissend seinen Selbstmord. Daraufhin vertraut sich der verzweifelte Teenager seiner Mutter an. „Mama, wir leben nicht. Wir sind nicht lebendig. Wir sind lediglich Roboter. Wir existieren nur", offenbart er Jane die innere Leere, die er fühlt und die ihm den Lebensmut raubt.

Die Not und Hoffnungslosigkeit in den Augen ihres Sohnes bricht Jane das Herz und gibt ihr den letzten Schubs: „Genug ist genug!", sagt sich die geschundene Frau eines Nachts mantraartig immer wieder vor. Dann schlüpft sie aus dem Ehebett, greift sich ein Gewehr, lädt es durch und richtet es auf den schnarchenden Billy. Mit zitternden Händen hält sie dem Tyrannen den Lauf an die Schläfe. „Scheiße!", zischt Jane und nimmt die Waffe wieder herunter. Bevor sie abdrücken kann, meldet sich ihr Mutterherz: „Willst du wirklich, dass dein 4-jähriger Sohn die Schweinerei sieht, wenn du seinem Vater das Hirn weg geblasen hast? Darren wird daran zerbrechen." Nein, das will sie nicht. Sie haben alle samt schon genug gelitten. In den kommenden Tagen überkommt Jane immer wieder das Bedürfnis, ihren Qualen und dem Martyrium ihrer Kinder ein Ende zu setzen. Verbissen überlegt sie, was zu tun ist, um all dem zu entkommen. In ihrer Verzweiflung überlegt sie gar, sich selbst das Leben zu nehmen- doch was passiert dann mit dem kleinen Darren? Unmöglich kann sie ihn bei seinem tyrannisierenden Vater lassen. Alan hingegen wäre alt genug, um für sich selbst zu sorgen. Oder… sie tötet erst Darren und Alan, bevor sie sich selbst die Waffe in den Mund steckt. Doch allein bei dem Gedanken, ihren geliebten Söhnen das Leben zu nehmen, dass sie ihnen einst geschenkt hat, wird es der Mutter schwer ums Herz. „Nein. Meine Kinder sollen leben. Billy muss sterben!", denkt sie sich entschlossen. Doch ihr Plan, einen Auftragskiller zu engagieren, lässt sich nicht umsetzen- der Mann, den sie dafür auserkoren hat, lehnt immer wieder ab.

Es ist der 11. März 1982, ein gewöhnlicher Donnerstag im Hause Stafford. Bevor Billy sich wieder an den Weiterbau eines Schweinestalles auf dem Grundstück macht, vergewaltigt er Jane. Dann muss sie die anfallende

Hausarbeit erledigen, während er sich draußen seiner Arbeit zuwendet. Doch Nachbarin Margaret spricht den Mann an: auf keinen Fall wolle sie den stinkenden Schweinestall neben ihrem Grundstück haben. Die beiden Hausbesitzer geraten in einen lautstarken Streit; Billy brüllt die Frau an und überzieht sie mit derben Schimpfwörtern. Margaret, wohlwissend um die Brutalität ihres Nachbarn, zieht sich zurück, um sich aus der Schusslinie von Billys Wutausbruch zu bringen. Sie geht zu Jane und bittet sie nachdrücklich, nochmal mit dem Querulanten zu sprechen und ihn von dem Bau des Schweinestalls abzubringen. Die junge Frau muss all ihren Mut zusammennehmen, um ihren Partner darauf anzusprechen. Doch sie hat keine Wahl. Andernfalls würde es zu einem fiesen Nachbarschaftsstreit kommen, so viel ist klar. Wie sie erwartet hat, flippt Billy, auf den Bau angesprochen, aus und lässt seinen Zorn, wie so oft, an Jane aus.

Die ohne hin schlechte Laune des Familienvaters sinkt auf den Nullpunkt, als er später am Tag zu Jane stapft und Geld von ihr fordert. Als diese seinem Appell nicht nachkommen, da andernfalls der anstehende Beitrag für die Autoversicherung nicht bezahlt werden kann, schnappt sich Billy die frisch gewaschene Wäsche und poltert nach draußen. Die saubere Kleidung wirft er dort in den Matsch und wälzt sie darin. Als er mit seinem Werk zufrieden ist, bringt Stafford der verängstigten Mutter die Schmutzwäsche wieder ins Haus. Der Tyrann ist so wütend, dass er immer und immer wieder auf die wehrlose Frau einprügelt und seiner Verachtung für sie Ausdruck verleiht, indem er sie anspuckt, während Jane sich auf dem Boden vor Schmerzen krümmt. Dann nimmt er das letzte Geld der Familie aus ihrem Portemonnaie. Gemeinsam mit Kumpel Ronnie, der für eine Weile im Haus der Staffords untergekommen ist, fährt Billy davon.

Sobald Jane das Motorengeräusch des Geländewagens in der Ferne verstummen hört, rappelt sie sich vom Boden auf. Ihre Glieder schmerzen bei jeder Bewegung. Resigniert rafft sie die vom Matsch überzogenen Kleider auf und wäscht sie nochmal. Am frühen Abend kehren Billy und Ronnie nach Hause zurück- betrunken und vom Marihuana-Rausch benebelt. Stafford befiehlt Jane, dass sie für die beiden Männer an diesem Abend die Chauffeurin zu spielen hat. Als erstes soll die beiden zu einem Kumpel fahren. Auf halber Strecke diktiert Billy seiner Freundin anzuhalten. Gemeinsam mit Ronnie steigt der Mann aus dem Auto aus und dreht einen Joint. Genüsslich an der Marihuana-Zigarette ziehend, die Tüte abwechselnd hin und her reichend, stehen die Männer am Straßenrand. Jane sitzt derweil still und in sich zusammen gesunken auf dem Fahrersitz. Vor ihrem inneren Auge ziehen die verstörenden Bilder der Misshandlungen und Quälereien entlang, die sie und ihre Kinder im Laufe der Jahre zu ertragen hatten; sieht den Schmerz und die Verzweiflung in den Augen von Darren und Alan. Je länger sie in Gedanken versunken ist, desto mehr realisiert die gepeinigte Frau, dass sie und ihre Kinder Billy niemals würden entkommen können. Jäh wird Jane aus ihren düsteren Gedanken gerissen, als die Türen des Jeeps aufgerissen werden und die beiden berauschten Männer wieder in den Geländewagen einsteigen.

Bei dem Kumpel angekommen, verschwinden die beiden Männer im Inneren des Hauses, während die verzweifelte Frau im Auto zurück bleibt. Stunde um Stunde vergeht, während die Freunde Karten spielen und Alkohol trinken. Irgendwann schlägt die Haustür auf und heraus torkeln Billy und Ronnie. Die Männer setzen sich zu der wartenden Jane in den Wagen. Sie soll die Kumpels nun nach Hause bringen. Auf der Fahrt lallt Billy vor sich her, dass er Gas gekauft habe und plant, das Haus der Nachbarin anzuzünden. Er freut sich schon, dabei zuzusehen, wie die Flammen das Heim von Margaret dem Erdboden gleich machen. Dann dreht er sich zu Jane. Seine Alkoholfahne schlägt ihr entgegen, während er ihr in einem drohenden Ton verkündet: „Und um deinen missratenen Sohn Alan werde ich mich kümmern!“.

Am Haus der Staffords angekommen, springt Ronnie aus dem Jeep und taumelt ins Haus. Zurück bleibt Jane mit Billy, der auf dem Beifahrersitz seinen Rausch ausschläft. Sie lauscht seinem schweren, nach Alkohol stinkenden Atem und den schnarchenden Geräuschen. Aussteigen darf die Frau nicht- einer von Billys seltsamen Regeln: Jane muss so lange im Wagen bleiben, bis ihr Freund seine Berauschung ausgeschlafen hat und ihr die Erlaubnis erteilt, ins Haus gehen zu dürfen.

Jane betrachtet den Betrunkenen und versinkt wieder in ihre düsteren Gedanken. „Genug ist genug", flüstert sie wieder vor sich hin, bevor sie zaghaft auf die Hupe des Jeeps drückt. Sie hofft, die Aufmerksamkeit von Alan erregen zu können, doch er reagiert nicht. Der Junge denkt bei sich, dass Billy bestimmt wieder seine Mutter angreift und dabei versehentlich an die Hupe gekommen ist. Doch als erneut ein Warnsignal ertönt, beschließt der Teenager, vor die Tür zu gehen, um nachzuschauen, was los ist.

Er erblickt seine Mutter, die stocksteif am Lenkrad des Geländewagens sitzt und vorsichtig das Fahrerfenster herunterkurbelt. Billy sitzt weiterhin schlafend neben ihr. Der Junge geht zu seiner Mutter. „Alan", flüstert sie, „du musst jetzt tun, was ich dir sage. Lauf und hol mir ein Gewehr- geladen." Ohne eine Frage zu stellen, eilt der Teenager zurück ins Haus und kehrt mit einer Schrotflinte zurück. Er reicht die Waffe seiner Mutter, die sich aus dem Wagen herausgeschlichen hat und nun neben der geschlossenen Fahrertür steht. „Geh wieder rein", befiehlt sie Alan, der sofort gehorcht.

Mit der Schrottflinte in ihren zitternden Händen richtet sie den Lauf des Gewehres durch das heruntergekurbelte Fahrerfenster auf Staffords Kopf. Sie kann nicht hinsehen und dreht ihr Gesicht zur Seite. Bevor sie abdrückt, holt sie tief Luft und presst Augen und Mund fest zusammen. Der Knall des Schusses zerreißt die Stille der Nacht. Wenige Sekunden später steht Alan wieder in der Haustür und blickt auf das Szenario: seine blutbesudelte Mutter mit der Schrotflinte in der Hand und der Jeep, dessen Inneres durch die mit Blut und zerfetztem Gewebe gesprenkelten Scheiben verborgen ist. Jane weiß nicht, ob Billy tot ist, sie hofft es nur. Doch nachzuschauen, was sie angerichtet hat- das traut sie sich nicht. Und so kann sie nicht ahnen, dass sie Stafford mit nur einem Schuss enthauptet hat.

Kühl wie ein Roboter funktioniert die selbstgemachte Witwe nur noch. Sie weist ihren Sohn an, ihr saubere Kleidung zu holen. Die blutbefleckte Wäsche stopft Jane in einen Müllbeutel und wirft ihn auf die Ladefläche des Geländewagens. Die Schrottflinte soll Alan zu Nachbarin Margaret bringen- Mitbewohner Roger wird ihm helfen, die Waffe verschwinden zu lassen. Außerdem bittet sie den Teenager, seinen Opa, ihren Vater Morris, anzurufen. Jane nennt ihrem Sohn einen Ort und einen Zeitpunkt, an dem Morris auf sie warten soll.

Während Alan sich daran macht, die ihm aufgetragenen Aufgaben zu erledigen, setzt sich die Mörderin zu ihrem Opfer in den Jeep. Sie wagt es nicht, auch nur einen Blick zur Seite zu riskieren. Sie startet den Wagen und fährt zu dem 15 km entfernten Ort, an den sie ihren Vater einbestellt hat. Auf keinen Fall darf das Auto vor ihrem Haus stehen bleiben- zu groß ist die Gefahr, dass Darren seinen toten Vater entdeckt.

Am Treffpunkt angekommen, parkt die Frau den Wagen am Straßenrand und steigt aus dem blutbesudelten Fahrzeug aus. Sie greift nach dem Müllbeutel auf der Ladefläche, bevor sie nur kurze Zeit später den Wagen ihrer Eltern am Horizont auftauchen sieht. Wortlos steigt die junge Frau zu Morris und Gladys ins Auto. Die beiden schauen ihre Tochter erschrocken an: „Was ist denn mit dir passiert?!“. „Fragt mich bitte nicht“, entgegnet sie erschöpft, bevor Morris den Wagen startet und losfährt.

In ihrem Elternhaus angekommen, lässt Jane sich in die Badewanne mit dem wohltuenden, heißen Wasser gleiten. Nachdem sie ihren Körper gereinigt hat, steigt sie aus der Wanne aus und stopft ihre schmutzige Kleidung in den Müllsack zu den anderen blutverschmierten Anziehsachen. Dann bittet sie ihren Vater, sie nach Hause zu fahren.

Dort angekommen, findet sie auf dem Küchentisch eine Notiz von Alan; er sei bei Margret. Jane geht in das Schlafzimmer und knipst das Licht schnell hintereinander an und aus, um ihrer Nachbarin zu signalisieren, dass sie nach Hause zurückgekehrt ist. Nur wenige Minuten später steht Margret samt

Mitbewohner Roger und Janes Sohn Alan vor der Haustür der Staffords. Jane ist dankbar, dass ihre Nachbarn keine lästigen Fragen stellen. Und dass der kleine Darren von der ganzen Aufregung nicht wach geworden ist. Genauso wenig wie Billys Freund Ronnie, der wie bewusstlos auf der Couch liegt und seinen Rausch ausschläft.

Alan und seine Mutter machen sich daran, die blutbesudelte Kleidung zu verbrennen. Während die lodernden Flammen die Wäschestücke vernichten, erzählt der Teenager, dass er gemeinsam mit Roger die Tatwaffe in drei Stücke zerbrochen und in einem nahegelegenen Fluss versenkt habe.

Spät in der Nacht lässt Jane sich in ihr Bett fallen. Doch Schlaf findet sie nicht. Wellenartig überflutet sie das Gefühl von Panik, wenn sie daran denkt, dass Billy vielleicht noch leben und zurückkehren könnte. Denn das wäre zweifellos ihr Todesurteil- und sicher auch das ihrer Söhne.

Als der Morgen des nächsten Tages graut, stattet Jane ihrer Nachbarin einen Besuch ab. Auf dem Rückweg nach Hause sieht sie einen Streifenwagen die Einfahrt hochfahren. Ihr Herz schlägt so schnell, dass sie fürchtet, es könnte ihr aus der Brust springen. Aus dem Auto steigen zwei Polizisten aus und gehen auf Jane zu, die sich vor Angst nicht bewegen kann. Die Beamten wurden an diesem Morgen zu einem am Straßenrand geparkten Fahrzeug gerufen. Der Angestellte Karl machte eine grausige Entdeckung in dem Auto. Die Windschutzscheibe und das Beifahrerfenster sind mit Blut und Gewebefetzen gesprenkelt. Auf dem Beifahrersitz scheint ein schwerverletzter Mensch in einem See aus Blut zu sitzen- so erheblich verwundet, dass der junge Mann ihn kaum noch als menschliches Geschöpf zu erkennen vermag. Karl ist beim Anblick der Szenerie sofort klar: die Person muss tot sein. Er eilt los, um die Polizei zu verständigen. In dem geparkten Wagen entdecken sie die Leiche des ermordeten 41-jährigen Gewaltstraftäter Lamont William Stafford, der von allen nur „Billy" genannt wurde. Bei einer Befragung am Tatort will in der Nacht niemand etwas gesehen und gehört haben. Nun ist es an den Polizisten, der Lebensgefährtin des Ermordeten die Todesnachricht zu überbringen. Vor den Augen der Beamten bricht Jane bewusstlos zusammen. Zu diesem Zeitpunkt ahnen die Beamten nicht, dass es die pure Erleichterung und nicht der Schock über den Tod von Stafford ist, die der zierlichen Frau für einen Moment das Bewusstsein raubt. Behutsam tragen die Männer Billys Partnerin ins Haus und legen sie auf die Couch.

Billys Leiche wird gerichtsmedizinisch zu untersuchen. Die Mediziner dokumentieren eine Einschusswunde direkt unter dem linken Ohr des Toten. Die Mündung der Waffe scheint nur etwa 15 cm vom Kopf des Opfers entfernt gewesen zu sein, als der Schuss abgegeben wurde. Zehn Mordermittler sind mit der Klärung des Mordes an Stafford beschäftigt. Schon bald kristallisiert sich heraus, dass vor allem Billys Lebensgefährtin für die Ermordung des Mannes in Betracht kommt. Sie erfahren von der häuslichen Gewalt bei den Staffords und dass Billy eine Lebensversicherung in Höhe von 20 000 Dollar (etwa 13 325 Euro) besitzt. Als die Beamten dann auch noch ermitteln, dass es sich dabei genau um die Geldsumme handelt, die Jane einem Fischer mehrfach angeboten hat, damit dieser ihren Partner tötet, ist es für die Mordermittler an der Zeit, Witwe Stafford einen Besuch abzustatten.

Im Dunkel des 13. März 1982, nur einen Tag, nachdem der Tote im Jeep gefunden wurde, steht gegen Mitternacht eine Polizeieinheit vor dem Haus der Staffords- bewaffnet mit einem Durchsuchungsbefehl. Während ein Teil der Polizisten mit der Durchsuchung des Anwesens beginnen, bringen zwei Beamte Jane auf die örtliche Polizeiwache. Sie fertigen Fotos von der Frau an. Dabei bemerken die Beamten zahlreiche Verletzungen an dem zierlichen Körper; Hämatome in allen erdenklichen Farben bis hin zu tiefem Schwarz überziehen den Leib ihres Gegenübers.

Nachdem die geschundene Frau mehrere Stunden Verhör hinter sich hat, bittet sie die Beamten, mit ihrem Schwiegervater Lamont, Billys Vater, sprechen zu dürfen. Die Mordermittler stimmen zu; sie hoffen, dass sich die Verdächtige dem alten Mann gegenüber offenbart. Als Lamont auf der

Wache eintrifft, setzt er sich zu Jane. Ein Mordermittler stellt sich diskret in eine Ecke des Raumes, um dem Gespräch lauschen zu können. Leise fragt Lamont: „Hast du Billy getötet?“ Jane blickt zu Boden und schluckt. Dann flüstert sie ein leises „Ja“. Dann ist der Damm gebrochen. Nachdem die Beamten mit der Frau über ihr Motiv gesprochen, ihr Mordgeständnis aufgezeichnet und gemeinsam den Tatort inspiziert haben, sagt einer der Polizisten zu seinem Kollegen: „Wenn du mich fragst: die Frau hat eine Medaille verdient“.

12 Stunden ist Jane auf der Wache, bis die Polizisten sie nach Hause bringen, damit sie sich etwas ausruhen kann. Erschöpft fällt die Frau in ihr Bett und schließt die Augen. Sie spürt, wie der 4-jährige Darren zu ihr ins Bett krabbelt. Sie streichelt dem kleinen Jungen über die Haare, während er sich an ihre Brust kuschelt. Dann flüstert sie in die Stille hinein: „Ich habe deinen Vater getötet…“. Sie schluckt, während sie ängstlich auf die Reaktion des Kleinen wartet. „Ich bin froh“, ist das Einzige, was Darren sagt. Erleichtert küsst seine Mutter ihm auf die Stirn, bevor beide in einen tiefen Schlaf fallen.

Die Staatsanwaltschaft klagt die 33-jährige wegen Mordes an Stafford an. Am 02. November 1982 beginnt der Prozess. Nach 18 Verhandlungstagen kommt die Jury zu dem Urteil, dass Jane freizusprechen ist. Alle anwesenden Prozessbeobachter stehen auf und applaudieren den Geschworenen für ihre Entscheidung. Doch Janes Anwalt dämpft ihre Erleichterung; er ist sich sicher, dass die Staatsanwaltschaft Berufung gegen dieses Urteil einlegen wird. Die Vertreter der Anklage argumentieren, dass Jane trotz ihrer häuslichen Situation und dem Umstand, dass Billy ein schlechter Mensch war, kein Recht hatte, ihn zu ermorden.

Direkt nach der Urteilsverkündung macht sich Jane auf den Weg zu ihrer Schwester, die sich während der Untersuchungshaft um den kleinen Darren gekümmert hat. Anfang Dezember 1982 zieht die Mutter mit ihrem Jungen nach Ontario, um Abstand gewinnen zu können. Doch nur kurze

Zeit später kehren die beiden nach Bangs Falls zurück. Dort beginnt Jane eine Ausbildung zur Pflegehelferin. Die Staatsanwaltschaft hat derweil das Urteil erfolgreich angefochten. Ankläger und Verteidiger handeln einen Deal aus, wonach Jane eine Haftstrafe von 6 Monaten sowie eine Bewährungszeit von 2 Jahren für Totschlag erhält- die Staatsanwaltschaft will damit ein Zeichen setzen, um andere Menschen in ähnlichen Situationen von solchen Taten als vermeintlichen Befreiungsschlag abzuschrecken. Während die Verurteilte ihre Haftstrafe im Halifax Correction Center absitzt, ist es ihr gestattet, in Begleitung ihre Pflegehelferinnen-Kurse zu besuchen, so dass sie die Ausbildung erfolgreich abschließen kann. Nachdem die Frau 2 Monate ihrer Haftstrafe abgesessen hat, wird sie begnadigt und aus dem Gefängnis entlassen.

Die 35-jährige beantragt nach ihrer Haftentlassung eine Namensänderung für sich und Sohn Darren; von nun an tragen beide Janes Mädchenname: Hurshman. Es folgen weitere, schwere Jahre für die Mutter, denn auch, wenn Billy sie und ihre Kinder nicht mehr quälen kann, so leidet sie noch immer unter den seelischen Wunden, die der Tyrann ihnen zugefügt hat. Nur knapp überlebt Jane einen Selbstmordversuch. Zuversicht und Lebensmut fasst sie erst wieder, als die mittlerweile 40-jährige Frau den Mechaniker Joel Corkum kennenlernt. Schon bald kauft das frisch verliebte Paar ein Haus und kurze Zeit später läuten im Oktober 1991 die Hochzeitsglocken.

Jane hat es sich zur Aufgabe gemacht, Vorträge über häusliche Gewalt zu halten und misshandelten Frauen zur Seite zu stehen. Ihr Engagement stößt nicht bei allen auf Wohlwollen- nur zwei Monate nach ihrer Heirat erhält die Frau Drohbotschaften. Neben einem Zettel, mit den Worten: „Hallo du Miststück, ich will nur, dass du weißt: ich habe dich nicht vergessen!“, der unter den Scheibenwischer ihres Autos geschoben wurde, erhält sie zum Beispiel auch einen Anruf im Hause ihrer Eltern. Der Anrufer droht: „Ich will nur, dass dir klar ist, dass ich immer weiß, wo du gerade bist.“ Jane nimmt die Drohungen sehr ernst. Die Mutter informiert die Polizei. Die

Frau hat Angst, dass ihr jemand nach dem Leben trachtet. Die Söhne Alan und Jamie sind erwachsen und können inzwischen für sich selbst sorgen. Für den mittlerweile 15-jährigen Darren trifft sie Vorkehrungen, sollte ihr etwas zustoßen.

Es ist der Morgen des 22. Februar 1992, knapp 10 Jahre nach Billys Tod, als in einem geparkten Wagen an der Seepromenade von Halifax eine tote Frau gefunden wird, die unter mysteriösen Umständen zu Tode gekommen ist. Bis auf die Fahrertür sind alle anderen Türen des Autos verschlossen. Die Tote sitzt auf dem Fahrersitz; ihr Oberkörper ist zur Beifahrerseite gesunken. In ihrem Schoss liegt eine Waffe. Im Brustbereich der Frau ist eine Einschusswunde sichtbar. Die Polizisten entdecken in der linken Jackentasche der Toten einen verschlossenen Umschlag. Die Beamten öffnen den Brief und ziehen eine Notiz hervor: „Jetzt redest du nicht mehr. Ich habe dich erwischt!“ Wer die Nachrichten geschrieben hat, die sich wie Botschaften von Billy aus dem Jenseits lesen, ist bis heute nicht geklärt.

Experten gehen nach intensiver Recherche von einer Selbsttötung aus-auch wenn durch die umfangreichen Ermittlungen eine Ermordung der 42-jährigen Jane Hurshman Corkum bis heute nicht mit letzter Gewissheit ausgeschlossen ist.

Schlusswort des Autors

Liebe Leserin, lieber Leser,

Hat Ihnen dieses Buch gefallen? Dann tragen sie sich doch in meinen Autoren-Newsletter ein. Als besondere Begrüßung und Dankeschön schenke ich Ihnen eine Sammlung der verstörendsten Fälle meiner True Crime Buchreihe.

Außerdem bereiten sie uns eine große Freude, wenn sie uns mit einer ehrlichen Rezension unterstützen. Jede Bewertung zählt, denn sie sorgt dafür, dass dieses Buch im großen digitalen Dschungel auffindbar ist.

Den Newsletter finden sie unter:

https://www.subscribepage.com/truecrimedeutschland

Herzlichst ihr Adrian Langenscheid, mit den Podcast Mordgeflüster, Überdosis Mord und Eyes In The Dark.

Instagram: @truecrimedeutschland

NEWSLETTER:

Instagram

Eyes in the Dark

Im True Crime Podcast „Eyes in the Dark“ besprechen Laura und Sarah jeden Sonntag einen wahren Kriminalfall aus aller Welt. Dabei gehen die beiden besonders auf die Hintergründe der grausamen Taten ein. Auch Fans von paranormalen Ereignissen kommen dabei auf ihre Kosten, denn einmal im Monat werden paranormale Phänomene thematisiert.

Überdosis Crime

Saskia und Chenoa sind eure Dealer, wenn es um nationale und internationale Kriminalfälle geht und versorgen euch regelmäßig mit neuen, spannenden Geschichten des wahren Lebens. Sie sind beide keine fachlichen Experten, besitzen aber die kriminologische Neugier von mindestens zwanzig Tatort-Kommissarinnen. In ihrem Podcast besprechen sie neben harten Fakten und Tatsachen auch persönliche Meinungen, Erfahrungen und aktuelle Debatten.

Mordgeflüster

Im Podcast Mordgeflüster erzählen Marie und Lisa jeden zweiten Sonntag ein wahres Verbrechen aus aller Welt. Die zwei Mädels vom Niederrhein tauchen dazu mit ihren Hörern, bei immer wieder neuen Fällen, in die Geschichte der Opfer und in die Psyche der Täter ein. Jede fünfte Folge ist dabei ein Cold Case Fall. Durch die Flüsterfrage, die man auf der liebevoll gestalteten Instagram Seite von den beiden findet, bekommen die Zuhörer die Möglichkeit an den Folgen mitzuwirken. Klingt das interessant? Dann solltest du unbedingt bei den Zweien reinhören.

TRUE CRIME INTERNATIONAL:

Die erfolgreiche Buchreihe
von Adrian Langenscheid

Sein unverkennbarer Stil und der Erfolg seiner Bücher machten Adrian Langenscheid zu einem der erfolgreichsten True Crime-Autoren Deutschlands. Hat Ihnen dieses Buch also gefallen? Dann bestellen Sie sich gerne auch die anderen Bücher der Reihe.

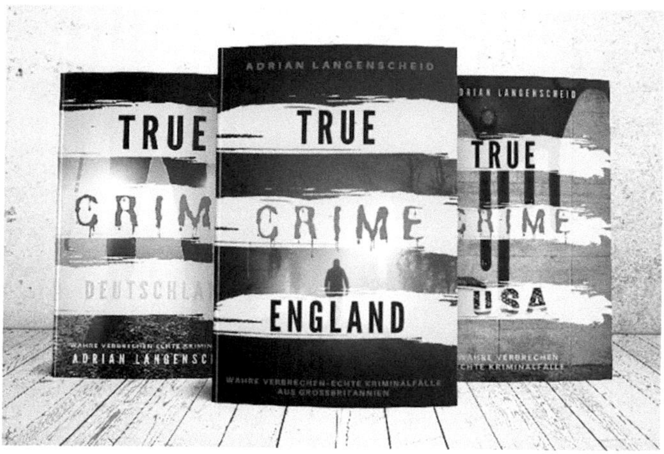